MAURICE ANGERS

INITIATION PRATIQUE
À LA MÉTHODOLOGIE DES
SCIENCES HUMAINES

4e édition

LES ÉDITIONS
CEC
QUEBECOR MEDIA

8101, boul. Métropolitain Est, Anjou (Québec) Canada H1J 1J9
Téléphone : (514) 351-6010 • Télécopieur : (514) 351-3534

Directeur de l'édition
Bruno Thériault

Directrice de la production
Danielle Latendresse

Directrice de la coordination
Sylvie Richard

Chargée de projet
Francine Cloutier

Correction d'épreuves
Emmanuel Dalmenesche
Marie Théorêt

Illustrations
Martin Gagnon

Conception graphique et réalisation technique
Dessine-moi un mouton

Photographies
Page-couverture : Creatas (bibliothèque) et François Desaulniers.
Pages 33, 41, 48, 125, 129, 137, 150, 169, 181 : François Desaulniers.
Pages 6, 14, 41, 50, 75, 90 : Pierre Guzzo.
Page 12 : Photos.com.
Pages 103, 106 : PhotoDisc.

Les Éditions CEC inc. remercient le gouvernement du Québec de l'aide financière accordée à l'édition de cet ouvrage par l'entremise du Programme de crédit d'impôt pour l'édition de livres, administré par la SODEC.

© 2005, Les Éditions CEC inc.
8101, boul. Métropolitain Est
Anjou (Québec) H1J 1J9

Dépôt légal : 2e trimestre 2005
Bibliothèque nationale du Québec
Bibliothèque nationale du Canada

ISBN : 2-7617-2332-5

Imprimé au Canada
2   3   4   5   09   08   07   06

AVANT-PROPOS

Cet ouvrage a été conçu dès sa première édition pour permettre aux étudiants et étudiantes qui entreprennent leur première recherche scientifique en sciences humaines de progresser étape par étape sans avoir à lire tout le manuel au préalable. Ce dernier, en effet, est divisé en quatre parties correspondant aux quatre étapes transdisciplinaires d'une recherche en sciences humaines. Les moyens de réaliser chacune de ces étapes y sont décrits de façon exhaustive.

Toutefois, ma préoccupation principale à chaque réédition est d'aller de plus en plus à l'essentiel, et à l'essentiel seulement, en tendant, par analogie, à rejoindre la ligne droite, celle qui permet de démontrer directement, simplement, sans fioritures. Avec cette quatrième édition, je poursuis mon travail d'épuration, mais sans négliger pour autant rigueur, illustrations, vulgarisation, innovations.

Je remercie chaleureusement l'équipe des Éditions CEC pour son soutien tout au long de cette révision : Francine Cloutier, chargée de projet, pour sa rigueur et son apport inestimable, Bruno Thériault, directeur d'édition, pour son ouverture et sa souplesse, Marie-Claude Déry, Isabelle Correia et Renée Gendron, secrétaires, pour leur travail appliqué et leur générosité, Guy Blain, délégué pédagogique, pour ses encouragements et son travail remarquable, ainsi que Guy Parent, professeur de psychologie au Cégep de Sainte-Foy pour ses conseils.

Maurice Angers

PRÉSENTATION
DES CARACTÉRISTIQUES DES CHAPITRES

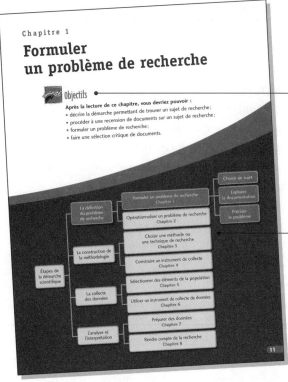

Des objectifs de chapitre clairs et concis guident l'apprentissage.

Chaque chapitre est structuré selon les actions à mener et les temps de la recherche. En début de chapitre, un schéma situe l'étape de la recherche présentée. Véritable plan, il permet de se situer facilement à l'intérieur de l'ensemble des étapes de la démarche scientifique.

La rubrique **Clics et déclics** fournit des adresses utiles et transdisciplinaires de sites pertinents et faciles à consulter.

La rubrique **Les têtes chercheuses** permet de découvrir ou de redécouvrir des chercheurs et chercheuses dont les travaux ont contribué et contribuent toujours à l'enrichissement de la connaissance en sciences humaines.

La rubrique **La conduite éthique** permet de souligner l'importance de l'éthique scientifique en rappelant les possibilités et les limites de la recherche.

La rubrique **À propos...** contient de l'information supplémentaire sur des sujets reliés à la recherche en sciences humaines.

La rubrique **Astuce** comporte des suggestions utiles et concrètes qui permettent d'éviter les écueils inhérents à la réalisation d'une recherche.

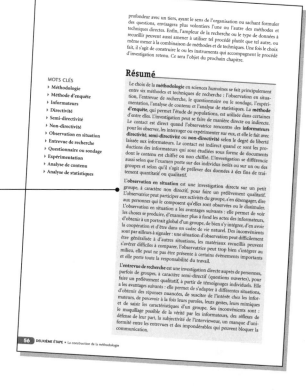

La définition des notions fondamentales apparaît en marge du texte, de même que dans le glossaire à la fin du manuel.

La rubrique **Un exemple** sert à présenter des extraits de recherches effectuées dans différentes disciplines de sciences humaines.

Les notions principales sont reprises dans le **Résumé** de la fin du chapitre.

Les **Questions** de fin de chapitre sont de trois types distincts.

Les **Questions de révision** permettent de vérifier la maîtrise des notions théoriques importantes.

Les **Questions d'application** permettent, par de courtes mises en situation, de vérifier la mise en pratique des notions théoriques importantes dans des situations concrètes.

La **Question d'intégration** assure une bonne compréhension et une juste interprétation de toutes les notions théoriques essentielles vues dans le chapitre à travers la présentation d'un scénario intégrateur.

TABLE DES MATIÈRES

PREMIÈRE ÉTAPE
LA DÉFINITION DU PROBLÈME

Chapitre 1

Chapitre 2

TROISIÈME ÉTAPE
LA COLLECTE DES DONNÉES

QUATRIÈME ÉTAPE
L'ANALYSE ET L'INTERPRÉTATION

Introduction

Étapes de
la démarche
scientifique

- La définition
du problème
de recherche
  - Formuler un problème de recherche
  Chapitre 1
  - Opérationnaliser un problème de recherche
  Chapitre 2

- La construction de
la méthodologie
  - Choisir une méthode ou
  une technique de recherche
  Chapitre 3
  - Construire un instrument de collecte
  Chapitre 4

- La collecte
des données
  - Sélectionner des éléments de la population
  Chapitre 5
  - Utiliser un instrument de collecte de données
  Chapitre 6

- L'analyse et
l'interprétation
  - Préparer des données
  Chapitre 7
  - Rendre compte de la recherche
  Chapitre 8

SCIENCE Ensemble cohérent de connaissances susceptibles de vérification dans le réel.

SCIENTIFIQUE Spécialiste d'une discipline des sciences faisant de la recherche.

SCIENCES DE LA NATURE Disciplines ayant l'univers physique et vivant comme objet d'étude.

SCIENCES HUMAINES Disciplines ayant l'être humain comme objet d'étude.

PHÉNOMÈNES Faits perçus directement ou indirectement par les sens et sur lesquels porte la connaissance scientifique.

EXPÉRIENCE Fait de provoquer un phénomène dans le but de l'étudier.

La **science** a connu un développement considérable depuis le 19ᵉ siècle et s'enrichit ainsi continuellement de nouvelles connaissances. Chaque **scientifique**, en effet, ne recommence pas à zéro, comme si rien n'avait été fait auparavant. Il ou elle utilise les théories ou les découvertes précédentes, soit pour les raffiner, soit pour les contester et en proposer de nouvelles interprétations.

Les scientifiques se sont d'abord orientés vers l'étude de la nature au sens large. Ce terme recouvre l'univers physique et celui des organismes vivants. En d'autres mots, tout ce qui existe ou se produit sans l'intervention humaine constitue ce qui est appelé la *nature*, et des disciplines plus particulières, comme la physique, la chimie, la biologie, ont été créées pour l'étudier. Appelées tantôt *sciences naturelles*, *exactes*, *pures* ou *sciences* tout court, elles sont actuellement nommées *sciences de la nature*. D'autres disciplines en font partie, comme l'astronomie, la géologie, et de nouvelles se forment par jumelage, comme l'astrophysique ou la biochimie.

Les scientifiques étudient aussi l'être humain. Les principales disciplines qui s'y rattachent sont apparues ou se sont développées au 19ᵉ siècle. Le but de ces études, menées dans les différentes branches des **sciences humaines**, est de connaître et de comprendre l'être humain et la signification de ses actes. Nommées antérieurement *sciences de l'homme* et présentement *sciences sociales*, en particulier dans le monde anglo-saxon, les sciences humaines englobent plusieurs disciplines qui ont comme objet d'étude l'être humain sous divers aspects. Par exemple, en psychologie, ce sont plus spécifiquement les comportements psychiques qui sont étudiés; en histoire, ce sont les évènements passés; en science politique, en science économique et en administration, entre autres disciplines, ce sont les rapports politiques, économiques, administratifs entre les êtres humains.

Les sciences de la nature ont institué un modèle de recherche exemplaire qui a connu un rayonnement très important jusqu'à ce jour. Elles ont mis au point une instrumentation très poussée pour mieux observer les **phénomènes** propres à leur objet. Ces phénomènes sont habituellement perçus par les sens — l'ouïe, le toucher, l'odorat, la vue et le goût —, mais ils ne sont cependant pas toujours observables directement. Ainsi, l'oeil ne peut pas voir très loin dans l'espace ni l'ouïe entendre tous les sons. D'un autre côté, certains phénomènes ne sont pas visibles ni perceptibles directement, mais seulement par leurs effets; ainsi en est-il de l'activité électrique du coeur. Certains instruments prolongent les sens, tels le microscope, qui permet de voir des objets invisibles à l'oeil nu, ou l'audiomètre, qui mesure des sons inaudibles, l'électrocardiogramme, qui enregistre le tracé de l'activité électrique du coeur. Ces instruments particuliers ont permis l'essor de l'expérimentation, c'est-à-dire le recours systématique à l'expérience comme méthode de recherche. Il s'agit de provoquer, généralement en laboratoire, un phénomène dans le but de l'étudier en créant des conditions de production de ce phénomène. Le mode de fonctionnement en sciences de la nature offre des conditions idéales pour la **répétition des expériences** parce qu'il est possible d'y soumettre l'objet à volonté.

Les sciences humaines ont, elles aussi, leur mode de fonctionnement. Pour le comprendre, il faut garder à l'esprit que l'objet d'étude est l'être humain.

Il s'agit d'un objet qui parle, qui agit, qui interagit avec ses semblables et qui est doué d'une conscience de ce qu'il entreprend. Cet objet d'étude ne peut en outre être manipulé ou traité sans ménagement. Ainsi, il faut lui demander son autorisation pour l'étudier : il peut s'y opposer ou l'accepter sans pour autant être d'accord avec ce qui sera dit de lui. L'instrumentation, de même, n'est souvent utilisable que si les sujets y consentent. Le mode de fonctionnement des sciences humaines n'est donc pas un calque de celui des sciences de la nature en raison du caractère différent de l'objet d'étude. Ainsi, par exemple, comme l'être humain donne lui-même un sens à ce qu'il vit, ces significations mêmes peuvent être étudiées, ce qui ne peut se faire avec l'objet des sciences de la nature.

Il n'y a pas, cependant, opposition dans la démarche scientifique à suivre en sciences de la nature et en sciences humaines, mais plutôt des différences inévitables dans le traitement concret à cause des particularités de chaque objet d'étude. Dans les deux secteurs, réaliser une recherche exige de suivre des étapes dans un ordre déterminé, comme cela est nécessaire dans la construction d'une maison. Cette recherche est par ailleurs fréquemment réalisée en équipe. La démarche requiert, de plus, des dispositions d'esprit particulières afin de produire des **connaissances scientifiques**. Elle doit être accomplie, enfin, avec un grand souci éthique.

LES ÉTAPES DE LA DÉMARCHE SCIENTIFIQUE

La démarche scientifique utilisée pour réaliser une recherche s'organise par étapes qui constituent autant de haltes donnant l'occasion de faire le point pour s'assurer d'être dans la bonne direction et de bien s'orienter pour la suite du parcours. La démarche scientifique peut être divisée en quatre étapes principales formant chacune un tout distinct : la définition du problème de recherche ou la problématique, la construction de la méthodologie, la collecte des données, l'analyse et l'interprétation, étapes qui seront suivies d'un rapport de recherche. De telles étapes sont **transdisciplinaires**, en ce sens qu'elles sont adaptables à toute recherche en sciences humaines, quels que soient la discipline ou l'objet considérés. Même si leur découpage varie parfois d'une discipline à l'autre, ces mêmes étapes principales s'y retrouvent néanmoins.

La définition du problème

La première étape d'une recherche est celle de la définition du problème. Un **problème**, en recherche, est ce qui soulève un questionnement, ce qui semble devoir être étudié. Cette étape débute par **la formulation d'un problème de recherche**. Il s'agit d'en arriver à cerner le problème, à le préciser pour en délimiter les contours, ce qui conduit à énoncer une question sur une réalité à connaître plus à fond.

Puis, comme dans toute recherche scientifique, il faut aller ultérieurement vérifier dans la réalité la question posée, il faut en concrétiser la formulation. C'est le propre de l'**opérationnalisation**, qui consiste à traduire le problème dans des termes qui permettent l'investigation empirique, c'est-à-dire dans la réalité. En d'autres mots, les concepts utilisés doivent être décortiqués de manière à les convertir en faits ou comportements observables.

À propos...

des différentes disciplines des sciences humaines

Il n'existe pas de définition claire et universellement acceptée de toutes les disciplines comprises dans le secteur des sciences humaines ou sociales. Les disciplines qui ont comme objet d'étude l'être humain et qui le traitent de façon scientifique sont néanmoins des branches des sciences humaines. C'est ainsi qu'il est possible de considérer qu'elles comprennent l'**anthropologie**, la **criminologie**, la **démographie**, l'**économie**, l'**ethnologie**, la **géographie**, la **psychologie**, la **psychologie sociale**, la **récréologie**, les **relations industrielles**, la **science politique**, les **sciences administratives**, les **sciences de l'éducation**, les **sciences de la religion**, les **sciences du langage**, les **sciences juridiques**, la **sociologie**, l'**histoire** et les **civilisations anciennes**.

CONNAISSANCE SCIENTIFIQUE Type de savoir en développement continuel, provenant de l'étude et de la vérification de phénomènes.

La construction de la méthodologie

La deuxième étape de la démarche scientifique est celle de la construction de la méthodologie. Une fois le problème défini, il faut décider comment recueillir les informations sur ce problème dans la réalité. Pour ce faire, il existe différentes méthodes et techniques; il s'agit, en lien avec la problématique, de faire le **choix d'une méthode ou d'une technique de recherche** en examinant les avantages et les inconvénients de chacune. Il reste ensuite à **construire l'instrument de collecte** approprié au problème de recherche avec la méthode ou la technique retenue pour se préparer à la collecte de données.

La collecte des données

La troisième étape de la démarche est celle de la collecte des données. C'est le moment d'entrer véritablement en contact avec la réalité. Pour le faire adéquatement, il faut, en premier lieu, procéder à la **sélection des éléments de la population**. En second lieu, il faut savoir **utiliser l'instrument de collecte** construit à la deuxième étape, sans quoi les données recueillies peuvent être faussées.

L'analyse et l'interprétation

La quatrième et dernière étape de la démarche scientifique est celle de l'analyse et de l'interprétation des résultats obtenus. Pour ce faire, il faut d'abord procéder à la **préparation des données** recueillies, en les dépouillant, en les codant, en les transférant sur un support informatique, en les traitant et en les mettant en forme. Il faudra ensuite les examiner avec soin et donner un sens aux résultats ou à ce qui en ressort. Il faudra enfin **rendre compte de la recherche** effectuée dans un rapport à partir duquel la valeur scientifique de la recherche sera jugée.

Chacune des quatre étapes qui viennent d'être décrites est distincte des trois autres, mais, à l'exception de la première, nécessite l'accomplissement de la ou des précédentes. Ce sont donc quatre étapes ordonnées, indispensables pour réaliser une recherche.

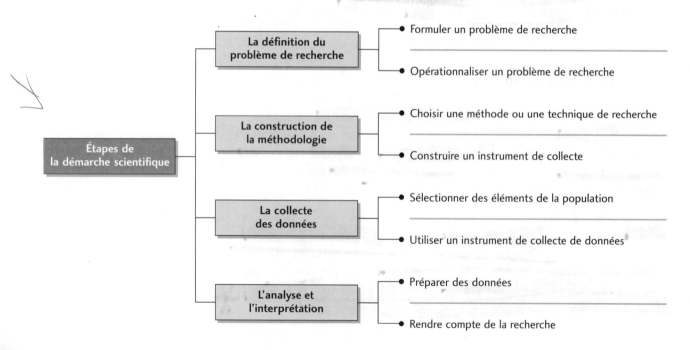

LE TRAVAIL EN ÉQUIPE

La réalisation d'une recherche en équipe est une pratique de plus en plus répandue dans le monde scientifique, comme dans beaucoup d'autres domaines, parce que le travail en équipe produit davantage et mieux que la juxtaposition d'efforts individuels. D'abord, il permet d'abattre une somme de travail considérable dans un temps relativement court. Ensuite, l'information qui en découle gagne en qualité grâce à la critique que l'échange de points de vue rend possible. Cet échange conduit aussi à mieux connaître la qualité de l'apport de chaque membre ; il permet en outre de prendre des décisions mieux éclairées grâce au large éventail de possibilités qu'il a permis d'envisager. Tout cela stimule l'effort mental et est une source de motivation non négligeable quand le travail est intense ou qu'il se poursuit pendant plusieurs semaines ou davantage.

Une équipe de quatre ou cinq dans une recherche étudiante en sciences humaines s'est révélée à maintes reprises très fructueuse. La réussite exige cependant de se préoccuper à la fois de la tâche à accomplir et du maintien de la cohésion du groupe. Il faut que chaque membre s'y sente accepté et que son apport particulier soit reconnu. Le fonctionnement du groupe sera facilité, également, si les responsabilités sont partagées entre les membres. Par exemple, un membre peut assurer l'animation des réunions, un autre la coordination du travail, un troisième la conservation et le classement des documents, un quatrième les relations avec l'extérieur du groupe, et chaque membre à tour de rôle pourrait avantageusement faire le compte rendu des réunions pour assurer le suivi du travail. Le travail individuel de chacun entre les rencontres d'équipe reste par ailleurs la condition indispensable au succès de ces réunions et à l'avancement régulier de la recherche.

L'ESPRIT SCIENTIFIQUE

S'il y a un esprit sportif qui caractérise les activités liées au sport, il y a un **esprit scientifique** qui imprègne l'activité de recherche. Se préparer mentalement à une activité, c'est adopter une attitude susceptible d'en favoriser la réussite : par exemple, l'attention est requise au volant d'une voiture ; la concentration est nécessaire devant une feuille d'examen. Les dispositions de l'esprit scientifique sont le sens de l'observation, la capacité de poser des questions sur le réel, la capacité d'abstraction, le souci de la rigueur, le souci de l'objectivité et l'ouverture d'esprit.

ESPRIT SCIENTIFIQUE Attitude caractérisée par certaines dispositions mentales essentielles à la réalisation d'une recherche.

Le sens de l'observation

Une première disposition de l'esprit scientifique est d'avoir le sens de l'observation. Être observateur ou observatrice, c'est examiner avec soin un aspect ou un autre de la réalité. Toute science est orientée vers la vérification de ses suppositions dans la réalité, d'où la nécessité de cette attitude. Se contenter de spéculer sans se soucier de la concordance avec l'expérience concrète est contraire à l'esprit scientifique. L'observation du réel s'avère ainsi indispensable à toute entreprise reposant sur des principes scientifiques. Observer, pour les scientifiques, est donc une préoccupation essentielle ; leur esprit doit y demeurer attaché, comme le sont les yeux de l'automobiliste à la route.

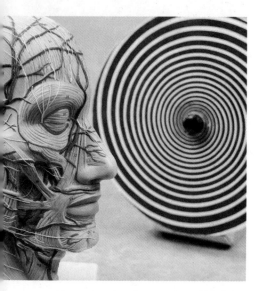

Un esprit scientifique est capable d'abstractions.

MÉTHODE SCIENTIFIQUE Ensemble de règles régissant le processus de la recherche scientifique.

voir les résultats tels qu'ils sont.
neutre

La capacité de s'interroger sur le réel

Une deuxième disposition de l'esprit scientifique est de savoir poser une ou des questions devant un phénomène soumis à son observation. Comme il est impossible de tout voir en même temps ou d'accorder une importance égale à chacune des situations qui se présentent, ce sont donc les questions posées avant ou pendant l'observation qui orientent en quelque sorte le regard. En d'autres mots, les questions permettent d'opérer une sélection parmi la multiplicité des observations possibles et déterminent ce sur quoi l'esprit doit s'arrêter. Le questionnement est donc indispensable à la recherche; il en est le point de départ, puisque les faits ne parlent pas d'eux-mêmes.

La capacité d'abstraction

Une troisième disposition de l'esprit scientifique est la capacité d'user de son raisonnement pour faire des abstractions. Abstraire, c'est isoler par la pensée ce qui fait partie d'un tout, séparer un élément d'un autre afin de le considérer indépendamment des autres. C'est concevoir, par exemple, que la couleur verte peut être le produit de deux couleurs primaires, le bleu et le jaune. C'est aussi construire des représentations mentales comme la démocratie ou le complexe d'Oedipe qui vont permettre d'appréhender la réalité à observer, toujours dense et enchevêtrée.

Le souci de la rigueur

Une quatrième disposition de l'esprit scientifique est le souci de la rigueur. Les scientifiques qui posent des questions sur les phénomènes ou les êtres qu'ils observent ne doivent pas le faire dans l'à-peu-près, mais de manière ordonnée, en suivant les étapes de la démarche scientifique et une méthode appropriée pour trouver les réponses aux questions qu'ils ont posées. La **méthode scientifique** désigne cette façon systématique de travailler avec des procédures reconnues par l'ensemble de la **communauté scientifique**.

Le souci de l'objectivité

Une cinquième disposition de l'esprit scientifique est le souci d'être objectif. Il s'agit de s'efforcer de rendre compte, le plus fidèlement possible, de la réalité. C'est un idéal jamais atteint puisque personne n'est neutre devant la réalité, et en prendre conscience est déjà un premier pas vers l'objectivité. En effet, les scientifiques ont beau vouloir rendre compte parfaitement de ce qu'ils observent et étudient, il n'en demeure pas moins qu'ils l'observent et l'étudient avec tout leur être, fait de sentiments, de sensations, d'expériences, de préjugés, de connaissances, autant que de rationalité. Un élément subjectif intervient dès le départ : l'intérêt pour un sujet de recherche particulier. La recherche scientifique exige, de plus, d'y mettre toute son énergie, défi difficile à relever en l'absence d'intérêt. De même, l'intérêt fournit la motivation pour mener le projet de recherche à terme. Conscients de cela, les chercheurs se servent de la méthode scientifique comme garantie d'objectivité.

L'ouverture d'esprit

Une sixième disposition de l'esprit scientifique est l'ouverture d'esprit tout au long du cheminement de la recherche. C'est une attitude mentale permettant d'accepter des façons différentes ou nouvelles de penser et de faire. Il faut apprendre à laisser de côté les idées reçues et être capable d'accepter des conclusions qui contredisent les suppositions faites au début de la recherche.

Il ne s'agit pas, cependant, de faire table rase des connaissances scientifiques antérieures, mais bien de ne pas les admettre sans examen. Cette ouverture peut conduire à entrevoir la réalité autrement et à faire émerger de nouvelles voies, de nouvelles idées, d'ordre méthodologique ou théorique.

L'ÉTHIQUE DE LA RECHERCHE SCIENTIFIQUE

Il y a dans la conduite d'une recherche des règles à suivre qui forment une **éthique scientifique** propre à ce travail. Là comme dans d'autres professions, des **codes de déontologie**, avec des règles et des devoirs à respecter, ont été élaborés. Parallèlement, des comités de déontologie se multiplient dans les établissements où s'effectuent des recherches. Ces comités de surveillance visent à n'accepter que les recherches qui respectent les règles éthiques en usage. Les principes éthiques à respecter concernent les sujets de la recherche, les êtres humains dans le cas des sciences humaines, la communauté scientifique et le public.

Les sujets humains

Les sciences humaines existent parce que le droit de la communauté scientifique de faire des recherches sur l'humain a été reconnu au 19e siècle tout comme le droit d'étudier les mondes minéral, végétal et animal l'avait été auparavant. Ce droit impose toutefois le respect des personnes qui participent à une recherche : le respect de leur intégrité et de leur vie privée ainsi que le souci de limiter les inconvénients qui peuvent leur être causés.

Le respect de l'intégrité des personnes

L'intégrité des personnes est violée si leur participation à la recherche risque de les affecter physiquement ou psychologiquement. Ainsi, réunir des personnes et les obliger à des comportements qui les exténuent ou leur répugnent parce qu'ils vont, par exemple, à l'encontre de leurs valeurs est une forme d'abus. C'est un manquement grave, encore, de forcer des gens à participer à une enquête en usant de chantage émotif ou en recourant à l'autorité. De plus, laisser les personnes complètement ignorantes des raisons de leur participation à une recherche traduit un manque de respect outrancier. La révélation du véritable motif peut cependant être faite après la participation à la recherche si la connaissance du motif peut nuire à son déroulement. Cela est surtout nécessaire dans le cas d'expériences en laboratoire, car si les sujets savent au départ sur quoi ils sont évalués, ils peuvent être portés à modifier leurs comportements. En règle générale, cependant, le motif de la recherche est présenté aux participants dès le début, et c'est donc en connaissance de cause qu'ils collaborent. Somme toute, les sujets doivent avoir pu donner un consentement éclairé parce qu'ils ont reçu une information suffisante, judicieuse, et qu'ils sont demeurés libres, à tout moment, de participer à la recherche.

Le respect de la vie privée

Par souci du respect de leur vie privée, la règle, en sciences humaines, est de ne pas divulguer l'identité de personnes qui ont bien voulu participer à la recherche ou celui de leur groupe d'appartenance selon le cas (tel village, telle association, par exemple), à moins d'en avoir obtenu l'autorisation. Cette règle est d'autant plus nécessaire que la recherche exige des sujets libres de s'exprimer spontanément et non influencés par ce qui peut être dévoilé sur eux ou par l'image qu'ils projettent. La seule exception permise à l'anonymat

ÉTHIQUE SCIENTIFIQUE Ensemble de principes ou devoirs moraux liés à la conduite d'une activité de recherche.

CODE DE DÉONTOLOGIE Ensemble de règles et de devoirs que se donne officiellement une profession.

À propos...

des théories sur la connaissance scientifique

La science progresse autant, sinon plus, par la négation, la réfutation de ses constructions passées que par ses avancées. Popper (1959), un philosophe des sciences, va même jusqu'à évaluer une théorie ou une hypothèse scientifique selon qu'elle est réfutable ou non et il conçoit l'évolution de la science comme une suite de réfutations à l'infini. Il illustre son propos en disant, par exemple, que, quel que soit le nombre de cygnes blancs qu'on aura pu observer, l'affirmation que tous les cygnes sont blancs ne se justifie pas parce qu'il pourrait y avoir des cygnes noirs qu'on n'aurait pas pu observer. Plus récemment, Kuhn (1972), un autre philosophe des sciences, tout en n'allant pas jusqu'à croire comme son prédécesseur qu'il y a réfutation continuelle en science, explique comment, selon lui, naissent les révolutions scientifiques. Elles commencent quand des scientifiques, devant une anomalie non résolue dans la théorie et les pratiques alors en vigueur, osent s'aventurer hors des sentiers battus. Ces scientifiques lutteront ensuite pour faire triompher leur nouvelle vision du monde.

concerne les personnes publiques, passées et présentes. Ces personnes acceptent inévitablement, de par leurs fonctions, d'être intégrées à toute analyse qu'il est possible de faire d'une situation sociale. En ce qui concerne le travail sur des documents, les personnes et les auteurs qui peuvent y être mentionnés, décédés ou non, doivent aussi être traités avec respect, surtout s'il s'agit d'écrits personnels et privés.

Le souci de limiter les inconvénients

Les inconvénients susceptibles d'être causés, ne serait-ce que le temps ou le déplacement exigé des sujets, doivent être compensés par l'intérêt que suscite la recherche. Cet intérêt peut être d'ordre intellectuel, comme vouloir contribuer à une meilleure compréhension de l'humain sous un angle particulier ou à l'avancement de la science. L'intérêt peut aussi être d'ordre affectif, car des sujets peuvent éprouver une grande satisfaction d'avoir pu s'exprimer sur un aspect de leur vie ou de leur personnalité et d'avoir bénéficié d'une écoute attentive au cours d'une entrevue de recherche, par exemple. Il peut, enfin, être d'ordre monétaire, mais pas au point que ce soit la seule source de motivation à participer. Bref, les avantages pour les participants, quels qu'ils soient, doivent être au moins équivalents aux inconvénients entraînés.

Plus globalement, il doit exister une confiance mutuelle entre les personnes qui effectuent la recherche et celles qui y participent. Il faut sincèrement être convaincu de l'apport inestimable que fournissent les participants à la recherche, et ceux-ci doivent être assurés que leurs droits seront protégés et qu'ils retireront de cette expérience une gratification quelconque. Si ce respect mutuel s'établit, il assure la qualité morale du travail scientifique en sciences humaines.

La communauté scientifique

L'impartialité ne va pas de soi, la perspicacité non plus, et la lucidité n'est pas à toute épreuve. Pour s'assurer de l'objectivité à laquelle ils aspirent, les scientifiques acceptent d'être jugés par leurs pairs reconnus dans la communauté scientifique. Il est en effet admis, dans les milieux scientifiques, que « l'échange généralisé de critiques » (Bourdieu, Chamboredon et Passeron 1968 : 112) est essentiel au maintien de hauts standards d'objectivité.

TRANSPARENCE Exigence pour le ou la scientifique de dévoiler à ses pairs tous les aspects de sa recherche.

Les scientifiques sont ainsi tenus à la transparence envers les autres membres de la communauté scientifique à propos de leurs recherches, pour que ces dernières puissent être évaluées correctement. C'est pourquoi ils doivent divulguer non seulement les résultats de la recherche, la méthodologie et l'analyse qui y ont conduit mais également en rendre disponibles les données.

VALIDITÉ D'UNE RECHERCHE Correspondance entre la définition du problème, la méthodologie et les données recueillies.

Les pairs sont pour leur part tenus de faire un examen sérieux des recherches qui sont soumises à leur évaluation. Ils doivent y poser un regard critique et honnête. Cette divulgation leur permet donc de vérifier si les exigences propres à la conduite de la recherche en question ont été respectées et si la recherche est valide. La validité d'une recherche tient à la correspondance entre la définition du problème et ce qui a été effectivement rapporté de la réalité observée. Ainsi, si la recherche portait sur le degré d'adhésion d'une population à une religion donnée et que seul le nombre de manifestations publiques de cet intérêt a été observé, elle pourrait être critiquée parce qu'une partie seulement du phénomène aurait été observé ; il faudrait faire d'autres types d'observations pour obtenir des résultats valides. Cette divulgation permet également aux pairs de déceler des erreurs possibles et, à l'occasion, de découvrir des impostures (De Pracontal 1986), comme les fausses données, le maquillage des résultats ou le vol d'informations.

L'exigence envers les scientifiques est donc double : ils doivent accepter d'être critiqués mais ils ont aussi la responsabilité de critiquer leurs pairs. Ayant traité équitablement les travaux de leurs pairs, ils sont d'autant plus en mesure d'exiger d'être correctement évalués à leur tour. À long terme, ces échanges de critiques favorisent l'amélioration individuelle et collective du travail des membres de la communauté scientifique. Il ne faut donc pas craindre les commentaires des autres, bien au contraire, puisqu'ils sont le plus sûr garant de la poursuite objective d'une recherche.

Le public

Les scientifiques ont, en principe, la liberté de travailler sur les sujets qui les intéressent. En retour, ils ont le devoir de rendre compte au public de leurs recherches. Cela fait partie du **droit à l'information**, c'est-à-dire de connaître, même si ce n'est que globalement, les principaux résultats de la recherche scientifique. Les scientifiques, sur ce plan, ne doivent donc pas se limiter à divulguer leurs recherches auprès de leurs pairs, mais doivent contribuer à l'occasion à la vulgarisation de leur travail. Cette vulgarisation est une autre façon de s'assurer du respect à accorder aux sujets humains. Il n'y a qu'à penser aux recherches actuelles sur le foetus humain et aux dérives qu'elles pourraient entraîner sans information et droit du public à se prononcer sur leur bien-fondé. De façon générale, le public attend aussi des scientifiques qu'ils s'intéressent à des phénomènes importants et que leur travail contribue au progrès de l'humanité. Une grande responsabilité incombe donc aux scientifiques quant aux choix de leur sujet et aux orientations de leur recherche. C'est à ce prix que la recherche scientifique continuera à occuper une place méritée et assurée dans la société.

L e contenu des chapitres suivants vous permettra de mener à votre tour une recherche en suivant les étapes de la démarche scientifique. Chacune des quatre étapes de cette démarche va constituer une partie de cet ouvrage. Chaque étape sera, en outre, divisée en deux phases donnant lieu à deux chapitres. Dans la première étape, la définition du problème de recherche, la façon de formuler un problème (chapitre 1) puis de l'opérationnaliser (chapitre 2), sera présentée. La deuxième étape, la construction de la méthodologie, portera d'abord sur le choix d'une méthode ou d'une technique de recherche (chapitre 3), puis sur la construction des instruments de collecte (chapitre 4). Dans la troisième étape, la collecte des données, seront traitées la sélection des éléments de la population (chapitre 5), puis l'utilisation des instruments de collecte (chapitre 6). Enfin, la quatrième étape, l'analyse et l'interprétation, portera d'abord sur la préparation des données (chapitre 7), puis sur l'analyse et l'interprétation des résultats ainsi que sur la rédaction du rapport de recherche (chapitre 8).

Pour s'assurer de ne pas s'engager dans une étape sans avoir réussi l'étape précédente, il pourra être opportun de rédiger, après chacune, un rapport d'étape. Ce rapport permettra d'évaluer la solidité de l'étape franchie et de passer ensuite avec assurance à l'étape suivante. De plus, ces rapports d'étape serviront à la rédaction du rapport de recherche final.

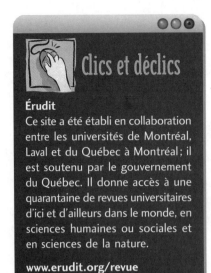

LA DÉFINITION DU PROBLÈME

Chapitre 1

Formuler
un problème de recherche

 Objectifs

Après la lecture de ce chapitre, vous devriez pouvoir :

- décrire la démarche permettant de trouver un sujet de recherche ;
- procéder à une recension de documents sur un sujet de recherche ;
- formuler un problème de recherche.

Étapes de la démarche scientifique

- **La définition du problème de recherche**
  - Formuler un problème de recherche **Chapitre 1**
    - Choisir un sujet
    - Explorer la documentation
    - Préciser le problème
  - Opérationnaliser un problème de recherche **Chapitre 2**

- **La construction de la méthodologie**
  - Choisir une méthode ou une technique de recherche **Chapitre 3**
  - Construire un instrument de collecte **Chapitre 4**

- **La collecte des données**
  - Sélectionner des éléments de la population **Chapitre 5**
  - Utiliser un instrument de collecte de données **Chapitre 6**

- **L'analyse et l'interprétation**
  - Préparer des données **Chapitre 7**
  - Rendre compte de la recherche **Chapitre 8**

Vous allez entreprendre une recherche en sciences humaines en suivant les étapes de la démarche scientifique. La première étape en est la définition du problème ou de la problématique, qui se divise en deux phases. Dans ce chapitre, vous en réaliserez la première phase, soit la formulation du problème, qui est une action en trois temps. Il faut d'abord choisir un sujet de recherche; diverses sources peuvent vous inspirer dans ce choix. Puis, il s'agit d'explorer la documentation existante sur le sujet retenu. Enfin, le troisième temps consiste à préciser le sujet choisi tout en le transformant en un problème, c'est-à-dire en une question à résoudre qui orientera votre investigation dans la réalité.

Clics et déclics

Bibliothèque de l'UQTR
Le site de la bibliothèque de l'Université du Québec à Trois-Rivières comporte plusieurs ressources Internet. Choisissez d'abord *Guides thématiques* dans le menu et ensuite le champ disciplinaire qui vous intéresse.

www.uqtr.uquebec.ca/biblio

CHOISIR UN SUJET

Le sujet d'une recherche, c'est la réponse que vous allez donner à la question : « Sur quoi travaillez-vous ? » Ce peut être, tout autant, par exemple, les taux d'intérêt au Canada, la pauvreté à Montréal, les sectes religieuses, l'attention des élèves en classe, le travail des députés, les syndicats au 19e siècle ou la culture innue. Il s'agit de dire brièvement ce sur quoi portera la recherche.

Pour trouver un sujet de recherche, il faut prendre le temps nécessaire pour y réfléchir et examiner diverses possibilités. Une réflexion suffisante et approfondie est la seule façon d'éviter les retours en arrière. Cette réflexion porte principalement sur l'intérêt pour tel ou tel sujet. Si le sujet pique la curiosité, il donne alors le goût d'investir de l'énergie et du temps dans la recherche. Un sujet qui semble ennuyeux peut être démotivant, alors qu'un sujet intéressant peut devenir une passion.

L'intérêt pour un sujet peut être éveillé par différentes **sources d'inspiration** : les expériences vécues, le désir d'être utile, l'observation de l'entourage, l'échange d'idées et les recherches déjà réalisées (figure 1.1).

Figure 1.1   Les sources d'inspiration d'un sujet de recherche

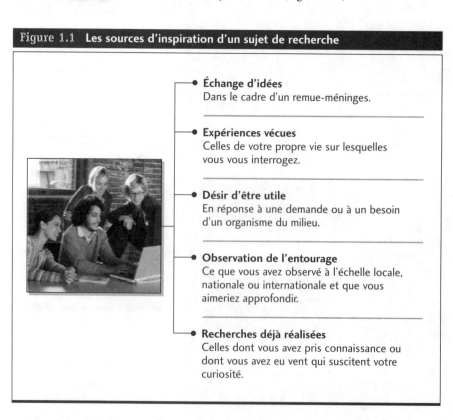

Échange d'idées
Dans le cadre d'un remue-méninges.

Expériences vécues
Celles de votre propre vie sur lesquelles vous vous interrogez.

Désir d'être utile
En réponse à une demande ou à un besoin d'un organisme du milieu.

Observation de l'entourage
Ce que vous avez observé à l'échelle locale, nationale ou internationale et que vous aimeriez approfondir.

Recherches déjà réalisées
Celles dont vous avez pris connaissance ou dont vous avez eu vent qui suscitent votre curiosité.

Cependant, même si un sujet paraît intéressant, certaines précautions sont à prendre avant d'arrêter votre choix. Il faut éviter un sujet trop vaste risquant d'avoir une ampleur démesurée. De même, un sujet ne doit pas aller au-delà de vos compétences étant donné votre formation scolaire actuelle et le fait que vous débutez en recherche. N'oubliez pas non plus, si vous faites cette recherche en équipe, de vous assurer du consensus du groupe. Il est important que le sujet intéresse suffisamment tous les membres de l'équipe, sans exception. Ne faites pas l'erreur de choisir le sujet par vote parce que le vote ne reflète pas l'intérêt de tous les membres. Quoi qu'il en soit, avant de fixer votre choix, demandez l'avis de votre professeur. Il est le conseiller tout désigné pour estimer si vous partez sur un bon pied.

EXPLORER LA DOCUMENTATION SUR LE SUJET

Au début d'une recherche, il faut consulter les publications sur le sujet choisi. Un plus ou moins grand nombre de semaines ou de mois peut être consacré à approfondir la documentation existante selon le temps disponible. Cette consultation est nécessaire parce qu'elle permet de s'informer, notamment :

- sur les recherches déjà réalisées sur le sujet ;
- sur les définitions qui en ont été données ;
- sur les angles sous lesquels il a déjà été étudié ;
- sur la ou les théories qui ont été utilisées pour l'expliquer ;
- sur la méthodologie utilisée pour recueillir de l'information.

Tout cela permet ensuite d'élaborer la recherche en connaissance de cause, en continuité avec ce qui s'est déjà fait ou, alors, en sachant très bien s'il y a lieu d'innover et pourquoi. Les ressources en bibliothèque sont d'un apport inestimable sur ce plan (figure 1.2).

Il y a une marche particulière à suivre pour faire la **recension de la documentation** de façon efficace. Elle s'effectue en **quatre temps** : étoffer le sujet avec une liste de mots clés, trouver des documents sur le sujet et les noter, sélectionner les documents pertinents et, enfin, lire et mettre sur fiches les informations essentielles.

Étoffer le sujet

Étoffer le sujet, c'est d'abord l'exprimer en quelques mots s'il se résumait à un seul, par exemple *l'assiduité scolaire au collégial* plutôt que *les collégiens*. Ensuite, c'est constituer une **liste de mots clés**, en associant les mots ayant servi à exprimer le sujet à d'autres termes apparentés qui vont donner accès aux vedettes-matières, c'est-à-dire à la terminologie utilisée en bibliothèque et dans Internet pour classer les documents de tous ordres. Il est possible de découvrir ces mots apparentés dans les dictionnaires, encyclopédies, vocabulaires, lexiques ou thésaurus, de portée générale ou axés sur les sciences humaines ou sur une discipline particulière, qui se trouvent dans la section **Référence** de toute bibliothèque (figure 1.2).

Ces mots clés vont permettre de trouver de la documentation sur le sujet. Par exemple, si votre sujet était formulé dans les mots *sectes religieuses*, en fouillant dans des ouvrages de référence vous auriez pu trouver, associés au terme *secte*, les mots clés suivants : *ésotérisme, doctrine, sectarisme, foi militante, leader religieux* et en traduire quelques-uns en anglais, *religious sects,*

À propos...

des multiples possibilités de sujets de recherche en sciences humaines

Le domaine d'investigation des sciences humaines est très vaste. C'est l'être humain en rapport avec lui-même et avec ses semblables. Ce champ couvre autant l'étude de la personnalité que celle des rapports mondiaux, en passant par la relation à deux et la connaissance de la société.

En sciences humaines, un même sujet peut de plus être étudié par différentes disciplines. Chaque discipline apporte en effet un éclairage particulier, et une étude d'envergure demande que, dans la mesure du possible, le sujet soit envisagé sous tous ses angles.

Par exemple, la criminalité peut être étudiée sous les **angles** suivants :

- **psychologique** (la personnalité des criminels) ;
- **économique** (les coûts de l'incarcération) ;
- **politique** (les politiques pénales) ;
- **sociologique** (les fonctions sociales de l'incarcération) ;
- **historique** (l'évolution des peines) ;
- **géographique** (la répartition mondiale de la criminalité) ;
- **administratif** (l'organisation des prisons) ;
- **religieux** (les aspects sacrilèges) ;
- **anthropologique** (les mesures pénales ailleurs qu'en Occident).

RECENSION DE LA DOCUMENTATION
Examen approfondi et systématique des publications sur un sujet.

militancy, etc.; vous auriez pu trouver, associés au terme *religieux* ou *religion*, les mots clés suivants : *confession, croyances, dogme, mythe, foi, spiritualité, sacré, divinité* et en anglais, *religious beliefs, congregation* et ainsi de suite.

Trouver des documents sur le sujet

C'est à l'aide de votre liste de mots clés que vous allez trouver de la documentation rattachée à votre sujet de recherche, en consultant tour à tour :

- l'**Index des périodiques** pour repérer les articles (***Repère*** pour des revues en français et ***Hebsco Host***, *Canadian Reference Center*, pour des revues en anglais, sur cédéroms ou en ligne); souvent un résumé ou un sommaire (*abstract* en anglais) accompagne les articles répertoriés et permet ainsi d'avoir une idée des contenus;

- le **Catalogue général** de l'endroit pour repérer les autres documents, dont les livres sur les rayons; un coup d'oeil sur la table des matières d'un volume indique s'il concerne réellement le sujet;

- d'autres sources de documentation, s'il y a lieu, par exemple, Internet, un annuaire d'organismes, des cartes.

En **notant** au fur et à mesure les documents susceptibles de vous fournir des informations intéressantes sur le sujet, vous établissez graduellement une **liste de documents**. Prenez le temps de noter toutes les coordonnées de chaque document retenu, y compris le nom de la base de données qui vous y a donné accès, pour le retrouver facilement par la suite. Certaines bases de données facilitent les choses en vous permettant l'impression des coordonnées de chaque document qui semble pertinent, voire même d'imprimer le texte au complet si vous ne doutez pas de sa pertinence.

Figure 1.2   La consultation en bibliothèque ou dans un centre de documentation

- **Un catalogue**
  Répertoire des volumes disponibles, classés par sujet, titre, nom d'auteur ou d'organisme, avec leurs cotes.

- **Une section d'ouvrages de référence générale**
  Dictionnaires, lexiques, vocabulaires, thésaurus et encyclopédies, de caractère général ou spécialisé.

- **Une section sur du matériel non écrit**
  Films, émissions de radio ou de télévision, cassettes audio, cartes ou autres.

- **Des sources accessibles par ordinateur**
  Cédéroms, index des périodiques et des journaux, ouvrages généraux et accès possible à Internet.

- **Une section de publications officielles**
  Rapports, annuaires, données statistiques, etc., publiés par des agences gouvernementales ou d'autres organismes.

Sélectionner les documents pertinents

Sélectionner les documents pertinents, c'est faire un choix parmi les documents de la liste que vous venez de constituer. Pour un article, cette sélection se fait en le lisant en diagonale, pour un livre, en parcourant la table des matières et en lisant le début des chapitres. Vous vous assurerez ainsi que le document est réellement à propos, autrement dit qu'il apporte des informations utiles à l'enrichissement de vos connaissances sur le sujet.

Il faut accorder une attention particulière aux documents trouvés dans Internet. Un site n'a aucune crédibilité si le ou les auteurs ne se sont pas identifiés clairement avec des noms plausibles. En outre, s'il s'agit d'individus, leur nom doit être suivi de leur titre professionnel pour que vous puissiez juger si vous pouvez accorder une certaine valeur à leurs propos. S'il s'agit d'un organisme, il doit se rattacher à une institution ou à une entreprise publique ou privée reconnue pour que vous le preniez en considération. Dans les autres cas, il faut être très circonspect et ne rien considérer comme valable à priori. Ces précautions prises, le contenu peut se révéler tout de même décevant pour votre sujet si ce contenu n'est pas assez poussé. Enfin, certains documents sont des articles de revue ou de journaux que vous aviez sans doute déjà retracés en explorant des bases de données comme *Repère*.

N'importe qui peut écrire n'importe quoi dans Internet ! Alors, prudence, Internet n'est pas une panacée.

Lire et mettre sur fiches les informations essentielles

Lire et mettre sur fiches les informations essentielles, c'est d'abord vous arrêter, en lisant un document, aux parties du texte qui représentent une synthèse de la pensée de l'auteur et les informations susceptibles de soutenir votre propre recherche. C'est, ensuite, les mettre sur fiches pour pouvoir en faire usage dans votre recherche. La mise sur fiches se fait à l'aide d'une fiche bibliographique pour chaque document et de fiches sur lesquelles sont notés des résumés, des citations ou d'autres informations à conserver.

La **fiche bibliographique** est essentielle. Il faut en faire une par document retenu. Elle doit contenir toutes les précisions nécessaires pour s'y référer et pour le retrouver, s'il y a lieu. L'entête contient les quatre informations

Figure 1.3   La fiche bibliographique d'un article

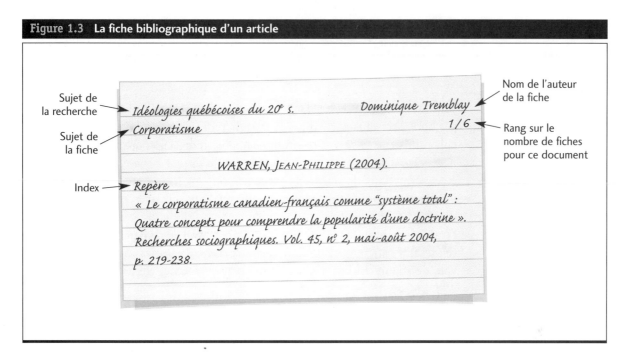

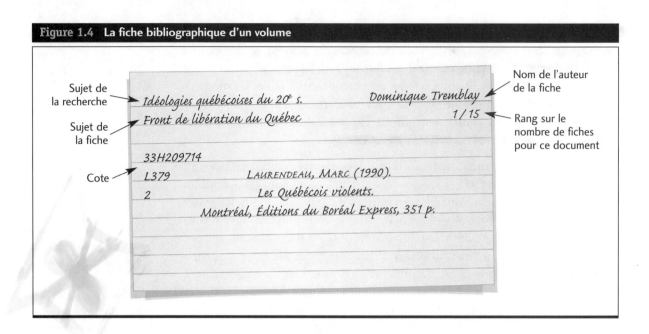

Figure 1.4 La fiche bibliographique d'un volume

Sujet de la recherche → *Idéologies québécoises du 20ᵉ s.* Dominique Tremblay ← Nom de l'auteur de la fiche

Sujet de la fiche → *Front de libération du Québec* 1 / 15 ← Rang sur le nombre de fiches pour ce document

33H209714
Cote → *L379* LAURENDEAU, MARC (1990).
2 *Les Québécois violents.*
Montréal, Éditions du Boréal Express, 351 p.

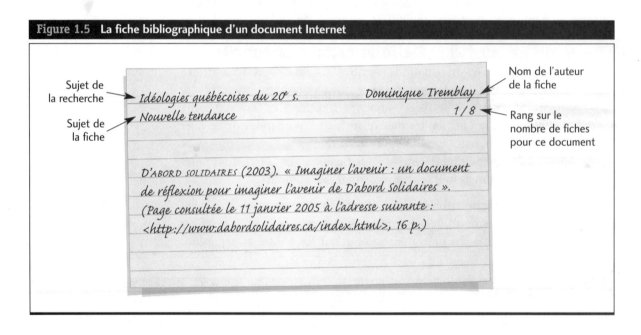

Figure 1.5 La fiche bibliographique d'un document Internet

Sujet de la recherche → *Idéologies québécoises du 20ᵉ s.* Dominique Tremblay ← Nom de l'auteur de la fiche

Sujet de la fiche → *Nouvelle tendance* 1 / 8 ← Rang sur le nombre de fiches pour ce document

D'ABORD SOLIDAIRES (2003). « Imaginer l'avenir : un document de réflexion pour imaginer l'avenir de D'abord Solidaires ». (Page consultée le 11 janvier 2005 à l'adresse suivante : <http://www.dabordsolidaires.ca/index.html>, 16 p.)

suivantes : le sujet de la recherche, le sujet de la fiche (il porte habituellement sur un aspect plus particulier de la recherche), le nom de l'auteur de la fiche et le rang de la fiche sur le nombre de fiches rédigées à partir de ce document. À gauche, dans la marge, il est fort utile d'indiquer la base de données ou la cote permettant de retracer comment vous avez eu accès au document s'il s'avère nécessaire de le consulter à nouveau. Vous inscrivez, enfin, dans le corps de la fiche, la référence au document telle qu'elle vous sera demandée pour l'établissement de la bibliographie de votre travail de recherche. Cette référence se présente différemment selon que le document est un article (figure 1.3), un volume (figure 1.4) ou un texte trouvé dans Internet (figure 1.5).

La **fiche citation** est fortement recommandée pour conserver ce qu'il y a lieu de retenir d'un document lu pour votre recherche (Dionne 1998). Elle contient la transcription littérale d'extraits du document consulté (figure 1.6) choisis

Figure 1.6 Une fiche citation

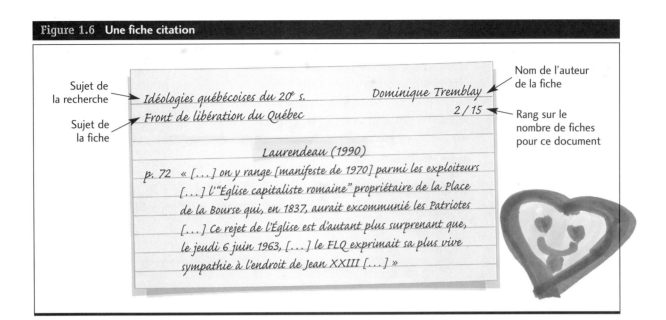

Sujet de
la recherche → *Idéologies québécoises du 20ᵉ s.*   *Dominique Tremblay* ← Nom de l'auteur
de la fiche

Sujet de
la fiche → *Front de libération du Québec*   *2 / 15* ← Rang sur le
nombre de fiches
pour ce document

Laurendeau (1990)

*p. 72 « [...] on y range [manifeste de 1970] parmi les exploiteurs
[...] l'"Église capitaliste romaine" propriétaire de la Place
de la Bourse qui, en 1837, aurait excommunié les Patriotes
[...] Ce rejet de l'Église est d'autant plus surprenant que,
le jeudi 6 juin 1963, [...] le FLQ exprimait sa plus vive
sympathie à l'endroit de Jean XXIII [...] »*

à partir de votre propre questionnement, ce qui oblige à tirer l'essentiel et l'essentiel seulement du document, sans quoi la tâche devient trop longue et improductive. La fiche citation sert d'aide-mémoire pour les passages importants en vue de vous y reporter ultérieurement, et pour le bénéfice des autres membres de l'équipe qui n'ont pas lu ce document. Pour ne pas perdre le sens des propos de l'auteur, il est recommandé de les rapporter textuellement, en plaçant l'extrait entre guillemets. Les passages supprimés sont indiqués par trois points de suspension entre crochets (figure 1.6). Les renseignements complémentaires ajoutés pour saisir le sens d'un mot ou d'une expression sont aussi mis entre crochets, comme la référence au manifeste de 1970 du Front de libération du Québec, à la première ligne de l'exemple de la figure 1.6.

La fiche citation comporte le même entête que la fiche bibliographique; la description bibliographique, placée au-dessus de la citation, est toutefois abrégée (nom de famille de l'auteur et année de publication seulement). Il importe cependant de bien noter la page d'où l'extrait est tiré.

Il peut également être utile de rédiger sur une fiche le résumé du contenu d'un document dont il est particulièrement difficile de choisir quelques extraits seulement. Ce résumé doit se caractériser par sa brièveté, sa précision par rapport au sujet de recherche, son souci de respecter le sens des propos de l'auteur ainsi que ses termes dans la mesure du possible. Cette **fiche résumé** doit aussi comporter le même entête que la fiche bibliographique et la même description bibliographique que la fiche citation.

Chaque fiche doit être indépendante des autres, même si plus d'une fiche touche un même aspect du sujet de la recherche. Chaque fiche doit contenir un ou des extraits ayant un début et une fin, qui peuvent provenir de pages différentes dans le document pour autant qu'ils abordent le même aspect que celui indiqué dans l'entête. Pour conserver les fiches rédigées sur un document dans un certain ordre, et s'assurer de pouvoir les rassembler par la suite, il est important de numéroter chaque fiche sur le nombre total de fiches rédigées par document, tel qu'indiqué dans l'entête de la figure 1.6. L'ensemble des fiches constituées servira à rédiger l'état de la question.

Les têtes chercheuses

Psychoanthropologue canadien, Daniel R. Wolf (1948-) est « devenu » le motard Coyote pour étudier, sur le terrain, un club de motards hors-la-loi, les Rebels d'Alberta. Il a dû s'acheter une moto Harley-Davidson et franchir une série de rites initiatiques pour être accepté comme ami du club, puis novice, initié et, enfin, membre à part entière. Pendant trois ans, il a roulé aux côtés des Rebels. De plus, il a dû patienter un an et demi avant que les Rebels approuvent officiellement son étude. Au cours des dernières années, il a continué à colliger ses données. Cette recherche lui a permis d'étudier, jour et nuit, la construction de l'identité, la socialisation des motards, les rapports entre les sexes, la hiérarchie, le fonctionnement d'un club et la question des alliances et des guerres entre motards.

DANIEL R. WOLF (1995). *Les Rebels : Une fraternité de motards hors-la-loi.* Baixas, Balzac éditeur, 406 p.

PROBLÈME DE RECHERCHE Énoncé du sujet de la recherche sous la forme d'une question impliquant la possibilité d'une investigation en vue de trouver une réponse.

RECHERCHE FONDAMENTALE Recherche ayant pour but d'accroître les connaissances dans un domaine donné.

RECHERCHE APPLIQUÉE Recherche ayant pour but de résoudre un problème pratique.

RECHERCHE DESCRIPTIVE Recherche visant à représenter en détail un phénomène.

RECHERCHE CLASSIFICATRICE Recherche visant à regrouper des phénomènes selon un ou plusieurs critères.

RECHERCHE EXPLICATIVE Recherche visant à mettre en relation des phénomènes.

RECHERCHE COMPRÉHENSIVE Recherche visant à saisir les significations données par les individus eux-mêmes à leur conduite.

PRÉCISER LE PROBLÈME

Il faut maintenant préciser le sujet retenu pour en faire un **problème de recherche**, c'est-à-dire une question vérifiable dans la réalité. **Quatre questions clés** vont y conduire. Une théorie repérée lors de l'exploration de la documentation peut se révéler fort utile dans ce questionnement. En outre, si vous envisagez dès cette première étape de la recherche de travailler ultérieurement sur des documents, il faut en faire une critique externe et interne à l'aide de la méthode historique.

Quatre questions clés

Quatre questions clés servent à définir plus finement le problème de recherche :
- Pourquoi s'intéresser à ce sujet ?
- Quelle est la visée de la recherche ?
- Qu'est-ce qui est connu de ce sujet ?
- Quelle question de recherche poser ?

Pourquoi s'intéresser à ce sujet ?

Il s'agit ici de spécifier l'intention qui a mené au choix d'un sujet plutôt qu'un autre. Si l'intention est l'accroissement des connaissances sur le sujet, la **recherche sera fondamentale**. Étudier la crise d'Octobre en 1970 au Québec avec l'intention de mieux connaître cette époque troublée de l'histoire contemporaine du Québec en est un exemple. Si l'intention relève plutôt du souci de résoudre un problème pratique, la **recherche sera appliquée**. Étudier la durée variable des unions chez les couples avec le désir de venir en aide aux couples en difficulté en est un exemple.

Quelle est la visée de la recherche ?

Il s'agit cette fois de spécifier la visée de la recherche. Si la visée est d'en arriver à une représentation détaillée et fidèle du phénomène étudié, d'en faire le portrait, la **recherche sera descriptive**. Étudier la crise d'Octobre pour simplement relater les principaux évènements marquants et les discours tenus par les groupes et associations de la société civile de l'époque en est un exemple. Cette visée s'impose avant toute autre si le phénomène est encore inconnu ou méconnu. Si la visée est d'établir une catégorisation du phénomène, avec un ou des critères pour en faire ressortir des traits caractéristiques, en dégager des portraits types, plutôt qu'une simple description d'ensemble, la **recherche sera classificatrice**. Étudier la crise d'Octobre pour catégoriser les prises de position des associations étudiantes collégiales et universitaires de l'époque en est un exemple.

Si la visée est de rendre compte de relations possibles entre le phénomène et d'autres, trouver la cause ou les facteurs ayant contribué à son apparition par exemple, la **recherche sera explicative**. Étudier la durée variable des unions pour découvrir des facteurs rendant compte de cette variabilité en est un exemple. Cette visée est au coeur de la démarche scientifique dont le but est toujours de trouver des explications aux phénomènes qui se produisent. Si la visée est de prendre en considération les significations données par les personnes à leur conduite, pour découvrir la nature d'un phénomène, le connaître de l'intérieur, à travers le vécu des gens, la **recherche sera compréhensive**. Étudier la durée variable des unions en se penchant sur les raisons rapportées par chaque conjoint l'ayant amené à former un couple en est un exemple. C'est une visée propre aux sciences humaines puisque l'être humain est le seul objet en science qui donne un sens à ses actes. Ces quatre visées peuvent être poursuivies séparément mais une recherche peut avoir plus d'une visée.

Qu'est-ce qui est connu de ce sujet ?

C'est la recension de la documentation trouvée sur le sujet qui permet de savoir ce qui en est déjà connu. Il s'agit de rédiger une synthèse des informations obtenues, synthèse qui correspond dans une recherche à l'**état de la question**. Cette synthèse porte :

- sur les divers aspects du sujet traités par les auteurs lus ;
- sur les ressemblances et les différences dans les propos des auteurs ;
- sur des notions, des concepts ou des termes utilisés par les auteurs ;
- sur la théorie qu'ils proposent, le cas échéant ;
- sur la méthodologie qu'ils ont utilisée pour mener leurs investigations ;
- sur les principaux résultats de leur recherche.

Le fil conducteur essentiel pour rédiger adéquatement l'état de la question, qui peut être rédigé dès la fin de la recension de la documentation, doit être de démontrer votre capacité à comparer les points de vue des auteurs lus sur les divers éléments exposés. La référence à ces auteurs s'y fait simplement en donnant leur nom de famille suivi de l'année de publication, avec ajout d'un numéro de page en cas de citation. Cependant ce texte doit être suivi d'une bibliographie complète.

Cette synthèse conduit à préciser ce qui fera l'objet de la recherche par rapport à ce qui a déjà été fait. Elle amène une quatrième et dernière question clé qui permettra de restreindre et de préciser plus finement le problème, rendant ainsi possible la réalisation de la recherche.

ÉTAT DE LA QUESTION Synthèse des informations connues sur un sujet de recherche.

Rien de mieux que de tracer dès maintenant les grandes lignes de l'état de la question. Le résultat de cet exercice de rédaction devra être intégré dans le rapport final de la recherche.

Un exemple de l'état de la question

Le texte ci-dessous donne un aperçu de l'état de la question relativement à la controverse entourant la fécondation in vitro dans les années 1980. Louise Vandelac, sociologue, fait rapidement le tour de la question dans un article, dont voici un court extrait.

La face cachée de la procréation artificielle

« Depuis le début des années 1980, plusieurs d'entre eux [chercheurs] ont en effet critiqué l'inflation trompeuse des taux de succès et leur rôle majeur dans la production de la "demande" (Marcus-Steiff 1986 : 1 ; Blackwell et coll. 1987 : 735). D'autres ont mis en évidence le caractère expérimental de la fécondation extra-corporelle, ses risques, ses effets secondaires directement liés à l'intervention médicale, tout en montrant à quel point les femmes sont utilisées comme des cobayes humains (Corea 1985 : 374 ; Duelli-Klein et Rowland 1988 : 251 ; Laborie et coll. 1988 : 77). Plusieurs spécialistes ont également mis en évidence les coûts exorbitants de ces technologies et leur non-sens dans une perspective de santé publique (Marcus-Steiff 1986 : 1 ; Blackwell et coll. 1987 : 735). D'autres ont aussi dénoncé l'élargissement constant des indications et leur caractère souvent prématuré, hasardeux et discutable sur le plan éthique (Emperaire 1986 ; Gavarini 1987 ; Vandelac 1988). Enfin, d'autres chercheurs ont souligné les effets d'engrenage provoqués par l'ignorance bioclinique de la phase d'implantation de l'embryon dans l'utérus et par la volonté d'augmenter à tout prix les taux de succès (Blanc 1986). »

LOUISE VANDELAC (1989). « La face cachée de la procréation artificielle ». *La Recherche*, vol. 20, n° 213 (septembre), p. 1112-1113.

Références bibliographiques

BLACKWELL, R.E. ET COLL. (1987). *Fertility and sterility*. vol. 48.

BLANC, M. (1986). *L'ère de la génétique*. Paris, La Découverte.

COREA, G. (1985). *The mother machine*. New York, Harper and Row.

DUELLI-KLEIN, R., ROWLAND, R. (1988). *Reproductive genetic engineering*. vol. 1.

EMPERAIRE, J. C. (1986). *Contraception, fertilité, sexualité*. vol. 12.

GAVARINI, L. (1987). *Les procréations artificielles aux regards de l'institution scientifique et de la Cité : La bio-éthique en débat*. Thèse de sociologie, Université de Paris VIII.

LABORIE, F. ET COLL. (1988). *Reproductive genetic engineering*. vol. 1.

MARCUS-STEIFF, J. (1986). *Les temps modernes*. vol. 42, n° 482.

VANDELAC, L. (1988). *L'infertilité et la stérilité : L'alibi des technologies de procréation*. Thèse de sociologie, Université de Paris VII.

La conduite éthique

Le plagiat

Plagier ne signifie pas simplement copier par-dessus l'épaule de quelqu'un une réponse à une question d'examen. Reproduire un extrait d'un livre sans l'entourer de guillemets et en omettant d'en mentionner la source est aussi du plagiat. De même, emprunter l'idée d'un auteur sans préciser la source (même si la formulation est transformée) constitue également du plagiat. C'est s'approprier illégalement les idées et les propos de quelqu'un d'autre en les faisant passer pour siens. Il s'agit de vol de propriété intellectuelle.

◀◀◀◀◀◀◀◀◀◀◀

THÉORIE Ensemble d'explications et de connaissances sur un domaine de recherche destiné à en rendre compte et à en prédire les manifestations.

MÉTHODE HISTORIQUE Façon d'aborder et d'interpréter un évènement passé suivant une procédure de recherche et d'examen de documents s'y rapportant.

Quelle question de recherche poser?

Après avoir mis en lumière l'intention de la recherche, la visée et les connaissances acquises, le problème de recherche peut être formulé sous la forme d'une question. Celle-ci va permettre de cerner le problème particulier de recherche, d'en dessiner les contours et d'entreprendre l'investigation dans la réalité. En **recherche qualitative**, toutefois, cette question doit être considérée comme provisoire (Chevrier 1992 ; Deslaurier 1991) puisque chaque étape subséquente peut amener à la réviser. Elle doit, néanmoins, être soigneusement formulée. Si le sujet retenu était la crise d'Octobre, elle pourrait être formulée ainsi : *Quelles idéologies sous-tendaient les discours politiques tenus par les associations étudiantes durant la crise d'Octobre?* Si le sujet était la durée variable des unions, elle pourrait être formulée de la façon suivante : *Existe-t-il un lien entre les raisons données pour former un couple et la durabilité de l'union?*

Les apports d'une théorie

Une **théorie** peut être utile pour clarifier ou orienter un problème de recherche. Une théorie permet, en effet, une première mise en ordre dans le flot d'interprétations possibles d'un phénomène et suggère des directions à prendre pour appréhender le problème retenu. Par exemple, la théorie des classes sociales, qui met l'accent sur l'analyse des rapports conflictuels entre certains groupes dans la société, pourrait se révéler fort appropriée dans l'étude des prises de position des associations étudiantes lors de la crise d'Octobre au Québec.

Une théorie a souvent été élaborée graduellement par un ou plusieurs auteurs et transmise au moyen d'articles ou de volumes. Vouloir en connaître tous les aspects exigerait donc une somme de travail considérable. Il est d'ailleurs très difficile de saisir toutes les implications d'une théorie avant de s'être soi-même spécialisé dans le domaine concerné. C'est pourquoi, dans une première recherche, il faut faire preuve de prudence dans l'utilisation d'une théorie et s'en tenir aux quelques notions directement liées au problème envisagé.

L'étude de documents et la méthode historique

En précisant votre problème, vous pouvez vous rendre compte que votre recherche porte sur l'**étude de documents** comme dans l'étude des prises de position des associations étudiantes durant la crise d'Octobre au Québec, car cette étude nécessite de rassembler des écrits (manifestes, articles parus, discours reproduits, etc.) produits par ces associations. Après avoir réuni ces documents, il faut en vérifier l'authenticité et la crédibilité avant de commencer la recherche afin de la réorienter sans délai au besoin. C'est dans ce but que la **méthode historique** a été mise au point par des historiens allemands au milieu du 19e siècle. Quelle que soit la visée de la recherche, si elle implique la reconstitution d'un passé proche ou lointain à l'aide de documents et d'archives, la méthode historique s'impose. La méthode historique repose sur l'évaluation ou la critique de documents. Cette critique a deux volets : la critique externe et la critique interne. Les documents provenant d'Internet gagnent à être soumis à cette même double critique.

La critique externe

La critique externe permet d'évaluer l'**authenticité** d'un document. Il s'agit de l'examiner en se posant les quatre questions suivantes.

- **Quel est l'état du document ?**

  Avant de donner une appréciation d'ensemble, il faut voir s'il est entier, déchiffrable ou s'il a été altéré. Il y aura, en effet, des nuances au jugement à porter sur un document selon la nature de la pièce examinée. Par exemple, il est dangereux de présumer qu'un texte incomplet devait se poursuivre dans une direction donnée. De plus, si le document n'est pas un original mais une copie, il faut vérifier si celle-ci est exacte ou si elle a subi des modifications.

- **Qui en sont les auteurs ?**

  Il faut chercher à déterminer la source du document en gardant à l'esprit que tout document ne donne qu'un point de vue, celui de son ou de ses auteurs, qu'il s'agisse d'individus ou de groupes particuliers. Ces individus ou ces groupes ne sont pas nécessairement crédibles, comme il est possible de le constater aujourd'hui sur plusieurs sites Internet. En étant conscient de cela, vous pourrez mieux apprécier le sens d'un document, de même que la plus ou moins grande diversité des sources consultées.

- **Quand a-t-il été produit ?**

  Dater le document ou, du moins, se renseigner pour déterminer la période à l'intérieur de laquelle se situe la production est indispensable. Cela permettra d'évaluer ensuite si les documents issus de la période ciblée sont en nombre suffisant pour approfondir le sujet de recherche.

- **Où a-t-il été produit ?**

  Tout autant que l'époque, il importe de savoir de quelle société ou milieu le document émane.

La critique interne

La critique interne permet pour sa part d'évaluer la crédibilité d'un document. Il s'agit de l'examiner en se posant trois autres questions pour savoir s'il sera retenu pour la recherche.

- **Quels sont les sujets traités dans le document ?**

  En lisant le document, il faut prêter attention aux différents sujets ou aspects du problème traité.

- **Pourquoi ces sujets y sont-ils traités ?**

  Il faut dégager les positions de l'auteur ou des auteurs du document sur les sujets qu'ils traitent : sont-elles favorables, défavorables, nuancées ? Puis, il s'agit de considérer les valeurs transmises, en cherchant à découvrir ce qui a pu amener les auteurs à produire ce document, c'est-à-dire en se demandant s'ils avaient des intentions qui sont décelables.

- **Dans quel contexte le document a-t-il été produit ?**

  Un document n'existe pas par hasard. Des circonstances précises ont incité quelqu'un à le produire, d'où l'importance de se référer à l'époque et à la

Clics et déclics

Portail des TIC

Ce site a été créé par la Vitrine APO (applications pédagogiques de l'ordinateur), un organisme regroupant plus de 90 établissements (commissions scolaires, collèges et universités), qui s'est donné comme mandat de promouvoir et de soutenir l'intégration des technologies de l'information et des communications en éducation. Le *Portail des TIC* donne notamment accès à des milliers de ressources pour une quarantaine de disciplines grâce à son système de recherche par requête. Il comporte également une bibliothèque virtuelle de périodiques francophones.

www.ntic.org

société desquelles il émane. Par exemple, il n'est pas sans importance de savoir qu'une série télévisée étasunienne dont le héros est un médecin de famille a été produite au moment même où il était question de l'étatisation de la médecine dans ce pays et que l'émission était financée en partie par l'association des médecins américains, qui s'opposait à l'étatisation. Si le sujet renvoie à une période historique donnée, il peut donc être nécessaire de faire des lectures sur cette période en vue de bien cerner le problème de recherche.

Les questions à vous poser en faisant les critiques interne et externe constituent des balises. Pour répondre à certaines d'entre elles, vous devrez peut-être consulter plus expert que vous.

Pour conclure, la formulation d'un problème de recherche révèle l'esprit questionneur propre aux scientifiques. En effet, le chercheur et la chercheuse se caractérisent moins par les savoirs accumulés que par les questions qu'ils savent poser sur la réalité. Cependant, comme le dit un proverbe populaire : *Qui trop embrasse mal étreint*. Vouloir étudier trop d'aspects d'une réalité à la fois entraîne le risque de n'aboutir à rien. Un sujet bien circonscrit et une recherche réussie encouragent à mener une autre recherche sur des aspects restés cachés ou incompris. Ainsi, graduellement, morceau par morceau, un grand pan de la réalité est mis en lumière. Une question de recherche doit donc dégager un problème précis pour en faciliter ensuite l'opérationnalisation, le sujet du prochain chapitre.

Résumé

La formulation d'un **problème de recherche** s'effectue en trois temps. D'abord, il faut choisir un sujet, après une réflexion et un examen de l'intérêt qu'il représente. Plusieurs sources d'inspiration peuvent conduire au sujet définitif : les expériences vécues, le désir d'être utile, l'observation de l'entourage (immédiat ou plus vaste), l'échange d'idées et les recherches déjà réalisées. Mais peu importe la source d'inspiration, ce qui compte, c'est que le sujet retenu présente un intérêt suffisant pour s'engager à fond dans la recherche.

Le deuxième temps de la formulation du problème consiste à faire une **recension de la documentation** sur le sujet. Cela implique un certain nombre d'actions à mener : étoffer le sujet avec une liste de mots clés ; puis trouver des documents sur le sujet et les noter ; ensuite, sélectionner les documents pertinents et, enfin, lire et mettre sur fiches les informations essentielles tirées de ces documents.

Le troisième temps, enfin, consiste à préciser le problème de recherche à l'aide de quatre questions clés. La première, *Pourquoi s'intéresser à ce sujet ?*, vise à spécifier s'il s'agira d'une **recherche fondamentale** ou **appliquée**, et les raisons de ce choix. La deuxième, *Quelle est la visée de la recherche ?*, détermine la visée, à savoir si la **recherche** sera **descriptive**,

MOTS CLÉS

▸ **Problème de recherche**
▸ **Recension de la documentation**
▸ **Recherche fondamentale**
▸ **Recherche appliquée**
▸ **Recherche descriptive**
▸ **Recherche classificatrice**
▸ **Recherche explicative**
▸ **Recherche compréhensive**
▸ **État de la question**
▸ **Théorie**
▸ **Méthode historique**

classificatrice, **explicative** ou **compréhensive**. La troisième, *Qu'est-ce qui est connu de ce sujet?*, mène à rédiger l'**état de la question** sur les connaissances recensées sur le sujet au cours de l'exploration de la documentation. La dernière, *Quelle question de recherche poser?*, permet de formuler précisément la question qui orientera la suite de la recherche. Pour formuler cette question, une connaissance minimale d'une **théorie** propre à une discipline scientifique est utile car, en fournissant certaines perspectives d'explication et de compréhension, elle assure une première clarification et une mise en ordre du problème. Par ailleurs, si la question conduit à orienter la recherche vers l'étude de documents, le recours à la **méthode historique**, qui permet de reconstituer un passé proche ou lointain, est nécessaire. Avec ses questions obligeant à faire une critique externe et interne des documents, elle déterminera si ceux trouvés sont pertinents et permettent de poursuivre la recherche envisagée.

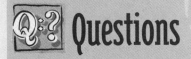 Questions

QUESTIONS DE RÉVISION

1. Quelles sont les voies à explorer pour choisir un sujet de recherche? Précisez la signification de chacune.

2. Comment s'y prend-on pour explorer la documentation sur son sujet de recherche? Précisez le sens de chaque pas à franchir dans la marche à suivre.

3. Que signifie chacune des questions clés permettant de préciser le problème de recherche?

4. À quoi sert la méthode historique? Sur quoi repose-t-elle?

QUESTIONS D'APPLICATION

5. Une chercheuse dit que sa recherche lui a été inspirée par la lecture d'articles d'un collègue australien, dont elle a été mise au courant lors d'une discussion avec des membres de son département universitaire; de plus, ce qu'elle a vu se passer dernièrement dans son environnement l'a aussi orientée dans sa recherche.

   Quelles sont les sources d'inspiration de cette chercheuse quant au choix de son sujet de recherche? Expliquez.

6. Une personne vous consulte sur la façon dont elle devrait s'y prendre pour explorer la documentation sur les effets de l'emprisonnement. Indiquez à cette personne les grandes lignes de ce qu'elle doit faire et comment elle doit s'y prendre, en montrant votre compréhension des termes utilisés.

7. Un chercheur travaille sur le problème de la toxicomanie pour mieux connaître les habitudes de vie qui y conduisent. Il vise plus particulièrement à savoir d'où viennent ces habitudes de vie. Les recherches antérieures semblent les relier en priorité à l'absence ou à la présence de l'un ou l'autre parent dans la jeunesse du toxicomane. Il veut savoir, pour sa part, si un frère ou une soeur plus âgés peuvent aussi engendrer certaines de ces habitudes de vie chez le toxicomane.

Dans cette précision du problème, comment le chercheur a-t-il répondu à chacune des questions clés qu'il a dû se poser? Justifiez votre réponse dans chaque cas. Par exemple: *À la première question, à savoir pourquoi s'intéresser à la toxicomanie, il a répondu... et son intention sera donc de faire une recherche...*

QUESTION D'INTÉGRATION

8. Les membres d'une équipe de recherche se demandent ce qui pousse certaines personnes à acheter des billets de loterie chaque semaine. Ils ont en effet observé avec étonnement les longues files d'attente aux comptoirs de Loto-Québec à certains moments durant la semaine et reconnu les mêmes clients qui reviennent. Les chercheurs voudraient découvrir la motivation première à cette régularité d'achat. Les quelques recherches qu'ils ont lues à propos de cette forme de jeu de hasard ne fournissent que des renseignements descriptifs sur l'ensemble des consommateurs: nombre, âge, état civil, revenu et scolarité. L'équipe espère, en diffusant ses résultats éventuels, amener la population à réfléchir sur le bien-fondé d'une telle dépense hebdomadaire.

a) Nommez les sources d'inspiration de l'équipe en précisant ce que chacune a apporté.

b) Dans le local où l'équipe tient ses réunions, on trouve:
   • la photocopie d'un article d'une revue scientifique;
   • un document provenant d'Internet;
   • un dictionnaire de synonymes;
   • un volume provenant d'une bibliothèque;
   • une fiche bibliographique.

   Expliquez la présence de chacun de ces objets en indiquant ce que l'équipe ou l'un de ses membres a fait dans le cadre de l'exploration de la documentation.

c) Qu'a répondu l'équipe aux quatre questions clés qui permettent de préciser le problème de recherche?

Chapitre 2

Opérationnaliser un problème de recherche

 **Objectifs**

Après la lecture de ce chapitre, vous devriez pouvoir :

- formuler une hypothèse ou un objectif de recherche ;
- extraire les dimensions et les indicateurs d'un concept ;
- schématiser une analyse conceptuelle ;
- identifier les variables d'une hypothèse ou d'un objectif de recherche ;
- évaluer la faisabilité d'une recherche.

Étapes de la démarche scientifique

La définition du problème de recherche
- Formuler un problème de recherche — Chapitre 1
- Opérationnaliser un problème de recherche — Chapitre 2

La construction de la méthodologie
- Choisir une méthode ou une technique de recherche — Chapitre 3
- Construire un instrument de collecte — Chapitre 4

La collecte des données
- Sélectionner des éléments de la population — Chapitre 5
- Utiliser un instrument de collecte de données — Chapitre 6

L'analyse et l'interprétation
- Préparer des données — Chapitre 7
- Rendre compte de la recherche — Chapitre 8

Opérationnaliser un problème de recherche :
- Formuler une hypothèse ou un objectif de recherche
- Faire l'analyse conceptuelle de l'hypothèse ou de l'objectif
- S'assurer de la faisabilité de la recherche

OPÉRATIONNALISATION Processus de concrétisation d'une question de recherche qui permet de la rendre observable.

Formuler un problème de recherche vous a conduit à poser une question de recherche. Cette question doit maintenant être transformée pour que le ou les phénomènes auxquels elle renvoie deviennent observables dans la réalité. Ainsi, vous complèterez l'élaboration de votre problématique. Le processus pour parvenir à concrétiser votre question de recherche est l'**opérationnalisation**. C'est une action en trois temps : il s'agit d'abord de formuler une hypothèse ou un objectif de recherche, ensuite d'analyser les concepts contenus dans cette formulation, et, enfin, de s'assurer de la faisabilité de la recherche.

L'opérationnalisation permet de passer de la question de recherche, générale et plutôt abstraite, aux comportements mêmes qu'il s'agira d'observer dans la réalité, allant ainsi du versant abstrait au versant concret de la recherche. Si le point de départ de la recherche est une question, l'opérationnalisation conduit à déterminer les éléments de la réalité qui peuvent y répondre.

FORMULER UNE HYPOTHÈSE OU UN OBJECTIF DE RECHERCHE

La première opération de concrétisation de la question de recherche consiste à y répondre, habituellement sous la forme d'une **hypothèse**. Cependant, s'il n'est pas possible de faire de prédiction, l'hypothèse est remplacée par un objectif de recherche. Objectif ou hypothèse, la formulation doit posséder certaines qualités pour être considérée comme scientifique.

HYPOTHÈSE Réponse supposée à une question de recherche, une prédiction à vérifier empiriquement.

Les caractéristiques de l'hypothèse

L'hypothèse a trois caractéristiques : c'est une prédiction, elle doit être cohérente et elle doit être vérifiable. Par exemple, la **prédiction** de la question de recherche *Qui sont les consommateurs de billets de loterie dans la région métropolitaine de Montréal?* pourrait être celle-ci : *Les consommateurs de billets de loterie de la région métropolitaine de Montréal se trouvent en majorité dans les foyers ayant un revenu annuel de 30 000 $ et plus* (selon un sondage effectué pour Loto-Québec en 1989). Dans cet exemple, il est présumé qu'il se trouvera plus d'acheteurs de billets de loterie parmi les gens ayant un revenu supérieur à 30 000 $ que parmi ceux des catégories de revenu inférieures. L'hypothèse est ainsi une réponse supposée et plausible à une question de recherche.

Une deuxième caractéristique d'une hypothèse est qu'elle doit être exprimée dans un **énoncé cohérent**. Les rapports entre les idées reliées dans une hypothèse doivent être d'une logique simple et claire. Dans l'hypothèse précédente, *consommateurs de billets de loterie* est relié à *revenu annuel d'un foyer*, et il est dit simplement qu'il y aurait une relation entre ces phénomènes.

VÉRIFICATION EMPIRIQUE Caractéristique de la recherche scientifique, qui consiste à confronter des suppositions avec la réalité par l'observation de cette dernière.

La troisième caractéristique d'une hypothèse est que son contenu doit pouvoir être soumis à une **vérification empirique**. La vérification empirique est l'opération par laquelle les suppositions, les prédictions, sont confrontées à la réalité, c'est-à-dire aux faits. La vérification empirique, qui est une des préoccupations essentielles de la recherche scientifique, consiste donc à observer la réalité, et l'hypothèse se présente comme un moyen d'y arriver. Ainsi, l'assertion que l'achat de billets de loterie est davantage le fait des foyers ayant un revenu de 30 000 $ et plus est une hypothèse parce qu'elle peut être vérifiée empiriquement, c'est-à-dire que l'achat peut être observé et qu'il est possible d'obtenir des renseignements sur le revenu des gens.

Les caractéristiques de l'objectif de recherche

Comme l'hypothèse, l'**objectif de recherche** doit avoir un **contenu cohérent** et **vérifiable**. Cependant, contrairement à l'hypothèse, l'objectif de recherche ne contient pas de prédiction, c'est-à-dire de réponse à la question de recherche. Souvent, quand une recherche a un caractère pionnier ou lorsque les phénomènes qui y sont examinés sont difficilement mesurables, il n'est pas possible de prévoir ce qui sera découvert. De là l'intérêt de formuler un objectif de recherche qui va indiquer, dans l'état actuel des connaissances sur le phénomène étudié, le type de renseignements qui seront recueillis.

Il en est ainsi de l'objectif *Connaître les caractéristiques sociales des consommateurs de produits du commerce équitable.* Tout en découlant d'une question de recherche telle que *Qui sont les consommateurs de produits du commerce équitable?*, cet objectif ne permet pas d'anticiper de réponse. Il en est de même de l'objectif *Établir la conjoncture économique entourant le phénomène du baby-boom dans les années 1940-1950*, qui ne permet pas de présumer ce que sera la réponse à la question de recherche *Quelle était la conjoncture économique des décennies 1940 et 1950 lors de la forte poussée de la natalité?* Si la recherche est réalisée à l'aide de la méthode historique, en particulier, ce n'est qu'à la fin de la recherche, selon certains historiens, qu'il est possible d'émettre une hypothèse (Gagnon et Hamelin 1979); au départ, l'objectif n'est tout au plus qu'une idée directrice, sujette à des mutations successives (Dixon, Bouma et Atkinson 1987).

Les termes de l'hypothèse ou de l'objectif de recherche

Les termes d'une hypothèse ou d'un objectif de recherche doivent être univoques, précis, signifiants et neutres. Ces sont les qualités mêmes du **langage scientifique**. Même si des termes courants sont utilisés en science (*poids, masse, hasard, échantillon*, par exemple), le langage scientifique se distingue du langage habituel parce qu'il en fait un usage qui lui est propre.

Des termes univoques

Dans la formulation d'une hypothèse ou d'un objectif de recherche, chaque terme ne doit avoir qu'un sens et être interprété par tous de la même manière pour éviter diverses interprétations. C'est justement pour cette raison que, dans l'hypothèse déjà mentionnée, le terme *consommateurs* de billets de loterie a été choisi plutôt que le terme *amateurs*, mot qui ne renvoie pas à l'idée qu'il y a achat. Ce terme aurait été ambigu et non univoque. Il en aurait été de même si le terme *salaire* avait été utilisé au lieu de *revenu*, puisque le revenu, une somme perçue pour une activité ou un travail, peut être obtenu sous d'autres formes qu'un salaire telles une rente, une commission, des honoraires, etc.

Des termes précis

Le vocabulaire scientifique se caractérise aussi par la précision de chaque terme. En science, en effet, chaque terme doit permettre de circonscrire la réalité ou la notion qu'il désigne de la façon la plus exacte possible. Ainsi, dans l'hypothèse précédente, l'échelle de temps est précisée par l'emploi du qualificatif *annuel* dans *revenu annuel des consommateurs*. De même, le qualificatif *légal* pourrait être ajouté à *loterie* pour préciser que sont exclues de la recherche les loteries illégales. L'hypothèse ou l'objectif doivent donc être bien circonscrits à l'aide de termes précis pour que le contenu de l'énoncé soit mieux saisissable et éventuellement vérifiable.

OBJECTIF DE RECHERCHE Intention manifestée de se renseigner empiriquement pour répondre à une question de recherche.

Clics et déclics

Rescol

Le Réseau scolaire canadien (Rescol), un partenariat entre les gouvernements provinciaux et territoriaux, la communauté enseignante et le secteur privé, fait la promotion de l'utilisation des technologies de l'information et des communications dans l'apprentissage. Rescol a permis de brancher les écoles et les bibliothèques publiques du Canada à Internet.

En choisissant *Domaines d'études*, vous accèderez aux sections *Sciences sociales* et *Sciences humaines*, riches en références. Il faut aussi visiter sans faute *Ressources pédagogiques fédérales* qui proposent des hyperliens avec des ministères ou des sociétés d'État.

www.rescol.ca/home/f/ ressources

ANALYSE CONCEPTUELLE Processus de concrétisation des concepts de l'hypothèse ou de l'objectif de recherche.

CONCEPT Représentation mentale, générale et abstraite d'un ou de plusieurs phénomènes ainsi que de leurs relations.

DIMENSIONS Composantes d'un concept.

Des termes signifiants

En troisième lieu, les termes du langage scientifique doivent être signifiants, c'est-à-dire qu'ils doivent informer par rapport à une certaine réalité et à une certaine conception de cette réalité. Par exemple, dans l'hypothèse sur l'achat de billets de loterie, les termes *foyers ayant un revenu de 30 000 $ et plus* renvoient à des classes sociales particulières. De plus, affirmer que les consommateurs de billets de loterie se trouvent en majorité dans les foyers ayant un revenu annuel de 30 000 $ et plus découle de la conception que toutes les classes de la société n'en achètent pas également. Cette conception peut avoir été déduite d'une théorie sur les classes sociales.

Des termes neutres

Une quatrième et dernière qualité du langage scientifique est la neutralité des termes employés. Une hypothèse ou un objectif de recherche ne doivent pas être formulés comme des souhaits ni exprimer de jugements personnels sur la réalité. Ainsi, il aurait été inadmissible de trouver dans l'exemple de l'hypothèse sur l'achat de billets de loterie une expression comme : *il est bon que ce soit les gens à haut revenu*. Il aurait été tout aussi inacceptable d'insinuer que c'est une mauvaise chose que les gens à haut revenu achètent des billets de loterie. Chaque citoyen ou citoyenne a droit à son opinion à cet égard, mais dans le cadre d'une recherche, les scientifiques doivent éviter d'exprimer la leur.

L'usage de termes univoques, précis, signifiants et neutres vise à donner plus de clarté à la recherche afin qu'elle soit comprise et interprétée de la même manière par tous. Dans le même ordre d'idées, **une hypothèse est habituellement exprimée à l'affirmatif** pour éviter la négation et **un objectif, à l'infinitif**.

FAIRE L'ANALYSE CONCEPTUELLE

L'analyse conceptuelle est un processus de concrétisation des observations à faire dans la réalité. Il faut d'abord faire ressortir les concepts de l'hypothèse ou de l'objectif de recherche. Il faut ensuite décomposer chaque concept pour en dégager les dimensions à considérer. Puis, chaque dimension doit être décortiquée pour être traduite en indicateurs ou en variables, notamment avec la méthode expérimentale.

Les concepts

Le terme ou les termes de l'hypothèse désignent un ou des phénomènes ou concepts. L'hypothèse suivante servira d'exemple : *Les ressources des conjoints déterminent leur pouvoir familial*. Les principaux concepts de cette hypothèse sont représentés par les termes *ressources des conjoints* et *pouvoir familial*. L'expression *pouvoir familial* renvoie à un concept parce qu'elle est un résumé abstrait de plusieurs phénomènes observables, qui peuvent toucher aussi bien la prise de décisions que le partage des tâches domestiques dans la famille. Ce même concept aurait aussi pu servir à formuler un objectif : *Explorer la répartition du pouvoir familial*.

Les dimensions d'un concept

Un concept étant une représentation abstraite, commencer à le concrétiser, c'est le décomposer en ses différentes dimensions. Pour en dégager les dimensions, la définition provisoire d'un concept est d'une aide précieuse. Par exemple, l'hypothèse selon laquelle les ressources des conjoints déterminent leur pouvoir

Figure 2.1 Une analyse conceptuelle d'une hypothèse

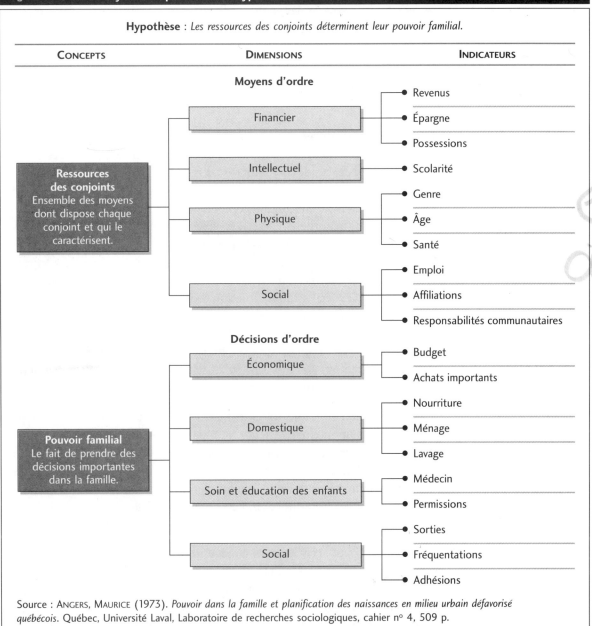

Hypothèse : *Les ressources des conjoints déterminent leur pouvoir familial.*

CONCEPTS	DIMENSIONS	INDICATEURS

Moyens d'ordre

Ressources des conjoints
Ensemble des moyens dont dispose chaque conjoint et qui le caractérisent.

- Financier
  - Revenus
  - Épargne
  - Possessions
- Intellectuel
  - Scolarité
- Physique
  - Genre
  - Âge
  - Santé
- Social
  - Emploi
  - Affiliations
  - Responsabilités communautaires

Décisions d'ordre

Pouvoir familial
Le fait de prendre des décisions importantes dans la famille.

- Économique
  - Budget
  - Achats importants
- Domestique
  - Nourriture
  - Ménage
  - Lavage
- Soin et éducation des enfants
  - Médecin
  - Permissions
- Social
  - Sorties
  - Fréquentations
  - Adhésions

Source : ANGERS, MAURICE (1973). *Pouvoir dans la famille et planification des naissances en milieu urbain défavorisé québécois*. Québec, Université Laval, Laboratoire de recherches sociologiques, cahier n° 4, 509 p.

familial met en relation deux concepts clés : ressources et pouvoir familial. Il est possible de tirer plusieurs dimensions du concept de ressources des conjoints (figure 2.1) s'il est défini comme l'ensemble des moyens, d'ordre tant financier qu'intellectuel, physique et social, dont dispose chaque conjoint et qui le caractérisent. Par ailleurs, le concept de pouvoir familial, défini comme une action manifeste de prises de décisions importantes dans la famille, se scinde en différentes dimensions selon le domaine des activités familiales : économique, domestique, social, soin et éducation des enfants. C'est la définition préalable du concept qui conduit à ces dimensions ; si le concept de pouvoir avait été défini autrement, ses dimensions auraient pu être tout autres. Par exemple, si ce concept avait été défini comme la capacité juridique et légale d'agir dans la famille, les dimensions auraient plutôt renvoyé aux domaines reconnus par la loi autorisant l'exercice d'un pouvoir sur les membres de la famille.

Lorsque vous aurez déterminé les concepts contenus dans votre hypothèse, esquissez une définition de chacun afin de dissiper les imprécisions et les incertitudes. Les définitions doivent être facilement comprises et ne contenir aucune ambiguïté. Une fois l'analyse conceptuelle achevée, il faudra revoir et compléter chacune des définitions.

À propos...

des particularités
des dimensions

La dimension d'un concept renvoie à un niveau de réalité vaste et général. Elle peut parfois être divisée en sous-dimensions qui se rattachent de plus près à la réalité à observer.

Par exemple, le concept d'échange entre les personnes pourrait être défini comme la circulation de biens, d'informations ou de services entre les personnes. Trois dimensions peuvent être extraites de cette définition : biens, informations et services. Mais avant de pouvoir observer, par exemple, la circulation des informations, c'est-à-dire avant de décomposer cette dimension en indicateurs, il faudrait sans doute distinguer des sous-dimensions qui seraient les types d'information pouvant être échangées. Celles-ci peuvent être de différents ordres, entre autres économique, domestique ou social.

Les indicateurs d'une dimension d'un concept

Jusqu'à maintenant, la démarche de l'analyse conceptuelle a permis, à partir de l'hypothèse, de dégager des concepts qui ont été provisoirement définis, puis de mettre en évidence, pour chaque concept, des dimensions à retenir. Il faut à présent traduire chacune de ces dimensions en phénomènes ou comportements observables. C'est le rôle des indicateurs. Il faut en faire un choix judicieux et en déterminer un nombre suffisant.

Le choix des indicateurs

La figure 2.1 illustre, par exemple, qu'une des dimensions retenues pour le concept de ressources des conjoints est la ressource d'ordre financier. Il restait à chercher dans la réalité des signes tangibles, observables de l'existence des moyens financiers de chacun des conjoints afin de pouvoir vérifier une partie, du moins, de l'hypothèse. C'est ainsi que trois indicateurs ont été choisis : les revenus, l'épargne et les possessions, tous des phénomènes effectivement observables dans la réalité. De même, si un objectif de recherche était *Évaluer le climat social d'Haïti en l'an 2005*, une des dimensions retenues pour caractériser ce climat social serait la situation économique. Les indicateurs ou phénomènes observables susceptibles d'en rendre compte seraient le commerce, le marché du travail, les avoirs de l'État, les ressources exploitées, le degré d'endettement, etc. Pour trouver les indicateurs de chaque dimension envisagée, il s'agit donc de se poser, chaque fois, la question suivante : **Quels signes observables dans la réalité permettent d'identifier cette dimension?**

Il est à signaler, enfin, que, selon le degré d'abstraction d'un concept, le passage de l'abstrait au concret peut être plus long ou plus court. Par exemple, il y a plus d'opérations de concrétisation à effectuer pour amener au niveau de la réalité observable un concept comme celui de la satisfaction au travail. En effet, ce concept peut évoquer autant les tâches à exécuter que les rapports avec les collègues et la direction, l'environnement de travail, les horaires, et ainsi de suite.

À l'inverse, il peut arriver qu'un concept d'une hypothèse soit dès le départ suffisamment concret et qu'il ne nécessite pas une analyse conceptuelle complète. Il en est ainsi d'hypothèses qui incluent des concepts comme le genre, l'âge, le revenu ou la scolarité, qui, dans certaines recherches, telle celle illustrée par la figure 2.1, servent plutôt d'indicateurs. Dans le cas où ces termes sont utilisés dans la formulation même de l'hypothèse, le concept renvoie à un niveau d'abstraction tellement peu élevé qu'il se confond avec l'indicateur, puisqu'il fournit le signe par lequel il sera observé.

Le nombre d'indicateurs

Les indicateurs peuvent être nombreux pour chaque concept, car chacune des dimensions peut avoir plusieurs manifestations concrètes. La colonne des indicateurs dans la figure 2.1 pourrait d'ailleurs être enrichie. Par exemple, le lieu de résidence pourrait être ajouté sous la dimension économique du concept de pouvoir familial, le lavage du linge et le lavage de la vaisselle gagneraient sans doute à être distingués sous la dimension domestique ; de plus, les décisions quant au soin et à l'éducation des enfants ne se limitent pas aux visites chez le médecin et aux permissions à leur donner. Ainsi, d'autres indicateurs pourraient avantageusement être inventoriés.

Ce qu'il faut retenir, c'est de bien choisir les indicateurs en fonction du milieu étudié et d'en avoir un nombre suffisant pour l'analyse. Par souci d'exhaustivité, il faut s'assurer que les indicateurs couvrent les principaux éléments de la dimension. Puis, par souci d'exclusivité, il faut s'assurer que les indicateurs d'une dimension n'empiètent pas sur une autre dimension qui renvoie à une autre réalité. Ainsi, « Lavage » dans l'exemple de la figure 2.1 se rapporte à qui décide ou a la responsabilité du lavage dans la maison, non à l'achat d'un appareil de lavage.

Se fier à un seul indicateur peut être trompeur, alors qu'en retenir plusieurs assure une meilleure couverture de la dimension. Par exemple, dans le domaine politique, un indicateur concernant une action précise d'un gouvernement qui serait une loi sur l'affichage unilingue obligatoire à la devanture des commerces peut laisser croire qu'un système antidémocratique prévaut dans la société étudiée puisque certains citoyens ne parlent pas cette langue. Cependant, l'utilisation de plusieurs indicateurs pour une dimension comme les pratiques démocratiques, tels que des élections régulières, une presse libre de s'exprimer, la reconnaissance de plusieurs partis politiques, le droit à un procès équitable, permettrait d'observer plus adéquatement si le système politique est antidémocratique. Le recours à plusieurs indicateurs assure ainsi une évaluation judicieuse de la dimension et du concept auxquels ils se rapportent.

Les variables

Un indicateur, mais aussi un concept s'il est suffisamment concret pour ne pas nécessiter une analyse conceptuelle, peut prendre le nom de **variable**. Il le prend quand il est examiné sous l'angle des valeurs qu'il peut prendre, c'est-à-dire de la mesure pouvant en être faite. Ainsi, le concept d'apprentissage peut désigner, entre autres, une capacité de mémorisation, qui devient une variable parce qu'elle peut se mesurer en ce qui a trait, par exemple, au nombre de mots retenus en un temps donné.

Les types d'hypothèse

Une hypothèse peut contenir une ou plusieurs variables (Lasvergnas 1987) : elle peut être ainsi univariée, bivariée ou multivariée.

L'hypothèse univariée porte sur un seul phénomène. Par exemple, *La pauvreté augmente dans le monde depuis dix ans* est une hypothèse univariée car elle porte sur un seul phénomène, la **pauvreté**. Serait aussi du même type une hypothèse qui affirmerait : *Les coûts attribuables à l'hiver augmentent depuis vingt ans à Québec.*

L'hypothèse bivariée comporte deux phénomènes qui sont reliés l'un à l'autre. C'est la forme la plus courante d'hypothèse qui vise à expliquer les phénomènes. Cette relation posée entre deux phénomènes peut se présenter comme une **covariation**, c'est-à-dire que l'un des phénomènes varie en fonction de l'autre. Il en est ainsi de l'hypothèse sur le lien entre un revenu élevé et une grande consommation de billets de loterie. Cette relation bivariée peut aussi être une relation de **causalité**, à savoir que l'un des phénomènes est présenté comme ayant un effet sur l'autre. Il en est ainsi de l'hypothèse *L'urbanisation augmente la scolarité des femmes*, dans laquelle il est présumé que l'urbanisation est la cause de l'augmentation de la scolarité des femmes.

À propos...

d'un indicateur et de sa mesure
Il ne faut pas confondre un indicateur et sa mesure. Des évaluations comme *très bon, assez*, etc. ne sont pas des indicateurs mais elles peuvent servir de mesure à un indicateur qui serait l'appréciation des plats du jour. Dans la même veine, les précisions *dollars US par an* ou *nombre d'heures par semaine* ne sont pas des indicateurs mais elles peuvent servir respectivement de mesure à des indicateurs comme le revenu et les responsabilités communautaires.

VARIABLE Caractéristique d'un concept ou d'un indicateur pouvant prendre diverses valeurs.

Figure 2.2 Le schéma d'une hypothèse multivariée

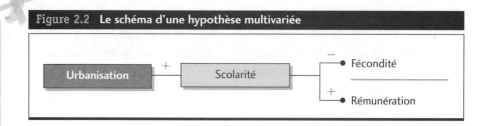

L'**hypothèse multivariée** comprend pour sa part un lien entre plusieurs phénomènes. Ils peuvent se présenter dans un rapport de covariation ou de causalité, ou encore dans une combinaison des deux. Par exemple, fécondité, scolarité, rémunération et urbanisation sont quatre phénomènes liés ensemble. Ainsi, l'hypothèse pourrait affirmer : *L'urbanisation augmente la scolarité des femmes, laquelle, à son tour, a un effet à la baisse sur leur fécondité et un effet à la hausse sur leur rémunération.* Cette hypothèse multivariée est schématisée dans la figure 2.2. L'urbanisation, la scolarité et la fécondité ou la rémunération sont dans un rapport causal, alors que fécondité et rémunération sont dans un rapport de covariation.

Les variables indépendante et dépendante

L'hypothèse comporte le plus souvent une relation entre au moins deux variables. Par exemple, il peut être affirmé dans une hypothèse bivariée que plus la scolarité de la mère est élevée, plus la persévérance scolaire de son enfant est grande. Le lien entre ces deux variables est illustré dans le schéma suivant.

VARIABLE INDÉPENDANTE Variable qui devrait avoir un effet sur la variable dépendante.

VARIABLE DÉPENDANTE Variable qui subit l'effet de la variable indépendante.

Dans ce schéma, chacune des variables n'occupe pas la même place dans l'hypothèse. L'une se présente comme la cause : c'est la **variable indépendante** qui expliquerait la seconde variable. Cette seconde variable, **variable dépendante**, représente l'effet ou le produit de l'action de la première. Ainsi, le niveau de scolarité de la mère (variable indépendante) explique que certains jeunes abandonnent leurs études (variable dépendante) avant la fin du secondaire.

Les variables indépendante et dépendante sont à la base de la méthode expérimentale.

La méthode expérimentale

MÉTHODE EXPÉRIMENTALE Façon d'étudier un objet de recherche en le soumettant à une expérience pour en faire une étude de causalité.

Certaines hypothèses de recherche se prêtent mieux à l'utilisation de la méthode expérimentale. Ce sont celles qui comportent une variable indépendante dont l'**effet** sur la variable dépendante est **mesurable**. La méthode expérimentale a en effet une **visée explicative**. Elle permet de vérifier s'il existe un rapport de cause à effet entre des variables. Pour y arriver, des expériences sont menées, habituellement en laboratoire, au cours desquelles l'expérimentateur ou l'expérimentatrice manipule la variable indépendante à volonté pour en mesurer l'effet sur la variable dépendante. C'est aux manipulations de la variable indépendante que sont soumis les sujets de l'expérience.

Dans la méthode expérimentale, la variable indépendante peut aussi prendre les noms de *variable cause, antécédente, active* ou *expérimentale*, ou, encore, *variable stimulus* lorsque la variable indépendante commande une réponse du sujet. La sélection de la ou des variables indépendantes se fait en fonction de causes présumées des phénomènes à observer. Si, par exemple, l'hypothèse est : *Un stimulus sonore diminue la capacité d'apprentissage chez l'adolescent*, la variable indépendante ou le stimulus peut être de la musique, ses variations étant qu'elle est entendue ou pas, variations dont les effets seront mesurés.

La variable dépendante, aussi appelée *variable passive, conséquente* ou *résultante*, est habituellement sélectionnée la première quand il s'agit d'observer les différentes réactions des sujets. Elle varie au cours de l'expérience selon les manipulations de la variable indépendante. C'est ce qu'illustre le schéma qui suit : la variable dépendante, la capacité de mémorisation d'un sujet, soumis à une tâche de mémorisation par l'expérimentateur ou l'expérimentatrice, varie selon qu'il entend ou non de la musique.

Il faut réfléchir aux conditions qui rendront possible la réalisation de toute recherche.

Musique
(Variable indépendante)

A UN EFFET
À LA BAISSE SUR

Mémorisation
(Variable dépendante)

Une **variable intermédiaire** (ou plus) non prévue peut intervenir entre une variable indépendante et une variable dépendante. La réalité observée peut en effet être plus complexe qu'un unique rapport de causalité entre deux variables. L'effet ne se produit pas dans ce cas directement entre la variable indépendante et la variable dépendante. Par exemple, entre les effets d'un stimulus musical et l'apprentissage, il y a sans doute lieu d'introduire la variable *concentration* dont dépendra finalement l'apprentissage. Il s'agit alors de sélectionner des sujets ayant un même niveau de concentration, ce qui fera disparaître l'effet de la variable intermédiaire qui aurait empêché l'étude du rapport de causalité entre les deux variables principales.

VARIABLE INTERMÉDIAIRE Variable qui intervient entre les variables indépendante et dépendante et qui modifie les effets de la variable indépendante.

S'ASSURER
DE LA FAISABILITÉ DE LA RECHERCHE

Le sujet le plus intéressant n'aura pas de suite si les conditions de réalisation de la recherche la rendent infaisable. Il faut donc réfléchir à trois paramètres pour en évaluer la **faisabilité** : l'accès aux personnes ou aux documents, les ressources et le temps disponibles.

L'accès aux personnes ou aux documents

Une population de recherche est constituée de personnes ou de documents. Ce peut être, par exemple, les étudiants d'un collège particulier ou le contenu d'un magazine donné pour une année donnée. Il faut s'assurer dès l'étape de la définition du problème que la population sera accessible, que les étudiants du collège ciblé seront là le moment venu et qu'il sera permis de les rencontrer, que les numéros du magazine de l'année recherchée se trouvent quelque part et qu'il sera loisible de les consulter au moment voulu. Mais avant tout cela, si votre idée est encore floue sur les caractéristiques de la population visée — les jeunes, les militants, les analphabètes, des émissions de télévision ou des publicités, par exemple —, la suite du travail exige de

FAISABILITÉ Caractère de ce qui est réalisable compte tenu des ressources humaines et matérielles disponibles, ainsi que des conditions techniques et temporelles définies.

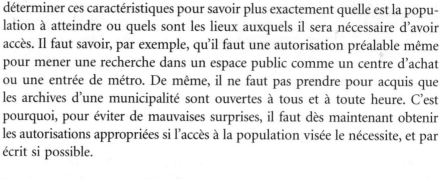

déterminer ces caractéristiques pour savoir plus exactement quelle est la population à atteindre ou quels sont les lieux auxquels il sera nécessaire d'avoir accès. Il faut savoir, par exemple, qu'il faut une autorisation préalable même pour mener une recherche dans un espace public comme un centre d'achat ou une entrée de métro. De même, il ne faut pas prendre pour acquis que les archives d'une municipalité sont ouvertes à tous et à toute heure. C'est pourquoi, pour éviter de mauvaises surprises, il faut dès maintenant obtenir les autorisations appropriées si l'accès à la population visée le nécessite, et par écrit si possible.

Les ressources matérielles

Un autre paramètre à considérer pour mener à bien la recherche concerne les ressources matérielles nécessaires. Le fait de les préciser évitera des projets sans issue et permettra d'envisager plus concrètement ce qu'il est possible de faire. Il faut savoir si divers appareils (magnétophone, instruments de mesure ou autres), un laboratoire ou tout autre élément matériel seront nécessaires, s'il est possible de les obtenir et à quel prix. Il s'agit ensuite de s'enquérir du budget disponible, en particulier si un organisme subventionne le projet. Il faut vous renseigner, notamment, sur le matériel que peut vous fournir l'institution où vous étudiez.

Le temps disponible

Il est essentiel de réfléchir aux périodes de temps qui seront nécessaires pour réaliser la recherche. Il s'agit de consigner le nombre de semaines disponibles et le nombre d'heures par semaine qu'il sera possible d'y consacrer (ou que chaque personne pourra y consacrer s'il s'agit d'un travail en équipe). Il faut, en effet, être vigilant afin de ne pas être dépassé par la tâche. Établir un calendrier peut donc être approprié; les échéances pourront y être mises en évidence puis, en fonction d'elles, la répartition du reste du temps. Même s'il n'est pas toujours possible de le suivre à la lettre, ce calendrier permettra au moins de ne pas oublier l'échéance de chacune des étapes.

La faisabilité de la recherche tient donc au fait d'être capable de se fixer des limites par rapport à ce qui aurait pu idéalement être fait et, conséquemment, de se former une vue d'ensemble de ce qui sera possible avec les moyens à sa disposition, en tenant compte de la population à rejoindre dans le temps qui sera disponible.

Ainsi s'achève l'opérationnalisation du problème de recherche. Elle représente un travail essentiel de concrétisation de ce problème. L'analyse conceptuelle, en faisant ressortir plus précisément les phénomènes à observer grâce aux indicateurs, rend possible la vérification empirique. D'ailleurs, au cours de la réalisation des autres étapes de la recherche, les choix devront être faits à la lumière de cette opérationnalisation, sans quoi la recherche risque de dériver. Une fois l'opérationnalisation réalisée, vous vous sentirez de plus en plus en possession de votre sujet parce que vous l'aurez décortiqué, que vous en aurez pesé chaque terme, que vous lui aurez donné un sens précis et une direction sous la forme d'une hypothèse ou d'un objectif de recherche. Vous vous rendrez compte que vous ne chercherez pas à tâtons, dans le flou, mais que vous vous serez donné un encadrement pour l'observation à venir.

Le collectif Clio regroupe quatre chercheuses québécoises : Micheline Dumont, Michèle Jean, Marie Lavigne et Jennifer Stoddart.

Par des articles et différents ouvrages, dont le plus connu est sans doute *L'histoire des femmes au Québec depuis quatre siècles*, ces chercheuses retracent l'évolution des femmes. Pour étudier l'histoire de l'ensemble des femmes, et non seulement des pionnières, elles adoptent l'angle de la vie quotidienne : les façons de naître, de grandir, d'étudier, de travailler, etc.

Collectif Clio (1992). *L'histoire des femmes au Québec depuis quatre siècles.* Montréal, Éditions Le Jour, 646 p.

Généralement, lorsque des élèves veulent enquêter auprès d'individus ou d'organismes pour mener une recherche dans le cadre d'un cours, ces derniers se montrent accueillants et n'opposent pas de refus à une demande franchement exprimée par les voies d'usage, c'est-à-dire verbalement ou par écrit.

Résumé

L'**opérationnalisation** de la recherche consiste à traduire les termes abstraits qui ont servi à la formulation du sujet en termes concrets qui vont en permettre l'observation dans la réalité. Le premier acte de la démarche d'opérationnalisation est de formuler une **hypothèse** ou un **objectif de recherche**. L'hypothèse prédit, l'objectif annonce une intention, tous deux à l'aide d'un énoncé cohérent permettant une **vérification empirique**. Les termes utilisés doivent être univoques, précis, signifiants et neutres.

L'**analyse conceptuelle** débute par la détermination et la définition des concepts compris dans l'hypothèse ou l'objectif de recherche, ce qui permet d'en connaître la portée. Les **concepts** sont des représentations intellectuelles d'un ou de plusieurs phénomènes. La décomposition des concepts en **dimensions** reflétant des aspects de la réalité permet de cerner plus précisément ces phénomènes. À partir des dimensions tirées de chaque concept, il s'agit de déterminer une série d'éléments d'observation ou **indicateurs**. Il faut les choisir en fonction du milieu étudié et en avoir un nombre suffisant pour l'analyse. Ceux-ci rendent possible la vérification empirique de l'hypothèse ou de l'objectif de recherche.

La **variable** est le nom donné à un indicateur ou à un concept lorsqu'il peut prendre différentes valeurs, c'est-à-dire lorsqu'il est mesurable. L'hypothèse univariée renferme une variable, l'hypothèse bivariée, deux variables et l'hypothèse multivariée, trois ou plus. L'hypothèse bivariée établit généralement une relation entre deux variables; sa traduction empirique amène à spécifier deux types de variables. La **variable indépendante** est celle qui est présentée comme une cause dans l'hypothèse, et la **variable dépendante**, celle qui subit l'effet de la première. Ces variables indépendante et dépendante forment le couple classique de la **méthode expérimentale**, l'expérimentateur ou l'expérimentatrice faisant varier la variable indépendante pour en observer l'effet sur la variable dépendante, tout en cherchant à contrôler la ou les **variables intermédiaires** qui pourraient fausser l'effet de la variable indépendante.

Il reste enfin à s'assurer de la **faisabilité de la recherche** d'abord en précisant les caractéristiques de la population visée et en s'enquérant de son accessibilité. Ensuite, il faut faire l'inventaire des ressources matérielles nécessaires et s'assurer du budget ainsi que du matériel mis à sa disposition ou non. Enfin, pour mener à bien sa recherche, il y a lieu d'évaluer le temps disponible et de se faire un calendrier pour ne pas oublier les échéances.

MOTS CLÉS

▸ **Opérationnalisation**
▸ **Hypothèse**
▸ **Objectif de recherche**
▸ **Vérification empirique**
▸ **Analyse conceptuelle**
▸ **Concept**
▸ **Dimension**
▸ **Indicateur**
▸ **Variable**
▸ **Variable indépendante**
▸ **Variable dépendante**
▸ **Variable intermédiaire**
▸ **Méthode expérimentale**
▸ **Faisabilité de la recherche**

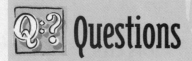 **Questions**

1. Quelles sont les caractéristiques d'une hypothèse? Qu'est-ce qui la distingue d'un objectif de recherche?

2. Qu'est-ce qui rend les termes d'une hypothèse ou d'un objectif de recherche univoques, précis, signifiants et neutres?

3. Décrivez chaque stade du processus de concrétisation auquel donne lieu l'analyse conceptuelle : les concepts, les dimensions, les indicateurs et les variables.

4. À quoi sert la méthode expérimentale? Sur quoi repose-t-elle?

5. Comment évaluer la faisabilité d'une recherche?

6. Déterminez la nature des énoncés *a* et *b*. Lequel est une hypothèse? Lequel est un objectif de recherche? Justifiez votre réponse.

   a) *Se renseigner sur les caractéristiques sociales des gens mariés.*

   b) *Le mariage unit des conjoints de même origine sociale.*

7. Examinez l'hypothèse suivante :

   Le taux de chômage est inversement proportionnel au taux de scolarité.

   Choisissez un des deux phénomènes sur lequel porte cette hypothèse et montrez que l'expression pour le décrire est univoque, précise, signifiante et neutre.

8. Des chercheurs formulent l'hypothèse suivante : *Les sans-abri ont très peu de formation.* Par *sans-abri*, ils entendent quelqu'un qui, sur le plan géographique, n'a pas de domicile fixe, sur le plan social, ne se prend pas en charge pour ce qui est de la nourriture et de l'entretien d'un logis et, sur le plan psychologique, n'a pas de but dans la vie. Par *très peu de formation*, ils entendent, sur le plan familial, ne pas avoir de famille stable, sur le plan scolaire, ne pas avoir terminé ses études secondaires et, sur le plan social, ne pas avoir d'amis stables.

   Faites le schéma de cette analyse conceptuelle selon le modèle de la figure 2.1, avec comme entêtes : concepts, dimensions, indicateurs. N'oubliez pas de relier les termes les uns aux autres par des lignes et n'ajoutez pas d'éléments de votre cru même s'il y a peu d'indicateurs.

9. Vous avez à analyser l'hypothèse suivante : *L'augmentation du taux d'alcool dans le sang augmente le nombre d'erreurs commises dans l'exécution d'une tâche.*

   a) De quel type d'hypothèse s'agit-il? Expliquez votre réponse.

   b) Quelle est la variable indépendante et pourquoi?

   c) Quelle est la variable dépendante et pourquoi?

   d) Faites le schéma de l'hypothèse.

10. Une recherche est menée sur les citoyens de la ville de Sept-Îles pour vérifier s'il y a un ou des profils types chez les membres d'associations volontaires. Les chercheurs formulent l'hypothèse suivante : *Les ressources des membres d'associations volontaires diffèrent de celles des non-membres.* Les chercheurs ont un budget approuvé par la municipalité pour mener leur recherche et une autorisation écrite pour enquêter dans la municipalité.

    a) En vous référant explicitement à l'hypothèse ci-dessus pour appuyer votre réponse, décrivez les trois caractéristiques qui définissent une hypothèse.

    b) Le langage scientifique vise l'univocité, la précision, la signification et la neutralité. Ces quatre qualités se trouvent-elles dans l'hypothèse ci-dessus? Expliquez votre évaluation de chaque qualité en choisissant un des termes de l'hypothèse.

c) De quel type d'hypothèse s'agit-il? Justifiez votre réponse.

d) Faites ressortir le concept de cette hypothèse, définissez-le et faites-en l'analyse conceptuelle. Donnez votre réponse sous la forme d'un schéma semblable à celui de la figure 2.1. Trouvez au moins deux dimensions pertinentes à ce concept et, pour chacune, dégagez deux indicateurs en lien avec le sujet de la recherche.

e) L'hypothèse ci-dessus comprend-elle une variable indépendante et une variable dépendante? Justifiez votre réponse.

f) Est-ce que cette recherche est faisable, compte tenu des informations fournies? Expliquez votre réponse.

LA CONSTRUCTION
DE LA MÉTHODOLOGIE

Chapitre 3

Choisir une méthode ou une technique de recherche

 Objectifs

Après la lecture de ce chapitre, vous devriez pouvoir :

- décrire chacune des six principales méthodes et techniques de recherche en sciences humaines ;
- discuter des avantages et des inconvénients de chacune d'elles ;
- déterminer laquelle sera la plus appropriée à votre problème de recherche.

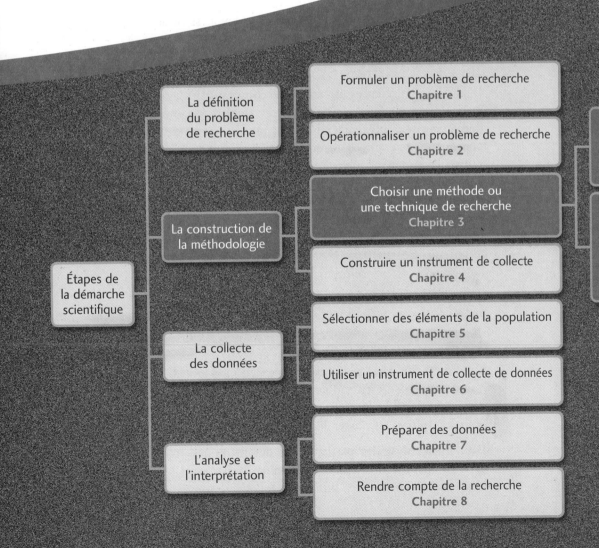

MÉTHODOLOGIE Ensemble des méthodes et des techniques qui orientent l'élaboration d'une recherche et qui guident la démarche scientifique.

Vous venez de réaliser la première étape de votre recherche : la définition du problème. La deuxième étape de la démarche est la construction de la méthodologie. Elle se fait en deux phases : il s'agit d'abord de choisir une méthode ou une technique de recherche, ensuite de construire l'instrument de collecte propre à celle que vous aurez choisie. Ce chapitre portera sur la première phase de cette construction méthodologique.

La **méthodologie** des sciences humaines s'est développée graduellement depuis la fin du 19e siècle et différents moyens d'investigation sont apparus d'une discipline à l'autre avec des échanges entre chacune. C'est pourquoi les méthodes et les techniques présentées dans ce chapitre sont transdisciplinaires, c'est-à-dire qu'elles ne sont l'apanage d'aucune discipline en particulier même si certaines sont plus facilement associées à l'une ou à l'autre. Ainsi la méthode expérimentale est d'usage plus fréquent en psychologie, la méthode historique en histoire, l'observation en situation en anthropologie, le questionnaire et le sondage en sociologie, l'analyse de statistiques en économie, et ainsi de suite.

Tout comme l'artisan ou l'artisane conçoit d'abord l'objet à créer et choisit ensuite les outils lui permettant de travailler le mieux son matériau, le choix méthodologique que vous ferez devra être guidé par la définition de votre problème de recherche et par les possibilités qu'offre chaque méthode et technique. Les principales méthodes et techniques de recherche en usage en sciences humaines pour la collecte de données sont au nombre de six : l'observation en situation, l'entrevue de recherche, le questionnaire ou le sondage, l'expérimentation, l'analyse de contenu et l'analyse de statistiques.

LES MÉTHODES ET LES TECHNIQUES

Il n'y a pas, en sciences humaines, de consensus sur la définition des termes *méthode* et *technique*. Les spécialistes semblent du moins s'entendre pour donner un sens plus général et plus abstrait au terme *méthode* et un sens plus spécifique et plus concret au terme *technique*. Quoi qu'il en soit, ils sont utilisés ici en tenant compte simplement des usages les plus courants. Ainsi, la méthode expérimentale, présentée dans le chapitre 2, est utilisée dans les recherches de ce type. La méthode historique, présentée dans le chapitre 1, est associée ici à l'analyse de contenu. Quant à la **méthode d'enquête**, elle peut être associée à différentes techniques de collecte de données telles la technique du questionnaire ou du sondage, l'analyse de statistiques ou même l'observation. C'est pourquoi, dans ce chapitre, elle n'est pas reliée à un choix particulier.

MÉTHODE D'ENQUÊTE Façon de se renseigner sur une population à l'aide de divers moyens d'investigation.

La spécificité de la méthode d'enquête tient au fait qu'elle est utilisée pour rendre compte de phénomènes propres à une population humaine, grande ou petite. Elle est également axée, en général, sur l'étude du temps présent. Cette méthode permet de connaître à peu près tout ce que les populations humaines veulent bien confier (Festinger et Katz 1974) : opinions, habitudes de vie, sentiments ou comportements dans toutes sortes de domaines, soit pour les décrire, les classer, les expliquer ou les comprendre.

Pour mieux saisir les particularités des méthodes et techniques exposées dans ce chapitre, il est utile d'examiner auparavant les différentes façons d'investiguer en sciences humaines, telles que présentées dans la figure 3.

Figure 3   L'investigation en sciences humaines

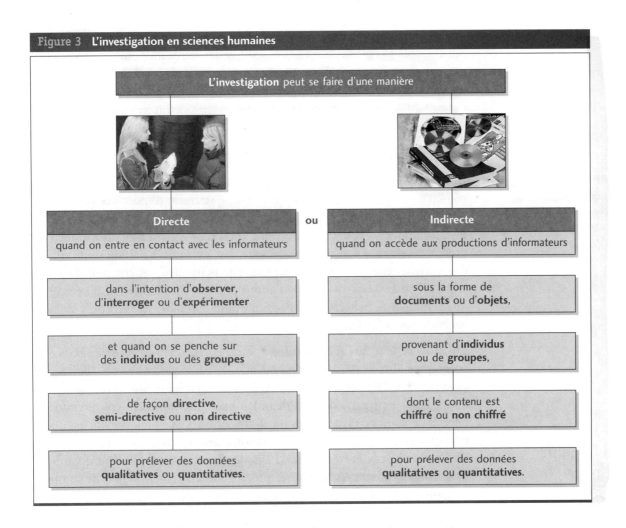

L'investigation sera **directe** si elle nécessite d'entrer en contact avec des **informateurs**, appelés aussi *sujets* quand il s'agit d'une expérience. L'investigation sera **indirecte** s'il n'y a pas cette nécessité parce que ce sont plutôt les productions de ces informateurs qui seront étudiées. Par ailleurs, le contact direct avec des informateurs peut se faire dans l'intention de les **observer**, de les **interroger** ou de mener une **expérience** sur eux. De plus, selon le degré de liberté laissé aux informateurs participant à la recherche, il sera question de **directivité**, de **semi-directivité** ou de **non-directivité** dans la manière d'agir avec eux. Quant aux productions, elles prennent la forme de **documents** ou d'objets; l'étude d'objets, tels ceux provenant de fouilles archéologiques, ne sera toutefois pas traitée dans ce manuel. La façon d'examiner les documents dépendra de la nature **chiffrée** ou **non chiffrée** de leur contenu. L'investigation, qu'elle concerne les informateurs ou leurs productions, va porter soit sur des **individus** isolés ou sur un ou des **groupes**, et les procédures de collecte vont varier selon qu'il s'agit de prélever des **données quantitatives** ou **qualitatives**.

Chaque méthode ou technique présentée dans les pages qui suivent sera exposée avec les raisons de la choisir et définie à partir des diverses manières d'investiguer. Seront traités ensuite les formes qu'elle peut prendre, le temps qu'elle requiert et les lieux où elle peut se déployer. Enfin, seront passés en revue successivement les avantages qu'elle offre et les inconvénients qu'elle comporte. Vous connaîtrez ainsi plus à fond les principales méthodes ou techniques en usage en sciences humaines et vous serez en mesure d'en choisir

INFORMATEUR Personne faisant partie de la population visée par la recherche.

DIRECTIVITÉ, SEMI-DIRECTIVITÉ, NON-DIRECTIVITÉ Liberté minimale, maximale ou relative laissée aux participants à une recherche.

une qui sera appropriée à votre problème de recherche. Elles ont toutes pour but de vous fournir un moyen d'appréhender la réalité pour que vous puissiez vérifier votre hypothèse ou votre objectif de recherche. Le choix d'une méthode ou d'une technique particulière dépend en effet essentiellement de l'utilité de cette dernière pour répondre à votre définition du problème.

L'OBSERVATION EN SITUATION

OBSERVATION EN SITUATION Technique ou méthode directe visant à observer, habituellement un groupe, de façon non directive, pour faire un prélèvement qualitatif.

L'**observation en situation** est un choix approprié quand le problème de recherche amène à s'intéresser à un groupe restreint d'individus dans le but de connaître certains aspects de leur existence en les regardant vivre. C'est une technique — ou méthode pour certains — d'investigation directe se prêtant à la recherche monographique, par exemple à l'étude d'un village, d'une association ou d'une entreprise. Elle peut aussi couvrir plus d'un cas, comme l'observation menée par l'anthropologue Mead, dans les années 1920, qui a étudié trois peuplades du Pacifique pour comparer les rôles qu'y jouaient les hommes et les femmes.

En outre, cette technique est utilisée pour réaliser une recherche à visée compréhensive afin de découvrir le sens que les personnes observées donnent à leurs actions. Elle permet ainsi d'explorer des problèmes encore mal définis ou en voie de prendre de l'ampleur. Par exemple, comment comprendre les bandes de jeunes dans les villes nord-américaines? Le prélèvement est qualitatif quand il s'agit de noter des situations, des façons d'être ou d'agir plutôt que de compiler des fréquences. Le prélèvement est uniquement quantitatif dans l'**observation systématique**, qui est l'enregistrement répété de comportements manifestes en vue d'en arriver à les prédire.

La conduite éthique

Du discernement pour la dissimulation

Un observateur qui se «déguiserait» en sans-abri pour observer un groupe de personnes sans domicile fixe abuserait de la confiance des gens qui constituent le cœur d'une telle recherche. L'observateur pourrait recevoir des confidences, créer de fausses attentes, etc. Cela risquerait d'affecter la recherche, mais encore plus les personnes concernées. Par exemple, une absence prolongée du «nouveau sans-abri» pourrait avoir des conséquences importantes pour certains individus.

Il faut dire aux personnes après l'observation qu'elles en ont fait l'objet et leur demander leur autorisation pour révéler les résultats en les assurant que leur anonymat sera respecté et que le lieu de la collecte ne sera pas précisé dans le rapport de recherche. Si elles refusent, il faut respecter leur choix.

◄◄◄◄◄◄◄◄◄◄◄

Les formes d'observation, la durée et le terrain d'étude

L'observation en situation est **participante** quand l'observatrice se mêle à la vie des individus observés, sinon c'est une observation **désengagée**. L'observation est **ouverte** quand les membres du groupe savent qu'ils sont observés, sinon c'est une observation **dissimulée**. Dans ce dernier cas, il faut s'assurer de ne pas abuser de la confiance des individus observés (voir «L'éthique de la recherche scientifique» en Introduction).

La durée de l'observation varie selon le sujet d'étude ou la nature du groupe observé. Par exemple, il peut s'agir d'observer un groupe durant une activité de quelques heures seulement, comme les délibérations d'un conseil municipal. Dans d'autres cas, par exemple l'observation de la vie quotidienne d'un groupement isolé du monde, il faudra se faire accepter petit à petit par cette communauté pour pouvoir ensuite y vivre de quelques mois à quelques années.

Selon le sujet d'étude, l'observation peut se faire dans divers lieux, c'est-à-dire là où les informateurs vivent, travaillent ou se divertissent. Il n'y a que dans les communautés isolées ou fermées sur elles-mêmes qu'à peu près toutes les activités d'un groupe peuvent se dérouler au même endroit.

Les avantages

Les avantages de l'observation en situation sont la perception de la réalité immédiate, la compréhension profonde des éléments en jeu, une vision globale du groupe, une meilleure intégration de l'observatrice, une coopération facilitée avec les informateurs et une situation naturelle.

Comme l'observation est directe, elle permet de percevoir la réalité immédiate, les évènements qui ont lieu. Il n'y a pas d'intermédiaire à qui devoir se fier pour en avoir un compte rendu. Ainsi les dires d'une personne peuvent être confrontés à ses actes. Cette technique permet aussi une compréhension profonde des éléments en jeu parce que le lieu est restreint et que l'observation se déroule sur une période de temps suffisamment longue. Il est alors possible d'examiner plus à fond les actes des gens, ce qui permet d'aller au-delà des premières impressions. Le focus sur un petit groupe permet également d'en obtenir un portrait global, qui va au-delà des comportements individuels, car il permet d'observer les membres du groupe en interaction. Passer suffisamment de temps avec le groupe observé conduit de plus à se faire oublier comme observatrice; l'intégration en est ainsi facilitée. Comme il n'est rien demandé de particulier aux informateurs, il est de même plus facile d'obtenir leur coopération. Les informateurs sont de surcroît observés dans leur cadre de vie réel, dans une situation naturelle, ce qui confère une authenticité indéniable à la recherche comparativement aux autres méthodes et techniques.

Les inconvénients

L'observation en situation présente par ailleurs certains inconvénients tels la difficulté de généraliser les résultats, le manque d'homogénéité des matériaux, l'adaptation de l'observatrice parfois trop réussie, l'absence possible à certains évènements et la lourde responsabilité de l'observatrice.

La conduite éthique

Attention, on tourne!
L'usage d'une caméra dissimulée sans le consentement des personnes filmées n'est pas éthiquement acceptable.

◄◄◄◄◄◄◄◄◄◄

Un exemple d'observation en situation

Les chercheurs Daniel Welzer-Lang et Jean-Paul Filiod ont vécu chez des gens afin d'observer des hommes dans leur quotidien et d'étudier plus particulièrement comment ils prennent en charge les tâches et responsabilités domestiques. Cette enquête sur le terrain, qui a duré quatre ans, leur a permis d'accéder à une bonne connaissance de la vie intime. Voici ce qu'ils racontent de la présence d'un observateur chez les informateurs.

«Bien sûr, les premiers jours, l'hôte doit s'habituer à cette présence permanente de l'invité au cahier de notes, apprendre à répondre à ces étranges questions posées ici et là, donner du sens à tel geste si répétitif qu'on a même oublié qu'on le produisait. Mais aussi résister à l'envie de se justifier, de tout vouloir expliquer. L'enquêteur apprend alors à se faire petit, à déranger le moins possible,

être là et tout à la fois à rendre sa présence la plus légère possible. Il y eut des situations d'entretiens comme nous les avons décrites précédemment, mais il y eut aussi tous les silences qui rythment les quotidiens. [...]

Parfois même, des évènements plutôt cocasses font oublier la situation d'enquête. Il arriva que le chercheur aide le sujet à réparer le lave-vaisselle; plus exactement, il fallut retourner et vidanger la machine pleine d'eau pour dégager un filtre obstrué de détritus. Et c'est à grands éclats de rire que tous deux, à quatre pattes, les genoux dans l'eau et les chaussures trempées, imaginèrent la description de la scène dans la monographie à écrire.

Présent, le chercheur l'est aussi quand grondent les conflits, quand éclatent les disputes. Il lui arriva d'être le spectateur involontaire, le témoin que l'on essaie de rendre complice. Il délaissa alors ostensiblement son cahier de notes comme pour signifier la discrétion qu'il affichera

plus tard sur ces évènements que l'on préfère garder enfouis dans les secrets des familles. D'ailleurs, tout au long de son séjour, chaque personne, sans forcément s'en expliquer, peut annoncer qu'elle désire ne pas voir publier de manière personnalisée telle ou telle information. C'est ainsi que les monographies n'ont pas intégré certains renseignements sur le lignage des hommes et des femmes enquêté-e-s (en particulier l'appartenance à tel milieu d'affaires, ou à telle "famille" politique), ou d'autres informations sur la sexualité de ces personnes, notamment les expériences d'homosexualité, ou les pratiques considérées comme "non conventionnelles".»

DANIEL WELZER-LANG ET JEAN-PAUL FILIOD (1993). *Les hommes à la conquête de l'espace... domestique : Du propre et du rangé* (p. 353-355). Montréal, VLB éditeur et Le Jour éditeur.

Votre équipe de quatre membres a décidé de faire une observation participante dans une maison de jeunes ? Attention, si vous arrivez tous ensemble, vous risquez d'en intimider plus d'un, ou même d'être plus nombreux que le groupe que vous voulez observer. Il ne faut pas envahir le terrain. Répartissez-vous plutôt le travail. Individuellement ou en sous-équipes de deux, allez faire votre observation différents soirs.

ENTREVUE DE RECHERCHE Technique directe visant à interroger quelques individus, de façon semi-directive, pour faire un prélèvement qualitatif.

L'étendue de l'observation étant forcément restreinte, les analyses faites sur un petit groupe ne peuvent pas être généralisées à de grands ensembles. Les matériaux recueillis peuvent d'ailleurs manquer d'homogénéité puisque toutes sortes de faits disparates susceptibles d'enrichir les connaissances sur le milieu à l'étude sont récoltés. Allant, par exemple, de la façon dont les gens s'habillent jusqu'à leur manière d'enterrer leurs morts, en passant par leurs façons d'administrer un budget, sans oublier leurs croyances ou leurs façons de travailler, l'hétérogénéité des matériaux recueillis peut rendre difficile leur comparaison. L'intégration au milieu observé a pour sa part son revers, une adaptation trop réussie de l'observatrice. L'habituation au milieu étudié peut en effet l'empêcher de voir certains faits significatifs et de se poser les bonnes questions sur le milieu observé. Certains évènements importants peuvent en outre se produire en l'absence de l'observatrice, parce qu'ils n'étaient pas prévisibles, parce que plusieurs avaient lieu en même temps, ou encore parce qu'il ne lui a pas été permis d'y assister. Toute la responsabilité de la collecte des données et de l'analyse incombe de plus à une seule personne. Le caractère unique et irremplaçable de l'observation repose donc, en bonne partie, sur les qualités personnelles de l'observatrice.

L'ENTREVUE DE RECHERCHE

L'entrevue de recherche représente un choix approprié quand le problème de recherche amène à recueillir quelques témoignages d'individus ou de groupes en les questionnant finement sur leurs émotions, leurs expériences et leurs conceptions. C'est une technique d'investigation directe, à l'aide de questions dites *ouvertes* parce qu'elles sont formulées pour inviter les informateurs à élaborer leurs réponses. Elle se déroule de façon semi-directive, car les thèmes ont été choisis par l'intervieweur, mais les informateurs sont libres de prendre le temps qu'ils veulent pour répondre et de le faire de la façon qu'ils le désirent. L'entrevue sert à faire un prélèvement qualitatif, qui permet de décrire ou de comprendre des témoignages plutôt que d'en tirer des résultats quantitatifs.

La technique de l'entrevue de recherche offre une qualité de rapports interpersonnels inestimable. Elle est tout indiquée pour qui veut explorer les motivations profondes des individus et découvrir, à travers la singularité de chaque rencontre, des motifs communs aux comportements des gens. Pour ces raisons, elle est souvent utilisée soit pour aborder des domaines encore largement méconnus, soit pour se familiariser avec les gens visés avant d'en rencontrer un plus grand nombre en utilisant d'autres techniques, soit pour se donner des pistes de réflexion avant de définir précisément un problème de recherche. De plus, ce moyen permet non seulement d'établir des faits, mais aussi d'amener les informateurs à préciser la raison de leurs comportements ; en d'autres mots, les significations que donnent les personnes interviewées aux situations qu'elles vivent peuvent être comprises.

L'entrevue de recherche résulte du travail accompli à l'origine par les psychothérapeutes et les orienteurs professionnels. Puis, certains psychosociologues y ont eu recours pour réaliser des études d'opinions, qui se développaient. La recherche qualitative ayant acquis une reconnaissance se rapprochant de celle de la recherche quantitative, l'entrevue de recherche apparaît désormais comme une technique des plus intéressante susceptible de fournir des matériaux riches de signification.

Les formes d'entrevue, la durée et l'endroit approprié

Il est question d'**entrevue individuelle** s'il s'agit de recueillir en face-à-face des témoignages personnels dans lesquels les informateurs font, par exemple, le récit de leur passé (histoire de vie). C'est une **entrevue de groupe** s'il s'agit de recueillir les réactions d'un ensemble d'individus ayant quelque chose en commun. L'entrevue de groupe est associée à certaines procédures reconnues, comme l'utilisation du groupe nominal pour déterminer les besoins des participants dans le but d'établir un nouveau service (Ouellet 1987) ou pour tester des réclames publicitaires en faisant réagir le groupe à différents stimulus. Cette forme d'entrevue permet aussi de s'enquérir de positions diverses, d'enjeux en présence dans une situation donnée, de systèmes de relations dans une organisation et de ce qui tient lieu d'unité dans un groupe.

Chaque entretien exige d'y consacrer suffisamment de temps pour aller en profondeur et aborder tous les thèmes prévus (d'une à quelques heures, habituellement). Les propos sont enregistrés et seront ensuite transcrits mot à mot en vue de l'analyse.

L'entrevue doit se dérouler dans un endroit où intervieweur et informateur se sentiront tous deux à l'aise et ne risquent pas d'être dérangés. Cet endroit doit être calme, et aucun tiers ne doit être présent.

Les avantages

Les avantages de l'entrevue de recherche sont la flexibilité de l'outil, les réponses nuancées obtenues, l'intérêt suscité chez l'informateur, la perception globale qu'il est possible d'en avoir et la prise en considération de la dynamique d'un groupe.

Étant donné que l'entrevue permet de rencontrer des gens qui n'auraient pas l'occasion de s'exprimer autrement, de reformuler une question mal saisie ou encore d'encourager les personnes à poursuivre, c'est un outil d'une grande flexibilité. Comme l'intervieweur pose des questions ouvertes, la personne interviewée a le temps de choisir ses mots et de développer sa pensée avec toutes les nuances qu'elle souhaite apporter. L'entrevue suscite d'ailleurs de l'intérêt chez les interviewés, car elle leur offre la possibilité d'exprimer des émotions et de relater des expériences personnelles dans un cadre d'intimité, de confidentialité et de respect. L'intervieweur, en face-à-face avec l'informateur, en a pour sa part une perception globale. Il est témoin, par exemple, de ses gestes, de ses réactions spontanées. Il capte donc plus que des paroles, le langage non verbal de l'autre complétant ses propos, leur donnant parfois un autre sens. Quant à l'entrevue de groupe, elle permet de saisir les caractéristiques de l'ensemble que forment les individus, ce qui leur est commun, ce qui les différencie, ce qui les fait réagir, bref, ce qui constitue leur dynamique propre.

Les inconvénients

L'entrevue de recherche présente par ailleurs certains inconvénients tels les réponses mensongères, les résistances de la personne interviewée, la subjectivité possible de l'intervieweur, le manque de comparabilité des entrevues et parfois des obstacles circonstanciels.

Une personne interviewée peut maquiller certaines de ses réponses. Elle pourrait en effet mentir, ou du moins de ne pas dire toute la vérité, si la situation d'entrevue lui laisse croire que certains de ses propos pourraient être rapportés, même involontairement, et lui causer un préjudice. En situation

Les têtes chercheuses

Francine Ouellet, sociologue et démographe, Ginette Boyer, sociologue, Christine Colin, médecin spécialiste en santé communautaire, Catherine Martin, sociologue, ont opté pour l'entrevue de groupe afin d'étudier de près les attitudes et les comportements des femmes enceintes en situation d'extrême pauvreté face à la grossesse et à la maternité.

CHRISTINE COLIN, FRANCINE OUELLET, GINETTE BOYER ET CATHERINE MARTIN (1992). *Extrême pauvreté, maternité et santé*. Montréal, Éditions Saint-Martin, 259 p.

Clics et déclics

Ethnociel
Ce site s'adresse spécifiquement aux étudiants du niveau collégial s'intéressant à l'**anthropologie**. L'auteur est enseignant au Collège Ahuntsic. Les ressources Internet sont offertes sous les boutons *Archéologie*, *Ethnologie* et *Bioanthropologie*. Un moteur de recherche, *Extense*, permet une recherche par mots clés dans le site *Ethnociel*.

www.ethnociel.qc.ca

Un exemple d'entrevue de groupe

Quatre chercheuses ont étudié la question du recours aux services de santé en réunissant 16 femmes une fois par semaine pendant 10 semaines. Des jeux, des dessins, des photos, une fête même, les ont parfois aidées à animer les entrevues, qui ont été soit amusantes, soit houleuses, ou, à l'occasion, dramatiques. L'extrait qui suit relate un de ces moments. La discussion portait alors sur la consommation de cigarettes chez la femme enceinte.

« HÉLÈNE : Ma mère n'a jamais arrêté de fumer. Elle a toujours pris sa caisse de 12 bières par jour pendant que j'étais dans son ventre. Elle a toujours fumé, elle a pris de la drogue... mais je suis normale moi.

Au-delà des expériences, elles se forgent des explications : *Il y en a qui disent que si tu fais la gaffe d'arrêter de fumer, là ça peut lui faire quelque chose parce que là tu t'arrêtes bien net.*

Elles n'ont pas confiance en leur capacité d'arrêter de fumer : *Tu essaies de décrocher mais c'est trop dur.*

Elles ont presque toutes tenté d'arrêter de fumer à un moment donné dans leur vie. Elles reconnaissent que c'est une habitude dont elles peuvent difficilement se défaire, plus difficile même que la drogue :

SHIRLEY : C'est une question d'habitude. On s'est habituées. Tu essaies de décrocher mais c'est trop dur. Je trouve que la cigarette, c'est plus dur que la coke ou des affaires de même.

QUESTION : C'est plus dur d'arrêter ? Pourquoi ?

MARTINE : Parce que ça coûte moins cher premièrement.

SHIRLEY : Ce n'est pas seulement le fait que ça coûte moins cher, c'est plus dur.

MARTINE : Tu paierais un paquet de cigarettes, 35 $ contre un quart de pouce, je vais te dire quelque chose...

SHIRLEY : Tu sens la boucane des autres, c'est fatigant, mais si tu vois le sac de poudre, ça ne te fatigue pas. Je sais que j'ai été capable d'arrêter ça facilement. La cigarette, je ne suis pas capable. »

CHRISTINE COLIN, FRANCINE OUELLET, GINETTE BOYER ET CATHERINE MARTIN (1992). *Extrême pauvreté, maternité et santé* (p. 143). Montréal, Éditions Saint-Martin.

---

d'entrevue, des réflexes de défense devant l'inconnu amènent parfois les personnes interviewées à exprimer toutes sortes de réactions, autres que les leurs, attribuables à des phénomènes psychologiques de rationalisation, de projection, d'introjection, d'identification à l'autre, ce qui rend difficile l'évaluation des propos tenus. L'intervieweur, quant à lui, peut faire une interprétation subjective des propos tenus s'il se laisse aller à porter des jugements sur son vis-à-vis plutôt que de l'écouter véritablement. Comme l'entrevue permet à chaque informateur de réagir à sa façon, les propos ne sont en outre pas toujours comparables. Des impondérables peuvent de plus affecter le déroulement de la rencontre, par exemple une mauvaise évaluation du lieu, du moment, du temps nécessaire. L'oubli de prendre en compte une différence de statut, d'âge ou de perceptions de tous ordres entre l'intervieweur et l'informateur pourrait, de surcroît, bloquer la communication.

LE QUESTIONNAIRE OU LE SONDAGE

QUESTIONNAIRE OU SONDAGE Technique directe visant à questionner un grand nombre d'individus, habituellement de façon directive, pour faire un prélèvement quantitatif.

Le **questionnaire**, sous sa forme la plus connue, le **sondage**, est l'outil de recherche tout désigné quand le problème de recherche conduit à vouloir compiler, sur une base comparable, des réponses à des questions posées séparément à un grand nombre d'individus. Cette investigation directe se fait à l'aide de questions dites *fermées* parce que les choix de réponses sont prédéterminés; l'approche est donc directive. Le prélèvement est quantitatif car il s'agit d'établir des comparaisons chiffrées.

Le questionnaire permet de se renseigner sur de nombreux aspects de la vie d'une large population. Les questions peuvent porter sur les comportements des informateurs, leurs opinions, leur situation sociale, familiale ou professionnelle, leur niveau de connaissance ou de conscience d'un phénomène,

Tableau 3.1 Les différences entre le questionnaire et le sondage

	SUJETS DES QUESTIONS	NOMBRE DE QUESTIONS	TAILLE DE L'ÉCHANTILLON
Questionnaire	Variés	Important (10 ou plus)	Petit (quelques centaines d'individus, au plus)
Sondage	Surtout liés aux opinions	Minime (moins de 10)	Grand (1 000 individus ou plus)

ou sur tout autre sujet à propos duquel les informateurs peuvent être interrogés. **Étant donné leurs multiples usages, questionnaires et sondages sont le moyen d'investigation le plus largement répandu dans les sciences humaines.**

Personne n'a expliqué clairement les différences entre le questionnaire et le sondage. Pourtant, certains traits les distinguent nettement en sciences humaines. Les questionnaires apparaissent au 19e siècle alors que les sondages n'apparaissent qu'au 20e siècle, mais ceux-ci acquièrent graduellement une grande popularité, liée, entre autres choses, aux progrès de la statistique et du calcul des probabilités. Un résumé des différences entre le questionnaire et le sondage figure dans le tableau 3.1.

Astuce

Régulièrement, et en plus grand nombre à l'approche d'une élection, les médias rendent compte de sondages qui peuvent être examinés sous divers angles.

Les formes du questionnaire, la durée et les lieux propices

Le **questionnaire** ou le **sondage** est **autoadministré** s'il est rempli par l'informateur. C'est un **questionnaire-interview** ou un **sondage-interview** si la personne qui enquête pose les questions et note les réponses.

Le temps nécessaire à l'administration et à la distribution d'un questionnaire ou d'un sondage varie selon qu'il est possible ou non de réunir de nombreuses personnes au même moment dans un même lieu pour qu'elles y répondent. La distribution du questionnaire à un informateur, puis à un autre, et ainsi de suite, prend évidemment beaucoup plus de temps que sa distribution à plusieurs informateurs en même temps. Toutes choses étant égales par ailleurs, le sondage, par sa facture, demande moins de temps aux informateurs que le questionnaire parce qu'ils répondent moins longuement. Cependant, la nature du sondage en fait aussi varier la durée. Le sondage instantané est une enquête menée à un seul moment. Le sondage par panel est une enquête menée à plus d'une occasion auprès des mêmes personnes. Le sondage de tendance, enfin, est une enquête échelonnée dans le temps comportant sensiblement les mêmes questions d'une fois à l'autre, mais menée auprès de personnes différentes.

L'enquête par questionnaire ou sondage peut être menée dans divers lieux, pourvu que chaque informateur puisse répondre seul et puisse se concentrer sans être dérangé d'aucune manière. Le sondage par téléphone exige, de son côté, que l'informateur puisse se concentrer et être isolé, tandis qu'un envoi par la poste doit spécifier au moins la personne habilitée à répondre.

Les avantages

Les avantages du questionnaire ou du sondage sont sa possibilité d'administration à un grand nombre de personnes, sa rapidité d'exécution, la saisie de comportements non observables, la comparabilité des réponses obtenues et son coût minime.

Dans le questionnaire-interview, c'est la personne qui enquête qui pose les questions et note les réponses.

Un grand nombre de personnes peuvent être rejointes, de quelques centaines pour le questionnaire à quelques milliers pour le sondage. Le temps d'exécution peut être relativement court, la situation idéale étant de pouvoir réunir les informateurs dans un même lieu pour répondre, telle une salle de classe. De plus, ils n'ont pas à réfléchir longuement avant de répondre. Comme ils sont assurés de la confidentialité et de l'anonymat, cet outil permet de surcroît d'obtenir d'eux des renseignements sur des comportements qui ne sont pas normalement observables et qui sont même parfois très intimes ou très personnels. Toutes les questions étant posées dans les mêmes termes et proposant les mêmes choix de réponses, celles-ci ont l'avantage de pouvoir être facilement comparées statistiquement. En outre, il n'est pas nécessaire de donner une formation poussée aux enquêteurs qui posent les questions et inscrivent les réponses ou font remplir le formulaire par les informateurs eux-mêmes. Comme il n'est pas besoin, non plus, de magnétophones, de laboratoires ou d'autres outils sophistiqués, les coûts s'en trouvent ainsi réduits.

Les inconvénients

Le questionnaire ou le sondage présente certains inconvénients tels la déformation volontaire des propos, l'inaptitude de certains informateurs, des informations sommaires et des refus de répondre.

L'informateur peut déformer volontairement ses propos, soit parce qu'il veut se présenter sous un jour meilleur, soit parce qu'il veut paraître «normal» ou se situer dans la moyenne, soit, enfin, parce qu'il pense que telle réponse plutôt que telle autre aura l'effet souhaité sur des mesures qui pourraient être prises à la suite de l'enquête. De plus, certaines personnes ne sont pas aptes à répondre par écrit à un formulaire, soit parce qu'elles n'en ont pas l'habitude ou parce qu'elles sont analphabètes, soit parce qu'elles donnent un sens différent à certains termes utilisés dans les questions en raison de leur langue maternelle, de leur origine sociale et géographique ou de leur âge. Autre désavantage, les informations obtenues sont souvent sommaires parce que les informateurs doivent répondre sur-le-champ ; ils donnent donc la première réponse qui leur vient à l'esprit, leur réflexion étant réduite au minimum. En outre, avec la multiplication des sondages, de plus en plus de gens refusent de répondre à de telles enquêtes, ayant l'impression qu'elles sont inutiles ou y voyant une intrusion dans leur vie privée ; de plus, les pratiques douteuses de certains marchands ont sans doute contribué à susciter la méfiance des gens.

L'EXPÉRIMENTATION

La méthode expérimentale est la méthode qu'il convient d'utiliser, d'une part, lorsque le problème de recherche précise qu'il s'agit de mener une étude de causalité dans le cadre d'une expérience sur des sujets, d'autre part, lorsque les variables d'une hypothèse semblent s'y prêter par leur caractère contrôlable et mesurable. L'expérimentation, en effet, est une méthode d'investigation directe qui nécessite des volontaires pour participer à une expérience. Ceux-ci peuvent être répartis en un groupe expérimental, composé de ceux qui subissent l'effet de la variable indépendante, et en un groupe de contrôle ou groupe témoin, composé de ceux qui ne le subissent pas. Une expérience se déroule de façon directive, c'est-à-dire que tous les éléments de la situation ont été déterminés par l'expérimentatrice, qui exerce un contrôle sur le déroulement de l'expérience afin de s'assurer que la situation est telle qu'elle l'avait prévue. Le prélèvement est quantitatif et assorti de tests statistiques.

EXPÉRIMENTATION Application de la méthode expérimentale en faisant une expérience directe sur quelques individus, de façon directive, en vue d'un prélèvement quantitatif.

Un exemple d'expérimentation

Simon Baron-Cohen, Alan Leslie et Uta Frith ont réalisé une expérimentation sur des enfants autistiques, trisomiques et normaux afin d'expliquer la nature de l'autisme. L'expérimentation visait à démontrer que les enfants autistiques sont incapables de comprendre les états mentaux; ils ne saisissent pas ce qu'implique le fait de croire quelque chose à tort.

«Celle-ci [l'expérimentation] consistait à mettre en scène deux poupées, Sally et Anne, de la façon suivante : Sally a un panier et Anne a une boîte; Sally a une bille, qu'elle met dans son panier; ensuite Sally sort; en son absence, Anne prend la bille de Sally et la place dans la boîte; à présent, Sally revient et veut jouer avec sa bille. C'est à ce moment que nous posons la question cruciale : "Où est-ce que Sally ira chercher sa bille?"

La réponse est, bien entendu, "dans le panier". C'est la bonne réponse parce que Sally a mis la bille dans le panier et qu'elle n'a pas vu Anne la changer de place. Elle croit donc que la bille se trouve toujours là où elle l'a laissée. Par conséquent, elle ira la chercher dans le panier, même si la bille ne s'y trouve plus. La plupart des enfants non autistiques fournirent la bonne réponse; autrement dit, ils indiquèrent le panier. En revanche, à l'exception de quelques-uns, les enfants autistiques se trompèrent : ils indiquèrent la boîte. C'est là que la bille se trouvait réellement, mais, bien entendu, Sally ne le savait pas. Ces enfants n'avaient donc pas tenu compte de ce que Sally croyait. [...]

Le fait que les enfants autistiques n'aient pas été capables de comprendre ce que Sally croyait est d'autant plus remarquable que leur âge mental était, en réalité, beaucoup plus élevé que celui des autres enfants. Leur niveau intellectuel leur permettait de résoudre un grand nombre de problèmes logiques. Malgré cela, ils furent incapables de résoudre un problème apparemment aussi simple que celui présenté au cours de ce test. Pourtant, ils se souvenaient de l'endroit où Sally avait placé la bille, et ils avaient répondu correctement à la question : "Où se trouve réellement la bille?" Leurs difficultés ne résidaient qu'au niveau de la déduction cruciale, celle qui consistait à se dire que si Sally n'avait pas vu Anne mettre la bille dans la boîte, elle devait forcément croire que la bille se trouvait toujours dans le panier. Cette déduction, qui ne paraissait pas poser de problèmes à la plupart des enfants mongoliens [sic], en posait donc à la plupart des enfants autistiques, pourtant beaucoup plus aptes [...].»

UTA FRITH (1992). L'énigme de l'autisme (p. 262-264). Paris, Éditions Odile Jacob.

© Odile Jacob, 1992.

Ce sont les sciences de la nature qui sont à l'origine de la méthode expérimentale. Pendant longtemps, cette dernière n'a été utilisée que pour l'étude d'objets matériels, car il n'apparaissait pas légitime de faire des expériences sur les êtres humains. C'est par la médecine et les sciences qui s'y rattachent que l'expérimentation s'est graduellement étendue à l'étude du vivant, puis de l'humain plus particulièrement. Après le physiologiste Claude Bernard (1813-1878), qui en a formulé les principales règles dans son *Introduction à l'étude de la médecine expérimentale*, c'est la psychologie associée à la physiologie qui a répandu l'usage de ce moyen d'investigation. Un premier laboratoire scientifique en psychologie a été créé en 1879 en Allemagne. Puis, les travaux du physiologiste russe Ivan Petrovitch Pavlov (1849-1936) ont illustré l'utilité de la méthode expérimentale pour démontrer comment les comportements des êtres vivants pouvaient être modifiés. C'est ainsi qu'il a été permis d'expérimenter sur l'humain, toujours à certaines conditions, et les recherches se sont poursuivies depuis. En sciences humaines, l'utilisation de cette méthode n'est pas aussi répandue qu'en sciences de la nature, car l'objet s'y prête moins facilement.

Les formes d'expérimentation, la durée et le lieu prescrit

L'expérimentation classique est l'**expérimentation provoquée**, dans laquelle les sujets sont divisés en deux groupes (ou plus), dont l'un, le groupe expérimental, subira l'effet de la variable indépendante et l'autre, le groupe de contrôle ou témoin, en sera exempté, chaque groupe subissant un test avant (prétest) et après l'expérience (post-test). Si l'une de ces conditions ne peut pas être remplie et s'il faut travailler sur des groupes déjà constitués, faire passer un seul test, former un seul groupe, accepter que la variable

L'expérimentation se déroule généralement en laboratoire.

indépendante ne soit pas contrôlée, il s'agira d'une **expérimentation invoquée**. Si l'expérimentation sur des sujets est exclue, il reste la possibilité de faire **une expérimentation simulée** grâce à l'informatique, qui permet de reproduire un modèle simplifié de la réalité.

Pour ce qui est de la durée d'une expérience, elle varie selon la tâche que les sujets ont à exécuter et selon le nombre de fois qu'il est jugé nécessaire de la répéter.

Le lieu prescrit pour réaliser une expérience est **le laboratoire** parce qu'il réunit les conditions idéales pour permettre à l'expérimentatrice de contrôler toutes les variables. Toutefois, la nature de la recherche, par exemple l'étude de l'effet de l'introduction d'un changement dans une entreprise, peut obliger à sortir du laboratoire. Il faut cependant chercher à reproduire, dans la mesure du possible, des conditions similaires à celles du laboratoire dans tout autre lieu choisi pour mener une expérience.

Les avantages

Les avantages de l'expérimentation sont l'établissement d'un rapport de causalité, la maîtrise de la situation et la précision des mesures.

La méthode expérimentale a été conçue pour arriver à établir un rapport de causalité entre deux phénomènes. Il s'agit du plus sûr moyen d'y parvenir puisqu'elle réunit les conditions permettant d'isoler et de mettre en rapport les variables à observer. L'utilisation de la méthode expérimentale, surtout en laboratoire, permet, plus efficacement que toute autre méthode ou technique, d'avoir en mains tous les éléments connus du ou des phénomènes à observer. Cette méthode offre en outre une garantie de maîtrise des plus sûre sur les variables étudiées, car non seulement les variables indépendante et dépendante sont contrôlées, mais tout est également mis en oeuvre pour neutraliser les variables intermédiaires, celles qui pourraient nuire à l'observation de l'effet de la variable indépendante sur la variable dépendante, ou même l'empêcher. De plus, comme les variables de l'expérimentation ont la propriété d'être mesurables, différents tests statistiques, compte tenu du type de mesure applicable aux variables retenues, pourront être utilisés, ce qui offre une garantie de précision indéniable.

Les inconvénients

La méthode expérimentale présente par ailleurs certains inconvénients telles une grande simplification du réel, la non-représentativité des sujets de l'expérience et l'inconstance des groupes.

Plus que toute autre, cette méthode exige de réduire la recherche à l'étude d'un rapport entre deux variables, ce qui amène à ne pouvoir travailler que sur certains phénomènes, parce qu'ils sont plus facilement isolables, plus sûrement mesurables et à causalité simple ; le réel y perd ainsi de sa complexité. De surcroît, les volontaires qui participent à une expérience ne représentent pas l'éventail complet de leurs concitoyens : ils sont habituellement plus instruits, occupent un rang social plus élevé, sont plus « intelligents » et ont plus besoin d'approbation sociale que les non-volontaires (Baker 1988) ; en fait, ce sont souvent des étudiants en psychologie. Il arrive même que des sujets abandonnent entre le début et la fin de l'expérience, avec ou sans raison manifeste, surtout si plus d'une rencontre était nécessaire, ce qui peut rendre difficile la comparaison entre le groupe expérimental et le groupe de contrôle. De plus, les motivations qui ont amené les sujets au lieu de l'expérience peuvent être fort variées et influer sur l'ardeur avec laquelle ils y participent. La stabilité des groupes n'est donc pas toujours facile à maintenir.

L'ANALYSE DE CONTENU

Lorsque le problème de recherche amène à se pencher sur l'étude de documents non chiffrés pour en saisir certaines significations, c'est l'**analyse de contenu** qui s'impose comme technique de recherche. C'est une technique d'investigation indirecte permettant de tirer des informations de productions qui peuvent prendre une forme écrite, sonore, visuelle ou audiovisuelle. Elle s'applique autant à des documents provenant d'individus (lettres personnelles, romans, journal intime, par exemple) qu'à des documents émanant de groupes (lois, textes publicitaires, manifestes, par exemple). Elle sert tout autant à faire un prélèvement quantitatif que qualitatif : en effet les documents, tout en étant dépourvus de chiffres, peuvent être dépouillés en vue de calculs ou dans la perspective d'une étude d'éléments singuliers, ou les deux à la fois, puisque les deux sortes de traitement peuvent se compléter.

L'analyse de contenu est une façon poussée et rigoureuse de saisir le sens d'un document, peu importe sa forme. Cette technique est l'outil par excellence des historiens, sociologues, politologues et psychologues qui s'intéressent à l'étude des cultures étrangères, des médias, de la personnalité, des idéologies et autres formes de représentations des individus et des organisations. Elle est devenue un outil précieux et fort utilisé pour l'étude des médias en général, depuis les téléromans jusqu'aux émissions pour enfants, sans oublier les messages publicitaires, les actualités télévisées et la chanson.

Les formes d'analyse de contenu, la durée et les lieux d'accès aux documents

L'analyse de contenu porte soit sur le **contenu manifeste** d'un document, ce qui est explicitement dit ou réellement formulé, soit sur son **contenu latent**, c'est-à-dire sur son contenu implicite, le non-dit, le sens caché, ce qui n'est pas exprimé.

La durée d'examen des documents varie selon l'ampleur de la documentation et le degré d'approfondissement souhaité. Elle tient aussi au fait d'avoir pu se familiariser suffisamment avec le contenu avant le dépouillement systématique, par exemple lors de la critique interne et externe de la documentation effectuée avec la méthode historique.

L'analyse de contenu peut se dérouler dans tout lieu qui réunit la documentation ou qui permet de la consulter. Habituellement, il s'agira d'une bibliothèque ou d'un centre de documentation ou d'archives. Avec les ordinateurs, des sites Internet peuvent aussi être utilisés ou faire l'objet d'une analyse de contenu. Pour de la documentation autre que de l'écrit, recourir à l'enregistrement permet ensuite la consultation à l'endroit qui convient à l'analyste.

ANALYSE DE CONTENU Technique indirecte permettant d'examiner des documents au contenu non chiffré, provenant d'individus ou de groupes, pour faire un prélèvement quantitatif ou qualitatif.

clics et déclics

Collections numérisées du Canada (CNC)
Le programme des CNC supervise l'emploi de jeunes qui numérisent du texte, des images ainsi que des documents sonores et vidéo. Les collections ainsi numérisées proviennent d'institutions telles que les Archives nationales du Canada, la Bibliothèque nationale du Canada et le Musée canadien des civilisations. Consultez la liste par sujet.

collections.ic.gc.ca/F/subject.asp

Les avantages

Les avantages de l'analyse de contenu sont la possibilité d'approfondir une symbolique, de faire des études comparatives et évolutives, ainsi que la richesse d'interprétation.

Par l'entremise de mots, de phrases, de plans de caméra, d'oeuvres picturales, etc., il est possible d'examiner l'univers mental d'un individu, d'un groupe, d'une collectivité, voire des organismes internationaux puisqu'il se fait des études de contenu sur les relations internationales à travers la presse et d'autres moyens de communication. La symbolique ou la signification du contenu d'un document peut ainsi être mise en lumière. Le matériel peut également être recueilli de telle manière qu'il permette de comparer des productions de différents auteurs ou de collectivités diverses. Il est ainsi possible d'étudier l'idéologie ou le système d'idées de journaux différents, de programmes politiques adverses ou de manuels scolaires variés, et de les comparer. De plus, un phénomène peut être suivi à travers le temps grâce aux documents colligés, ce qui facilite, contrairement aux techniques directes, les études diachroniques ou évolutives. L'analyse de contenu rend également possible l'étude plurielle d'un même document. Cela signifie qu'un même document peut être étudié par plus d'un analyste dans des buts et pour des problèmes variés, ce qui conduit à une grande richesse d'interprétation.

Les inconvénients

L'analyse de contenu présente certains inconvénients tels la longueur de l'analyse, un reflet partiel ou biaisé de la réalité et une évaluation risquée des documents à analyser.

L'analyse de contenu exige du temps, et même beaucoup de temps. Elle suppose une quête plus ou moins longue de documents pertinents, la lecture et la relecture de ces documents, ou du moins d'une partie d'entre eux, et, enfin, la collecte systématique des éléments significatifs. Si, de plus, ces documents ne sont pas disponibles à la bibliothèque ou par Internet, il faut alors prévoir des déplacements multiples, ce qui allonge le temps de collecte. Un document ou un ensemble de documents ne décrivent d'ailleurs pas toute la réalité. Leurs auteurs ne peuvent rendre compte que d'une partie de la réalité, celle qu'ils ont connue, et, encore là, en négligeant consciemment ou non ce qui ne leur a pas semblé opportun de traiter. Il faut être conscient de cet écart par rapport à la réalité même s'il n'est pas toujours possible d'en évaluer l'ampleur. L'évaluation juste des documents à analyser peut de plus se révéler risquée car l'entreprise n'est pas toujours assurée. Il est parfois impossible de retracer l'origine des documents, et malgré tous les soins pris pour en faire la critique externe et interne, il n'est pas toujours possible de préciser exactement la nature d'un document ou d'en jauger l'importance. Distinguer un journal personnel d'un discours politique, même si les auteurs sont inconnus, est chose aisée mais il est plus difficile de savoir, dans ce dernier cas, s'il s'agit du simple discours d'un député à ses électeurs ou de l'énoncé d'une politique d'un parti par un de ses dirigeants. Il devient de surcroît malaisé de cerner, par exemple, la pensée personnelle d'un politicien en raison de l'éventail de moyens médiatiques utilisés aujourd'hui et du fait que des experts sont chargés de préparer les discours des politiciens. Il y a donc des obstacles à l'interprétation exacte de la valeur de certains documents pour les fins d'une recherche.

À propos...

des différents procédés d'investigation

Un même sujet peut être investigué de mille et une façons à l'aide des diverses méthodes et techniques de recherche. Par exemple, le **travail domestique** pourrait être étudié de diverses manières avec chacune.

L'observation en situation permettrait de noter le quotidien d'individus à leur domicile. **L'entrevue de recherche** permettrait d'interviewer des couples sur la signification que revêt pour eux le partage des tâches domestiques. Le **questionnaire** ou le **sondage** permettrait d'interroger des cégépiens et des cégépiennes sur leur participation aux tâches domestiques. **L'expérimentation** permettrait de faire des expériences en laboratoire sur l'habileté des hommes et des femmes à laver le linge, à le repasser, à le plier, entre autres tâches. **L'analyse de contenu** permettrait d'analyser le journal personnel d'une grand-mère ou des revues qui s'adressent aux familles et qui relatent, dans l'un et l'autre cas, des épisodes de la vie domestique. **L'analyse de statistiques** permettrait d'analyser les statistiques sur la répartition du travail rémunéré et non rémunéré au pays ou dans le monde.

L'ANALYSE DE STATISTIQUES

L'analyse de statistiques, une technique d'investigation indirecte, est la technique appropriée quand le problème de recherche amène à se pencher sur de grands ensembles, de larges populations, à l'aide de compilations statistiques déjà existantes qui figurent habituellement dans des rapports. Ces documents contiennent des informations quantitatives sur des personnes elles-mêmes (âge, religion, revenu, nombre d'enfants, etc.) et sur des évènements auxquels elles sont liées (natalité, mortalité, crimes, accidents, etc.), ou sur des groupes dûment constitués et leurs activités (bilans d'entreprises ou d'organismes, production industrielle, budgets ministériels, investissements, etc.). Un prélèvement de données sera fait dans ces documents pour en dégager de nouvelles données quantitatives, lesquelles permettront de décrire ou d'expliquer certains phénomènes.

Toute question dont la réponse doit être recherchée auprès de larges portions de la population exige l'exploration d'une grande masse de données que, souvent, seule l'analyse de statistiques peut permettre. En économie, les recherches s'appuient dans une large mesure sur de telles masses de données. Dans les sociétés dirigées par des gouvernements interventionnistes et où le nombre de grandes organisations augmente sans cesse, les statistiques se sont multipliées comme éléments d'information et de support à la prise de décision. En effet, il existe maintenant peu d'institutions qui n'ont pas de chiffres à offrir sur leurs activités. De plus, sur le plan national, de vastes collectes de données chiffrées ont lieu régulièrement (recensements, enquêtes, établissement d'indices tel que celui du coût de la vie, par exemple). Performances de l'économie, phénomènes démographiques, activités d'entreprises sont des exemples parmi une multitude de phénomènes documentés servant à faire des analyses de statistiques.

Les formes d'analyse de statistiques, la durée et les lieux d'accès aux documents

La nature des statistiques disponibles va déterminer les formes que l'analyse va prendre. L'analyse pourra habituellement être plus poussée si elle peut se faire à partir de **données unitaires**, c'est-à-dire à partir d'informations rattachées à chaque élément ou individu d'une population ou d'un échantillon. De multiples croisements de variables pourront alors être faits. Si l'accès à ce type de données est impossible, il faudra travailler sur des **données agrégées**, c'est-à-dire sur des informations dont les éléments de base ont déjà été regroupés et qui ne peuvent pas être ramenés à ce qu'ils étaient à l'origine.

La durée d'une analyse de statistiques varie beaucoup selon le nombre et la complexité des transformations à faire subir aux données auxquelles l'analyste a accès. Quant au terrain d'étude de l'analyse de statistiques, tout endroit, physique ou virtuel, qui donne accès aux données statistiques et en permet l'utilisation peut convenir.

Les avantages

Les avantages de l'analyse de statistiques sont les coûts minimes, la possibilité de faire des études extensives et évolutives, d'apporter un complément judicieux à une recherche en cours et d'approfondir une recherche déjà menée.

ANALYSE DE STATISTIQUES Technique indirecte permettant d'examiner des documents au contenu chiffré, se rapportant à des individus ou à des groupes, pour faire un prélèvement quantitatif.

Clics et déclics

Bibliothèque des HEC
Sur son site, la bibliothèque de l'École des hautes études commerciales de Montréal suggère une quantité impressionnante de liens. Choisissez *Thèmes* dans le menu, vous y trouverez des liens portant sur l'**économie**, la Bourse, les statistiques, et plus encore. La majorité de ces liens sont en anglais.

www.hec.ca/biblio/sites

Tableau 3.2 Les méthodes et techniques de recherche

CHOIX MÉTHODOLOGIQUE	RAISON DU CHOIX	CARACTÉRISTIQUES	FORMES	AVANTAGES	INCONVÉNIENTS
L'observation en situation	Connaître certains aspects de la vie d'un groupe restreint d'individus	Contact direct Observation d'un groupe Non-directivité Prélèvement qualitatif	Participante Désengagée Ouverte Dissimulée	Perception de la réalité immédiate Compréhension profonde des éléments Vision globale du groupe Meilleure intégration du chercheur Coopération facilitée avec les informateurs Situation naturelle	Difficulté de généraliser Manque d'homogénéité des matériaux Adaptation trop réussie de l'observateur Absence à certains évènements Lourde responsabilité de l'observateur
L'entrevue de recherche	Connaître en profondeur des perceptions et conceptions de quelques individus	Contact direct Interrogation d'individus ou de groupes Semi-directivité Prélèvement qualitatif	Individuelle De groupe	Flexibilité Réponses nuancées Intérêt suscité chez l'informateur Perception globale de l'informateur Prise en considération du groupe	Réponses mensongères Résistances de l'informateur Subjectivité de l'intervieweur Manque de comparabilité des entrevues Obstacles circonstanciels
Le questionnaire ou le sondage	Comparer des réponses à des questions posées à un grand nombre d'individus	Contact direct Interrogation d'individus Directivité Prélèvement quantitatif	Autoadministré Interview	Application au grand nombre Rapidité d'exécution Saisie de comportements non observables Comparabilité des réponses Coût minime	Déformation volontaire des propos Inaptitude de certains informateurs Informations sommaires Refus de répondre
L'expérimentation	Connaître les effets mesurables d'un phénomène sur un autre	Contact direct Expérience sur des sujets Directivité Prélèvement quantitatif	Provoquée Invoquée Simulée	Établissement d'un rapport de causalité Maîtrise de la situation Précision des mesures	Grande simplification du réel Non-représentativité des sujets Inconstance des groupes
L'analyse de contenu	Connaître la signification de documents non chiffrés	Contact indirect Analyse de documents Caractère non chiffré Prélèvement qualitatif ou quantitatif	Manifeste Latent	Approfondissement de la symbolique Possibilités d'études comparatives et évolutives Richesse d'interprétation	Longueur de l'analyse Écart par rapport à la réalité Évaluation risquée du matériel
L'analyse de statistiques	Tirer de nouvelles significations de documents chiffrés	Contact indirect Analyse de documents Caractère chiffré Prélèvement quantitatif	Unitaires Agrégées	Coûts minimes Possibilités d'études extensives et évolutives Complément judicieux à une recherche en cours Approfondissement d'une recherche déjà menée	Statistiques construites par un tiers Erreurs de collecte

Beaucoup de frais sont évités parce que les données ont été recueillies et compilées par d'autres. Ces données, provenant habituellement d'organismes publics et parapublics qui sont tenus d'appliquer une politique d'accès à l'information, peuvent être obtenues à des tarifs relativement bas. Les données statistiques sont également extensives. Certains couvrent un secteur de recensement (quelques rues d'une ville), d'autres tout un pays, sans parler des données provenant d'organismes internationaux. Les données statistiques peuvent également être évolutives, certaines données s'échelonnant sur plus d'un siècle, comme dans le cas des recensements. L'analyse de statistiques peut de plus être utilisée comme un complément judicieux à une recherche en cours. Par exemple, il peut être important, dans le cadre d'une enquête menée selon une autre méthode ou une autre technique, de vérifier si l'échantillon retenu reflète la population dont il est extrait. L'analyse de documents statistiques sur le dernier recensement permettrait de vérifier, par exemple, si la proportion des 15 à 20 ans dans l'échantillon correspond à celle retrouvée dans l'ensemble de la population. L'analyse de statistiques peut en outre contribuer à l'approfondissement d'une recherche déjà menée. En retravaillant certaines données statistiques d'une recherche antérieure, l'analyste peut l'amener encore plus loin, par exemple, en faisant ressortir entre les phénomènes des relations qui n'étaient pas dans l'ordre des préoccupations de l'analyse qui en avait d'abord été faite.

Les inconvénients

L'analyse de statistiques présente par ailleurs certains inconvénients tel le fait que les statistiques ont été construites par un tiers et que des erreurs ont pu se glisser lors de la collecte.

Il est très rare que les statistiques disponibles correspondent point par point aux éléments de la définition du problème puisqu'elles ont été construites par quelqu'un d'autre et à d'autres fins. Dans ce cas il faudra modifier certains des objectifs initiaux. La façon dont les données ont été recueillies peut d'ailleurs comporter des lacunes ou des erreurs de collecte plus ou moins importantes. Ainsi, une liste électorale ne recense pas tout le monde. La précision des informations données par les informateurs n'est pas non plus à toute épreuve, car certains termes employés dans les questions peuvent prêter à confusion. De plus, pour diverses raisons, les informateurs peuvent chercher à minimiser ou à amplifier certains faits, comme leur revenu, leur âge ou leur scolarité. Certaines de ces erreurs n'influent pas sur les chiffres d'ensemble, mais d'autres peuvent discréditer l'analyse envisagée.

Les raisons de choisir l'une ou l'autre méthode ou technique, les caractéristiques, les formes et les principaux avantages et inconvénients de chacune d'elles sont résumés dans le tableau 3.2.

Dans le choix d'une méthode ou d'une technique de recherche, d'autres considérations peuvent orienter la décision. Des considérations matérielles peuvent réduire l'accessibilité à certaines méthodes et techniques, que ce soit la nécessité de sortir de la ville, le nombre de personnes qui peuvent collaborer, des contraintes monétaires ou la disponibilité d'un laboratoire. Les habiletés personnelles peuvent également faire pencher la balance en faveur d'un procédé. Une personne à l'aise dans un groupe, aimant à s'entretenir en profondeur avec un tiers, ayant le sens de l'organisation ou sachant formuler des questions, envisagera plus volontiers l'une ou l'autre des méthodes et techniques directes. Enfin, l'ampleur de la recherche ou le type de données à recueillir peuvent aussi amener à utiliser tel procédé plutôt que tel autre, ou même mener à la combinaison de méthodes et de techniques. Une fois le choix fait, il s'agit de construire le ou les instruments qui accompagnent le procédé d'investigation retenu. Ce sera l'objet du prochain chapitre.

Résumé

Le choix de la **méthodologie** en sciences humaines se fait principalement entre six méthodes et techniques de recherche : l'observation en situation, l'entrevue de recherche, le questionnaire ou le sondage, l'expérimentation, l'analyse de contenu et l'analyse de statistiques. La **méthode d'enquête**, qui permet l'étude de populations, est utilisée dans certaines d'entre elles. L'investigation peut se faire de manière directe ou indirecte. Le contact est direct quand l'observatrice rencontre des **informateurs** pour les observer, les interroger ou expérimenter sur eux, et elle le fait avec **directivité**, **semi-directivité** ou **non-directivité** selon le degré de liberté laissée aux informateurs. Le contact est indirect quand ce sont les productions des informateurs qui sont étudiées sous forme de documents dont le contenu est chiffré ou non chiffré. L'investigation se différencie aussi selon que l'examen porte sur des individus isolés ou sur un ou des groupes et selon qu'il s'agit de prélever des données à des fins de traitement quantitatif ou qualitatif.

L'**observation en situation** est une investigation directe sur un petit groupe, à caractère non directif, pour faire un prélèvement qualitatif. L'observatrice peut participer aux activités du groupe, s'en désengager, dire aux personnes qui le composent qu'elles sont observées ou le dissimuler. L'observation en situation a les avantages suivants : elle permet de voir les choses se produire, d'examiner plus à fond les actes des informateurs, d'obtenir un portrait global d'un groupe, de bien s'y intégrer, d'en avoir la coopération et d'être dans un cadre de vie naturel. Des inconvénients sont par ailleurs à signaler : une situation d'observation peut difficilement être généralisée à d'autres situations, les matériaux recueillis peuvent s'avérer difficiles à comparer, l'observatrice peut trop bien s'intégrer au milieu, elle peut ne pas être présente à certains évènements importants et elle porte toute la responsabilité du travail.

L'**entrevue de recherche** est une investigation directe auprès de personnes, parfois de groupes, à caractère semi-directif (questions ouvertes), pour faire un prélèvement qualitatif, à partir de témoignages individuels. Elle a les avantages suivants : elle permet de s'adapter à différentes situations, d'obtenir des réponses nuancées, de susciter de l'intérêt chez les informateurs, de percevoir à la fois leurs paroles, leurs gestes, leurs mimiques et de saisir les caractéristiques d'un groupe. Ses inconvénients sont : le maquillage possible de la vérité par les informateurs, des réflexes de défense de leur part, la subjectivité de l'intervieweur, un manque d'uniformité entre les entrevues et des impondérables qui peuvent bloquer la communication.

MOTS CLÉS

▶ **Méthodologie**

▶ **Méthode d'enquête**

▶ **Informateurs**

▶ **Directivité**

▶ **Semi-directivité**

▶ **Non-directivité**

▶ **Observation en situation**

▶ **Entrevue de recherche**

▶ **Questionnaire ou sondage**

▶ **Expérimentation**

▶ **Analyse de contenu**

▶ **Analyse de statistiques**

Le **questionnaire** ou le **sondage** est une investigation directe auprès de personnes interrogées séparément, à caractère directif (questions fermées), pour faire un prélèvement quantitatif. Il est autoadministré quand il est rempli par les informateurs eux-mêmes, à caractère d'interview quand l'intervieweur pose les questions et note les réponses. Le sondage s'adresse à un échantillon de plus grande taille que le questionnaire, contient moins de questions et porte surtout sur des opinions. Cette technique a les avantages suivants : elle s'applique au grand nombre, s'exécute rapidement, permet d'accéder à ce qui n'est pas observable, rend les réponses comparables et est peu coûteuse. Ses inconvénients sont : des intentions délibérées de feindre de la part de certains informateurs, l'incapacité de répondre chez certains d'entre eux, des réponses sommaires et des refus de répondre.

L'**expérimentation** est une investigation directe auprès de personnes, à caractère directif, pour faire un prélèvement quantitatif. L'expérimentation classique se fait en laboratoire, provoquée par l'expérimentatrice, sur un groupe expérimental (subissant l'effet de la variable indépendante) et sur un groupe de contrôle (ne la subissant pas) avec prétest et posttest. L'expérimentation peut aussi être invoquée quand le cadre classique ne peut s'appliquer ou être simulée à l'aide de l'informatique. L'expérimentation a les avantages suivants : elle permet de faire une étude de causalité, de contrôler l'ensemble de la situation et de mesurer avec précision les variables mises en rapport. Par contre, l'expérimentation crée une situation simplifiée de la réalité, les sujets ne sont pas nécessairement représentatifs de la population et les groupes expérimental et de contrôle peuvent être instables.

L'**analyse de contenu** est une investigation indirecte à l'aide de documents, provenant d'individus ou de groupes, ayant un contenu non chiffré pour faire un prélèvement quantitatif ou qualitatif. L'analyse peut porter sur le contenu manifeste ou latent du document. Elle a les avantages suivants : l'approfondissement de la symbolique du contenu, la comparaison des productions de groupes ou d'individus différents, les comparaisons dans le temps et la richesse des diverses interprétations possibles du phénomène étudié. L'analyse de contenu exige en revanche énormément de temps pour décortiquer chacun des documents, ces documents ne présentent qu'une partie de la réalité et il est parfois difficile d'en déterminer précisément la valeur.

L'**analyse de statistiques** est une investigation indirecte à l'aide de documents, provenant d'individus ou de groupes, ayant un contenu chiffré pour faire un prélèvement quantitatif. L'analyse peut porter sur des données unitaires ou agrégées. Elle a les avantages suivants : elle peut être faite à un coût minime, les documents peuvent regrouper des données touchant toute la planète et embrasser plusieurs décennies; cette technique peut être utile en complément d'une autre ou pour approfondir une recherche déjà menée. Ses inconvénients sont : la non-correspondance possible entre des données compilées par d'autres à d'autres fins et ses propres objectifs, et des données pas toujours fiables.

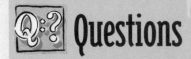 **Questions**

1. Pourquoi certaines méthodes ou techniques de recherche sont-elles directes et d'autres indirectes ? Est-ce similaire à directivité, semi-directivité et non-directivité ? Expliquez.

2. À quoi sert la méthode d'enquête ? Sur quoi repose-t-elle ?

3. Précisez, pour chacune des six méthodes ou techniques de recherche, deux aspects qui lui sont propres, c'est-à-dire qui la distinguent des cinq autres. Ne vous référez pas aux avantages et aux inconvénients pour répondre à cette question.

4. Nommez un avantage de chaque méthode ou technique qu'elle est seule à posséder et précisez-en la nature.

5. Nommez un inconvénient de chaque méthode ou technique qu'elle est seule à comporter et précisez-en la nature.

6. Une chercheuse a fait une recherche sur les styles de conduite en examinant sans intervenir le comportement de bandes d'adolescents dans un wagon de métro. Quels termes pourraient décrire l'investigation menée ?

7. Un chercheur veut obtenir le témoignage de personnes de 60 ans et plus dont l'un des parents est décédé avant qu'elles aient 12 ans, en vue de cerner ce qu'un tel évènement peut avoir comme effet sur la suite de la vie.

   a) Quelle serait la méthode ou technique de recherche la plus appropriée ?
   b) Quelle caractéristique de cette méthode ou technique justifie son utilisation dans le cadre de cette recherche particulière ? Ne vous référez pas aux avantages et aux inconvénients pour répondre à cette question.
   c) Précisez un des avantages de cette méthode ou technique dans le contexte de cette recherche particulière.
   d) Précisez un des inconvénients de cette méthode ou technique dans le contexte de cette recherche particulière.

8. Une chercheuse s'intéresse aux effets de la température ambiante sur la rapidité avec laquelle des personnes exécutent une tâche donnée, son hypothèse étant que plus la température est élevée, moins l'exécution de la tâche est rapide. Répondez aux mêmes questions qu'à celles du numéro 7.

9. Un chercheur s'intéresse aux marins d'un équipage pour connaître la vie sur un bateau durant quelques semaines : ce qui s'y déroule, ce qu'on ressent en étant longtemps sur l'eau, ce qui peut se produire à bord, les rapports humains qui s'y développent. Répondez aux mêmes questions qu'à celles du numéro 7.

10. Une chercheuse s'intéresse aux livres écrits à l'intention des parents sur la façon d'éduquer les enfants, pour en faire ressortir les conceptions que l'on a des enfants dans sa société. Son objectif de recherche est d'établir la diversité de ces conceptions. Répondez aux mêmes questions qu'à celles du numéro 7.

11. Un chercheur veut mesurer ce que pensent les citoyens de son pays des criminels et des peines qu'on leur impose. Répondez aux mêmes questions qu'à celles du numéro 7.

12. Montrez, avec chacune des six méthodes ou techniques de recherche, comment vous pourriez traiter un sujet de votre choix en sciences humaines (choisissez un autre sujet que le travail domestique).

Chapitre 4

Construire un instrument de collecte

Objectifs

Après la lecture de ce chapitre, vous devriez pouvoir construire :

- un cadre d'observation ;
- un formulaire de questions ;
- un schéma d'entrevue ;
- un schème expérimental ;
- des catégories d'analyse de contenu ;
- des séries chiffrées.

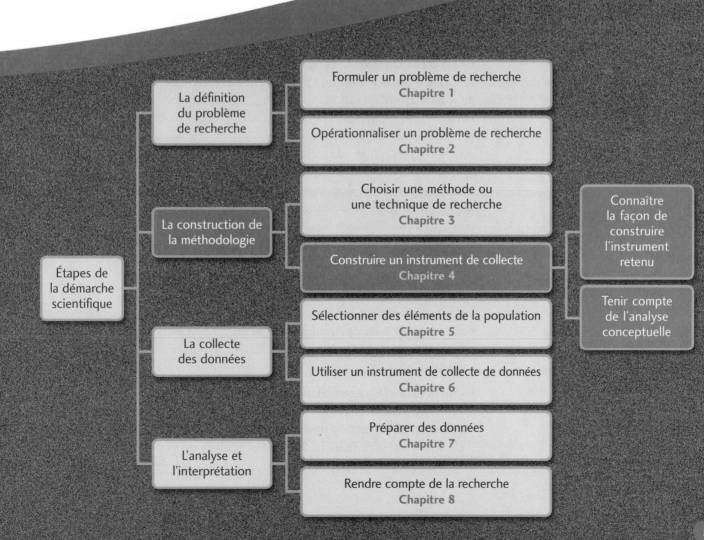

Les principales méthodes et techniques de recherche en sciences humaines ont été présentées dans le chapitre précédent et vous avez fait un choix en prévision d'aller recueillir dans la réalité des données sur votre problème de recherche. Pour rendre cette collecte possible, il vous faut auparavant construire un instrument approprié. La construction d'un instrument de collecte de données exige de la rigueur, une des qualités de l'esprit scientifique. Il faut, en effet, de l'exactitude pour arriver à construire un instrument fidèle et précis. Il faut également de l'imagination car elle peut se montrer indispensable pour sortir des sentiers battus et créer un instrument original.

À chaque méthode ou technique de recherche correspond un instrument de collecte de données particulier. À l'observation en situation correspond le cadre d'observation. Au questionnaire ou sondage correspond le formulaire de questions. À l'entrevue de recherche correspond le schéma d'entrevue. À l'expérimentation correspond le schème expérimental. À l'analyse de contenu correspondent les catégories d'analyse. À l'analyse de statistiques correspondent les séries chiffrées.

Vous trouverez dans ce chapitre des explications sur la façon de construire chacun de ces instruments et des moyens de vous assurer de leur fidélité et de leur précision. De façon générale toutefois, la mise en oeuvre de la construction de ces instruments de collecte se fait essentiellement à la lumière de la définition de votre problème de recherche, en vous pénétrant de l'analyse conceptuelle que vous avez faite de votre hypothèse ou de votre objectif de recherche. Plus l'opérationnalisation de votre problème aura été élaborée avec clarté et précision, plus la construction de l'instrument de collecte sera facile.

CONSTRUIRE UN CADRE D'OBSERVATION

CADRE D'OBSERVATION Instrument de collecte de données construit en vue d'observer un groupe dans son milieu.

Le **cadre d'observation** est l'instrument de collecte de données à construire pour faire une observation en situation. Il s'agit d'établir ce sur quoi va porter l'observation avant d'aller sur le terrain, expression consacrée par les anthropologues pour désigner le milieu observé. Sur le terrain, l'observateur est assailli de perceptions de toutes sortes, et le cadre d'observation permet de trier, à travers ce flot d'impressions, celles qu'il faut noter en priorité. Ce cadre d'observation doit contenir les concepts, dimensions et indicateurs dégagés lors de l'analyse conceptuelle. Pour le construire, il faut également prendre en considération les éléments suivants : les informations sur le terrain à réunir, la situation à circonscrire, l'établissement d'un système de prise de notes.

Réunir les informations sur le terrain

Les informations sur le terrain à observer servent, avec l'analyse conceptuelle, de fondement à la construction de l'instrument. Ce travail de construction sera facilité en dressant un portrait du site à étudier à l'aide des questions suivantes.

- **Quelles sont les caractéristiques du site ?**
  Les caractéristiques du site comprennent la description du lieu, la disposition des objets qui s'y trouvent, le décor et l'ambiance perçue. Ce dernier élément peut inclure les règlements officialisés ou non quant aux comportements permis et interdits, encouragés et découragés. Il s'agit de prendre le pouls du lieu.

- **Quel genre de personnes s'y trouve-t-il ?**

  Cet élément d'information comprend les caractéristiques des personnes, à savoir leur âge, leur sexe, leur origine ethnique, etc., leur fonction, c'est-à-dire leurs activités, et leur nombre, pour se faire une idée de l'ampleur des interactions entre ces personnes.

- **Pourquoi ces personnes se trouvent-elles là ?**

  Il faut connaître les raisons officielles qui expliquent la présence des personnes dans le lieu observé de même que toute autre raison qui pourrait justifier en partie ou même principalement leur présence. Il faut également tenir compte de l'accord des personnes entre elles, ou de leurs divergences d'opinion, quant aux raisons de leur présence.

- **Que sera-t-il possible d'observer ?**

  Il sera possible d'observer le type de relations prévisibles des personnes entre elles, ce qu'elles font et disent, les manières de faire ces actions, avec qui chacune interagit.

- **Qu'est-ce qui se répète et depuis quand ?**

  Les répétitions concernent l'histoire du groupe, la fréquence de ce qui s'y déroule, le caractère plus ou moins exemplaire ou original de la situation.

- **Quels sont les autres éléments à prendre en considération étant donné la définition du problème ?**

  Cette question renvoie à toutes les facettes de la définition du problème qui ne sont pas couvertes par les questions précédentes, mais qu'il faut absolument inclure dans l'observation du milieu pour évaluer l'objectif ou l'hypothèse de recherche. Par exemple, un des indicateurs peut être la tenue vestimentaire des informateurs ou leur condition pour être admis sur le site, éléments qui auraient pu être oubliés en s'en tenant aux questions précédentes.

Il est plus facile de répondre à ces six questions s'il est possible de faire une visite préalable du terrain à observer, ce qui permet de connaître les conditions dans lesquelles l'instrument sera utilisé. Cependant, visite ou pas, il faut rassembler le plus d'informations possibles sur le site.

Circonscrire une situation à observer

À moins d'aller dans des sociétés restreintes, dans une commune amish, par exemple, où presque tout se déroule dans un même environnement, il est à peu près impossible de suivre toutes les activités d'un groupe de personnes dans les sociétés industrialisées, ne serait-ce que durant une seule journée, puisque chaque personne se déplace selon le moment du jour : les gens sont tantôt au travail, tantôt à la maison, tantôt dans un lieu de loisirs ou d'activités diverses. C'est pourquoi la situation d'observation doit être circonscrite à une activité continue avec le groupe, par exemple un service dans une entreprise ou les périodes d'entraînement et de compétition d'une équipe sportive. D'ailleurs, c'est en se centrant sur une situation qu'un cadre cohérent pourra être construit, et la prise de notes se fera en fonction de ce qui sera observé dans cette situation.

La conduite éthique

L'utilisation d'un outil déjà construit

Si vous optez pour un outil qui a déjà fait ses preuves, vous devez en nommer les créateurs et justifier votre choix. Si vous apportez certaines modifications à un outil, vous devez le présenter et préciser la nature des changements, puis la pertinence de ceux-ci. Si vous désirez adapter l'outil en fonction d'une clientèle particulière ou d'un contexte précis, vous devez là aussi justifier la nouvelle version et fournir l'originale. Il s'agit dans tous les cas de respecter la propriété intellectuelle d'autrui et de faire preuve de reconnaissance à l'endroit des personnes qui nous font bénéficier des fruits de leur travail.

◀◀◀◀◀◀◀◀◀◀◀

Figure 4.1 Un extrait d'une grille d'observation

ORGANISATION DU TRAVAIL DANS UNE CAFÉTÉRIA

1 Place dans l'organisation du travail (description de tâche)

Tâche au poste précédent	Poste de travail étudié : **tâche**	Tâche au poste suivant

2 Travaille sous pression.   **Travaille à son rythme.**

                     1   2   3   4   5   6   7   8   9   10

3 Il y a des gestes inutiles.   **Il n'y a aucun geste inutile.**

                     1   2   3   4   5   6   7   8   9   10

4 Il n'y a aucun temps mort.   **Il y a des temps morts.**

                     1   2   3   4   5   6   7   8   9   10

5 Une machine impose la cadence.   **Pas de cadence imposée.**

                     1   2   3   4   5   6   7   8   9   10

ATTITUDES AU TRAVAIL

6 Stress   **Détente**

                     1   2   3   4   5   6   7   8   9   10

Remarques :

7 Attitude blasée   **Attitude enjouée**

                     1   2   3   4   5   6   7   8   9   10

Remarques :

8 Ennui au travail   **Intérêt au travail**

                     1   2   3   4   5   6   7   8   9   10

Remarques :

9 Aucune satisfaction au travail   **Grande satisfaction au travail**

                     1   2   3   4   5   6   7   8   9   10

Remarques :

10 Aucune motivation   **Grande motivation**

                     1   2   3   4   5   6   7   8   9   10

Remarques :

Établir un système de prise de notes

Essentiellement, le cadre d'observation est un instrument de prise de notes à utiliser pendant l'observation. Il s'agit d'abord de déterminer des **rubriques** sous lesquelles noter les phénomènes qui paraîtront pertinents au regard du problème de recherche. Ces rubriques correspondent aux dimensions ou aux indicateurs de l'hypothèse ou de l'objectif de recherche établis lors de l'analyse conceptuelle.

Il s'agit ensuite de prévoir s'il faudra prendre des notes factuelles et des notes réflexives. Les **notes factuelles** excluent tout jugement de quelque ordre que ce soit (un tel est entré en rapport avec un tel, il a fait tel geste, etc.); elles peuvent aussi inclure un plan du site ou un portrait des personnes. Les **notes réflexives** constituent des appréciations des observations. Elles sont principalement de deux ordres : analytiques (rapport à l'hypothèse ou à l'objectif de recherche) et personnelles (sentiments éprouvés). En recherche qualitative, quand le site peut être observé plus d'une fois, la prise de notes factuelles est réorientée, s'il y a lieu, à la lumière des notes réflexives. Les notes factuelles et les notes réflexives seront consignées dans une grille d'observation ou dans un cahier de bord selon le degré de flexibilité recherché.

Clics et déclics

Bilan du siècle
Ce site comporte une foule de renseignements sur l'**histoire du Québec**. Il est en outre très facile d'y trouver les informations recherchées par mots clés, catégories ou années.

www.bilan.usherbrooke.ca

La grille d'observation

Une grille d'observation constitue un instrument très précis pour mesurer des phénomènes. Par exemple, dans la figure 4.1, les diverses rubriques (1 à 10) correspondent à des indicateurs des dimensions « Organisation du travail » et « Attitudes au travail » que l'hypothèse (*L'organisation du travail influence l'attitude des employés*) relie l'une à l'autre. En général, dans une grille, l'observateur a très peu de notes factuelles à rédiger; il peut lui suffire d'encercler ses observations sur la grille.

Le cahier de bord

Si l'instrument doit être plus flexible parce que la définition du problème amène plutôt à faire une observation qualitative, comme c'est habituellement le cas pour l'observation participante, un cahier de bord est nécessaire pour prendre des notes. Dans un cahier de bord, il s'agit de rédiger des notes factuelles élaborées, et il faut prévoir beaucoup d'espace à cet effet (dans l'exemple de la figure 4.2, l'espace a été réduit pour les besoins de la présentation). Dans l'exemple de la figure 4.2, l'objectif de recherche était d'évaluer les types d'interactions qui se produisent dans une arcade. Des notes réflexives peuvent en outre être insérées au fur et à mesure qu'elles surgissent ou être groupées dans une autre section du cahier. Si elles sont intercalées entre des notes factuelles, il est important de les distinguer, par exemple, en les titrant pour ne pas perdre un temps considérable à les retrouver par la suite.

L'observation en situation nécessite à l'occasion de recourir à d'autres méthodes, techniques ou moyens pour obtenir des informations qui ne peuvent pas être observées. Il est possible d'avoir recours à l'entrevue, au questionnaire, à des conversations informelles ou à la lecture de documents. Les informations ainsi obtenues constitueront des **notes complémentaires** qui seront consignées à la fin du cahier de bord. Cependant, l'observateur doit intervenir le moins possible auprès des informateurs.

Figure 4.2   Un extrait d'un cahier de bord

OBSERVATION D'UNE ARCADE

1 Décor

_____
_____
_____

2 Bruit

_____
_____
_____

3 Environnement (fumée, vapeurs, propreté, ordre, température)

_____
_____
_____

4 Aménagement de l'espace (dessiner un plan en situant les personnes)

INTERACTIONS SOCIALES

5 Caractéristiques des individus

6 Autres faits significatifs

CONSTRUIRE UN FORMULAIRE DE QUESTIONS

FORMULAIRE DE QUESTIONS Instrument de collecte de données construit en vue de soumettre des individus à un ensemble de questions standardisées.

Le **formulaire de questions** est l'instrument de collecte de données du questionnaire et du sondage. Essentiellement, chaque indicateur doit être traduit en une question, ou plus s'il y a lieu. Pour construire le formulaire, il faut prendre en considération les éléments suivants : les modèles de questions, la formulation des questions, la façon d'amener les questions plus personnelles, la formulation des réponses, la mise en forme du formulaire, l'ordre des questions, le texte de présentation et la validation de l'instrument.

Même si le questionnaire comporte par définition un grand nombre de questions, l'ensemble des questions ne doit pas être trop long. Le sondage, qui s'adresse à des milliers de personnes, tend à être le plus bref possible, à plus forte raison s'il est effectué par téléphone, sans quoi il y a risque d'impatienter l'informateur. Dans le cas où il remplit lui-même le formulaire, l'informateur sera d'autant plus coopératif que le formulaire paraîtra court; l'informateur pourra néanmoins accepter un nombre un peu plus grand de questions s'il y répond en même temps que d'autres dans un même lieu. Dans le cas du questionnaire-interview, l'enquêteuse peut se permettre de faire durer l'entretien une heure ou même plus.

Connaître les modèles de questions

Le modèle habituel de questions dans un formulaire est la question fermée, qui peut n'offrir que deux choix de réponses ou un choix plus vaste. Dans ce dernier cas, diverses façons possibles de répondre peuvent être proposées. À l'occasion, le modèle de la question ouverte est utilisé.

La question fermée

Avec la **question fermée**, l'informateur doit choisir une seule réponse précise parmi celles qui lui sont proposées. Cependant il y a deux sortes de questions fermées : la question dichotomique et la question à choix multiple.

La **question fermée dichotomique** oblige l'informateur à choisir entre deux réponses, entre vrai et faux ou entre oui et non. La **question fermée à choix multiple** lui offre un éventail de réponses plausibles. Il en existe quatre variantes principales : à une seule réponse permise, à plusieurs réponses permises, à énumération d'items pour évaluation et à énumération d'items pour classement. Dans la **question à une seule réponse permise**, il faut toujours inclure une rubrique « Autre (préciser) » pour s'assurer que chaque informateur a un choix réel, car il est quasi impossible de tout prévoir. Dans la **question à plusieurs réponses permises**, appelée aussi *question cafétéria*, il faut l'indiquer entre parenthèses, car c'est habituellement une exception dont l'informateur doit être informé. Dans la **question à énumération d'items pour évaluation**, l'informateur doit évaluer chacun des éléments d'une série les uns par rapport aux autres. Dans la **question à énumération d'items pour classement**, il lui est demandé de classer chacun des éléments d'une série. La figure 4.3 comprend des exemples des différentes variantes de questions fermées.

La question ouverte

La **question ouverte** peut être utilisée dans un questionnaire mais il est préférable d'en limiter le nombre de même que la longueur des réponses. Ce modèle de question, qui laisse toute latitude à l'informateur quant à la formulation de sa réponse, rend de ce fait les réponses plus difficilement quantifiables et comparables par la suite. Voilà pourquoi, idéalement, un questionnaire ne devrait en contenir aucune. Cependant certaines informations ne peuvent être obtenues que de cette façon. Il peut donc arriver qu'un questionnaire contienne quelques questions ouvertes. Il faut, en revanche, limiter l'ampleur de la réponse soit par le nombre de lignes fournies pour l'inscrire, soit par certaines bornes fixées par le libellé de la question. Les questions ouvertes peuvent donc être à **réponse élaborée** ou à **réponse courte**. La figure 4.3 comprend des exemples des deux sortes de questions ouvertes.

Figure 4.3 Des exemples de questions possibles dans un questionnaire

QUESTIONS FERMÉES

Question dichotomique
Faites-vous du sport en dehors des cours d'éducation physique obligatoires ?

☐₁ Oui   ☐₂ Non

Question à une seule réponse permise
Quelle est la raison principale qui vous a fait quitter l'armée ?

☐₁ Manque d'intérêt   ☐₄ Changer de genre d'emploi

☐₂ Ne plus vouloir voyager   ☐₅ Vivre en français

☐₃ Être moins encadré(e)   ☐₆ Autre (préciser) : _____

Question à plusieurs réponses permises
Pourquoi fumez-vous ? (Vous pouvez cocher plus d'une réponse.)

☐₁ Par habitude   ☐₄ Par défi

☐₂ Par goût   ☐₅ Par imitation

☐₃ Par besoin   ☐₆ Autre (préciser) : _____

Question à énumération d'items pour évaluation
Parmi les capacités suivantes liées au travail policier, lesquelles vous semblent propres à l'homme, propres à la femme ou propres aux deux ?

	1 À l'homme	2 À la femme	3 Aux deux
1. Capacité de rédiger un rapport	☐₁	☐₂	☐₃
2. Capacité de travailler suivant des horaires variables	☐₁	☐₂	☐₃
3. Capacité d'arrêter un suspect	☐₁	☐₂	☐₃
4. Capacité de maîtriser ses émotions	☐₁	☐₂	☐₃
5. Capacité d'évaluer la gravité d'un acte	☐₁	☐₂	☐₃
6. Capacité de s'adapter à la tension	☐₁	☐₂	☐₃
7. Capacité d'être autonome	☐₁	☐₂	☐₃
8. Capacité de ne pas porter de jugement hâtif	☐₁	☐₂	☐₃

Question à énumération d'items pour classement
Quelle importance accordez-vous aux valeurs suivantes ? Numérotez-les de 1 à 9 dans la case appropriée, 1 étant la valeur la plus importante et 9, la valeur la moins importante.

☐ Famille   ☐ Travail   ☐ Amitié

☐ Religion   ☐ Confort   ☐ Amour

☐ Argent   ☐ Loisir   ☐ Beauté

QUESTIONS OUVERTES

Question à réponse élaborée
Donnez les principales qualités d'un esprit sportif.

Qualités : _____

_____

Question à réponse courte
Dans quel pays êtes-vous né ?

Nom du pays : _____

Formuler les questions

Les questions se construisent à l'aide des **indicateurs** de l'analyse conceptuelle. Plus précisément, chaque indicateur donne lieu à la formulation d'une question ou plus, et chaque partie du formulaire correspond à une dimension, à un concept ou à une variable de l'hypothèse. Globalement, l'**objectif essentiel** demeure de **traduire le plus fidèlement possible chaque indicateur** dans la ou les questions.

Il importe d'abord et avant tout de bien se faire comprendre de tous les informateurs; une compréhension claire est garante de la pertinence des réponses. Pour construire le formulaire, il est bon d'essayer de se mettre à la place de la personne qui répondra aux questions. Pour ce faire, il est conseillé de rédiger plusieurs versions d'une même question et de choisir celle qui, après examen, sera comprise de façon certaine par l'informateur, à laquelle il peut répondre honnêtement et à laquelle il n'a pas de raison de s'abstenir de répondre. Si des questions posées dans d'autres enquêtes sont pertinentes, il y a aussi intérêt à les utiliser et même, éventuellement, à procéder à des comparaisons. Du soin apporté à la formulation de chaque question dépend le sort de l'analyse subséquente. Voici les principales recommandations à cet égard.

Une idée par question

Chaque question ne doit contenir qu'une idée pour éviter les questions ambiguës comme celle-ci : « Achetez-vous des disques de chansons françaises et québécoises ? » Il ne sera pas possible de savoir si la réponse à une telle question se rapporte à la chanson française, à la chanson québécoise ou aux deux. Comme il y a deux idées, il faut construire deux questions. En outre, une question ne devrait pas être trop longue pour éviter les incompréhensions dues à un trop grand nombre d'éléments d'information à saisir.

Des termes neutres

Chaque question doit être rédigée en termes neutres pour ne pas influencer l'informateur. Il peut en effet être influencé par la suggestion, comme dans la question suivante : « Est-il vrai que la paix dans le monde est menacée ? » Le terme *vrai* suggère qu'il y a lieu de répondre oui, ou du moins l'enquêteuse laisse-t-elle entendre qu'elle est plutôt de cet avis. La suggestion peut être plus subtile comme dans la question suivante : « De quelle façon le problème important du chômage vous préoccupe-t-il ? » Il est présupposé ici que le problème du chômage est important pour l'informateur, sans lui avoir demandé son avis dans une question préalable. Une autre façon de l'influencer est de lui poser une question moralisatrice ou culpabilisante du genre : « Allez-vous voter comme tout bon citoyen ? » Il est fort possible qu'un abstentionniste se sente coupable de s'afficher devant une telle question. Dans une situation semblable, il vaut mieux montrer que chaque comportement est acceptable en demandant, par exemple : « Lors d'une élection, on peut soit aller voter, soit ne pas aller voter : qu'allez-vous faire lors de la prochaine élection ? »

Des termes simples

Les termes doivent être simples, ne pas appartenir à un vocabulaire spécialisé et ne pas être trop abstraits. Il faut donc employer des termes faisant partie du vocabulaire de la population visée. Ainsi, le mot *poêle* sera utilisé plutôt que *cuisinière* si c'est le terme connu par la population d'enquête, même si le dernier est plus juste pour désigner un appareil de cuisson. Si le questionnaire s'adresse à différents groupes sociaux, il faut chercher des termes communs à tous et susceptibles d'être compris de la même façon par tous les informateurs. Par ailleurs, une question telle que : « Doit-on augmenter le nombre de CH pour bénéficiaires de soins de longue durée ? » peut être facilement comprise par une personne travaillant dans le domaine de la santé, mais elle est complètement inappropriée pour s'adresser au public en général. D'abord, il ne faut pas utiliser de sigle dans une question, mais nommer l'entité, comme *centre d'hébergement* au lieu de *CH*; en fait, le terme *hôpital* serait sans doute encore plus clair pour l'ensemble de la population. Ensuite, le terme *bénéficiaires* fait lui aussi partie d'un vocabulaire spécialisé propre à la fonction publique ou à la médecine. Il faut épurer à nouveau et parler sans façon de *malades*. La question devient alors : « Doit-on augmenter le nombre d'hôpitaux pour malades ayant besoin de soins pour une longue période ? »

Des termes précis

Une question ne doit pas contenir d'imprécision. Quel sens faut-il donner à la question suivante : « Quelle place le travail occupe-t-il dans votre vie ? » L'informateur ne saura pas par rapport à quoi il doit répondre : au temps qu'il consacre à son travail, à l'intérêt qu'il y porte, aux avantages qu'il lui procure ?

Des questions plausibles

Chaque question doit être plausible, c'est-à-dire qu'il faut éviter les questions d'intention, d'anticipation ou faisant appel à la mémorisation excessive. Une question d'intention ou d'anticipation est rarement éclairante. Il ne sera pas vraiment possible d'obtenir des réponses prédictives en demandant : « Qu'avez-vous prévu faire à votre retraite ? » ou « Que feriez-vous sur le lieu d'un accident ? » Les réponses risquent plutôt d'embrouiller la connaissance recherchée sur les informateurs parce qu'elles les mettent dans des situations hypothétiques. En effet, il y a une différence entre ce qu'une personne pense qu'elle ferait dans telles ou telles circonstances et ce qu'elle ferait réellement. De même, pour qu'une question soit plausible, il ne faut pas demander aux informateurs des informations précises sur des situations ou des opinions trop éloignées du présent. Si des questions portent sur les dépenses de consommation, par exemple, il vaut mieux se limiter à celles de la veille. Quant aux revenus antérieurs, il semble que les gens les surestiment. Il est donc préférable de remonter le moins loin possible dans le passé, à moins d'avoir recours à des techniques particulières de remémorisation en entrevue, bien utiles pour établir une **histoire de vie**.

Les précautions à prendre dans la formulation d'une question sont résumées dans la figure 4.4. En outre, le vouvoiement est habituellement préférable, à moins que cela n'indispose l'informateur. Ce pourrait être le cas si l'enquêteuse appartient au même groupe d'âge que l'informateur, ou si le vouvoiement crée une distance susceptible d'entraver l'expression spontanée de l'autre dans un questionnaire-interview.

Amener avec prudence les questions plus personnelles

Il peut arriver que l'informateur refuse de répondre à certaines questions. Il s'agit habituellement de questions plus personnelles ou considérées comme telles par certains groupes de citoyens. Par exemple, des questions portant sur le revenu, sur l'âge, sur certaines déviances ou marginalités peuvent

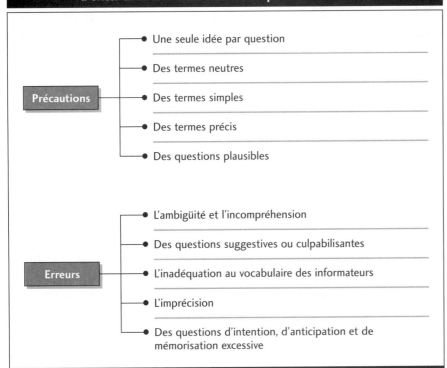

Figure 4.4 Les précautions à prendre et les erreurs à éviter dans la formulation d'une question

Précautions
- Une seule idée par question
- Des termes neutres
- Des termes simples
- Des termes précis
- Des questions plausibles

Erreurs
- L'ambigüité et l'incompréhension
- Des questions suggestives ou culpabilisantes
- L'inadéquation au vocabulaire des informateurs
- L'imprécision
- Des questions d'intention, d'anticipation et de mémorisation excessive

susciter des réticences. Pour éviter le refus de répondre à ce genre de questions délicates, il faut les placer plutôt vers la fin du formulaire, en espérant avoir gagné entre-temps la confiance de l'informateur.

Pour ce qui est de la formulation de ces questions et des choix de réponses à proposer, il existe différentes manières de procéder. Dans le cas de nombres, il vaut mieux ne pas demander un nombre exact à l'informateur ; il est préférable de créer des classes dans lesquelles les valeurs limites sont assez rapprochées pour rester significatives, mais pas trop afin que l'informateur ne croie pas qu'il doit donner un nombre précis. Pour connaître son revenu annuel, la question pourrait être, par exemple : « Parmi les tranches de revenu annuel suivantes, dans laquelle vous situez-vous ? » Les classes de revenu proposées pourraient être : moins de 10 000 $, de 10 000 $ à 19 999 $, de 20 000 $ à 29 999 $, et ainsi de suite jusqu'à 60 000 $ et plus.

Dans le cas de questions portant sur des comportements socialement perçus comme déviants ou marginaux, il faut faire comprendre à l'informateur, soit par des questions posées antérieurement, soit par la formulation même de la question qu'il n'est pas porté de jugement sur ses comportements et que ceux-ci sont avouables. Par exemple, une question peut être précédée d'une entrée en matière qui présente différentes situations de façon tout à fait neutre : « Certaines personnes ne voient plus leurs parents, d'autres les voient lors d'occasions spéciales seulement, d'autres les rencontrent régulièrement et d'autres encore les voient chaque semaine. » Cette entrée en matière est suivie de la question portant sur la situation personnelle de l'individu : « De quelle situation vous rapprochez-vous le plus ? » Encore plus que les autres, de telles questions doivent être testées avant d'être incluses dans le formulaire définitif afin d'éviter le plus possible les refus de répondre.

Formuler les choix de réponses proposées

Le formulaire de questions se compose principalement de questions fermées. Celles-ci comprennent des catégories de réponses parmi lesquelles l'informateur effectue son choix. La formulation de ces propositions de réponses doit aussi être faite en prenant certaines précautions pour éviter des erreurs qui discréditeraient l'analyse subséquente.

Des réponses vraisemblables

Toutes les réponses proposées doivent être vraisemblables, c'est-à-dire qu'elles doivent correspondre à un aspect de la réalité qui pourrait être vrai. Des choix de réponses farfelues feraient mettre en doute le sérieux de l'enquête. En outre, présenter une ou des réponses invraisemblables a pour conséquence d'orienter l'informateur vers une autre réponse.

Des réponses explicites

Les réponses doivent être explicites. La personne interrogée doit être face à un éventail de réponses claires et précises. Par exemple, si la question a pour but de fournir l'information sur le type de maison dans lequel l'informateur habite, il vaut mieux proposer des réponses comme : « Bungalow », « Duplex », « Triplex », « Immeuble d'habitation », « Autre (préciser) », de façon à obtenir des réponses qu'il sera possible de classer ou de comparer. Il ne faut donc pas laisser l'informateur formuler à sa manière sa réponse sur son type d'habitation.

Des choix exhaustifs

Les choix de réponses doivent être exhaustifs. Personne ne doit se retrouver sans catégorie. S'il manque des choix de réponses, c'est toute la question qui est invalidée. Il faut prendre le temps de réfléchir à toutes les possibilités et inclure dans chaque liste de réponses la catégorie « Autre (préciser) » pour plus de sûreté. Dans d'autres circonstances, s'il y a le moindre doute quant à la possibilité ou à la volonté de répondre de certains informateurs, ce sont les catégories « Ne sais pas » et « Ne réponds pas », ou l'équivalent, qui doivent être incluses.

Des réponses mutuellement exclusives

Les réponses doivent être mutuellement exclusives, c'est-à-dire que chacune doit être bien délimitée pour ne pas empiéter sur une autre. Par exemple, si les réponses « Triplex » et « Immeuble d'habitation » risquent de se chevaucher en ce sens qu'il est possible d'habiter un immeuble d'habitation de trois étages, il vaut mieux remplacer *immeuble d'habitation* par *immeuble de plus de trois étages*; ainsi, les différents choix s'excluront plus nettement. Il en est de même pour établir des classes d'âge ou de revenu : la classe précédente doit se terminer par un chiffre différent de celui du début de la classe suivante, sinon certains informateurs pourraient se trouver dans deux catégories. Par exemple, le groupe des 25-29 ans devrait être suivi de celui des 30-34 ans. De plus, un même intervalle doit être établi entre chaque classe.

Des réponses en nombre restreint

Les choix de réponses doivent être restreints. Une longue liste de réponses risque d'embrouiller l'informateur, surtout s'il répond au téléphone. Pour éviter des risques de confusion, il faut se limiter à un éventail de trois, quatre ou cinq choix tout au plus, auquel s'ajoute la catégorie « Ne sais pas » ou « Refus », s'il y a lieu (Blais 1987). Si l'informateur n'est pas inondé de trop de possibilités, il y a moins de risque qu'il comprenne mal ou oublie des choix.

Des choix équilibrés

Les choix de réponses doivent être équilibrés, c'est-à-dire qu'ils doivent offrir autant de possibilités de répondre dans un sens que dans un autre de façon à ne pas privilégier une orientation plutôt qu'une autre. Il faut aussi éviter une catégorie centrale ou moyenne qui ne serait qu'un refuge pour l'informateur refusant de prendre position. Par exemple, la question suivante évite la prépondérance dans un sens par rapport à un autre, de même qu'elle n'offre pas de catégorie refuge : « Que pensez-vous du gouvernement actuel au Québec : diriez-vous que vous en êtes très satisfait, assez satisfait, peu satisfait ou pas du tout satisfait ? » (Blais 1987).

De même, il peut être souhaitable d'**alterner les énoncés** exprimant un jugement pour atténuer la tendance des gens à être, de façon générale, plutôt positifs, quelle que soit la question. Cette alternance permet de plus d'éviter un effet d'entraînement qui conduit l'informateur à ne plus examiner la question parce que les propositions de réponses traitent d'un même sujet et toujours dans le même sens, certaines étant favorables à une façon de voir, d'autres penchant dans le sens contraire. Ainsi, les choix d'opinions sont alternés dans la question qui apparaît dans la figure 4.5.

Les précautions générales à prendre dans la formulation des choix de réponses sont résumées dans la figure 4.6.

Figure 4.5   Un exemple d'énoncés alternés

Voici des affirmations au sujet du gouvernement québécois.
Indiquez si vous êtes en accord ou en désaccord avec chacune de ces affirmations.

	1 En accord	2 En désaccord
1. C'est un gouvernement malhonnête.	$\Box_1$	$\Box_2$
2. C'est un gouvernement travaillant.	$\Box_1$	$\Box_2$
3. C'est un gouvernement qui dépense sans compter.	$\Box_1$	$\Box_2$
4. C'est un gouvernement qui améliore l'économie.	$\Box_1$	$\Box_2$
5. C'est un gouvernement qui ne prend pas assez de décisions.	$\Box_1$	$\Box_2$
6. C'est un gouvernement qui pense aux citoyens.	$\Box_1$	$\Box_2$

Figure 4.6   Les précautions à prendre et les erreurs à éviter dans la formulation des choix de réponses

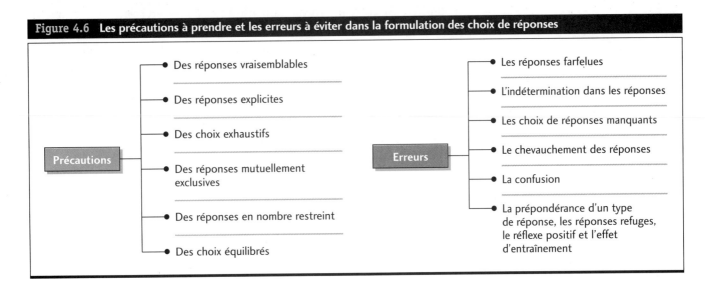

Précautions
- Des réponses vraisemblables
- Des réponses explicites
- Des choix exhaustifs
- Des réponses mutuellement exclusives
- Des réponses en nombre restreint
- Des choix équilibrés

Erreurs
- Les réponses farfelues
- L'indétermination dans les réponses
- Les choix de réponses manquants
- Le chevauchement des réponses
- La confusion
- La prépondérance d'un type de réponse, les réponses refuges, le réflexe positif et l'effet d'entraînement

Mettre en forme le formulaire de questions

Le formulaire de questions est un document qui se trouve soit entre les mains de l'informateur lui-même (forme autoadministrée), soit entre celles de l'enquêteuse (forme interview). Dans un cas comme dans l'autre, ce formulaire gagne à être **attrayant** et **facile à remplir**. Voici quelques conseils à ce propos.

Une présentation soignée

Un questionnaire mal écrit ou malpropre entraîne automatiquement moins de réponses. Si le formulaire n'est pas soigné, se dira l'informateur, pourquoi prendre la peine d'y répondre? La qualité du français constitue une des exigences de base d'un questionnaire bien préparé. Il peut aussi être utile de souligner le passage d'un thème à un autre, en particulier dans un questionnaire-interview, à l'aide de phrases de transition du genre : « Si vous voulez, abordons maintenant... »

Quant à sa forme matérielle, elle n'a pas besoin d'être luxueuse ou recherchée; si c'était le cas, cela pourrait même paraître suspect, surtout s'il ne s'agit pas du travail d'un professionnel. Chaque page doit être aérée pour en faciliter la lecture. Paginez votre formulaire et, s'il y a du texte au verso des pages, précisez-le toujours. Les caractères d'imprimerie doivent être uniformes et connus. Il faut indiquer les codes à côté de chacune des réponses proposées, comme dans les figures 4.3 et 4.7.

Dans le cas d'un questionnaire-interview, la façon d'inscrire les réponses doit être particulièrement claire et simple pour l'intervieweuse, qui doit agir rapidement pour ne pas faire attendre son informateur; les questions seront donc bien dégagées et lisibles. De plus, un espace doit être réservé sur le formulaire pour l'inscription de la date, du jour, de l'heure, de la durée et de l'endroit de la rencontre.

Pour faciliter la lecture enfin, une question doit être complète sur une seule page, c'est-à-dire qu'elle ne peut pas commencer sur une page et se terminer sur une autre. En outre, la liste des réponses associée à une question doit aussi être sur la même page que cette dernière.

Des indications sur la façon de répondre

Avant la première question, il faut indiquer à l'informateur la façon de répondre : en cochant, en mettant un *X* ou en encerclant, par exemple. Il vaut mieux adopter une seule façon d'indiquer le choix de réponse dans tout le formulaire afin de ne pas embrouiller la personne qui le remplit, comme dans l'exemple donné dans la figure 4.7. Si une exception se présente dans la manière de répondre à une question, il faut le préciser. Par exemple, à la fin d'une question, il faut indiquer entre parenthèses s'il y a lieu : « Vous pouvez cocher plus d'une réponse. » L'informateur qui remplit lui-même le formulaire doit avoir des indications suffisamment claires pour savoir, sur le plan graphique, où et comment inscrire chaque réponse.

Des questions-filtres

Il faut aussi éviter à l'informateur la lecture d'une question qui ne le concerne pas, étant donné la réponse qu'il a fournie à une question précédente, en recourant à des **questions-filtres**. Il s'agit de questions comme les autres,

QUESTION-FILTRE Question qui, dans un formulaire, indique à l'informateur de poursuivre différemment selon la réponse donnée.

Figure 4.7 Un extrait de formulaire avec questions-filtres

Pour chaque question, veuillez s'il vous plaît mettre un ✗ dans le carré vis-à-vis de votre réponse. Merci.

1 De quel sexe êtes-vous ?

❏$_1$ Féminin

❏$_2$ Masculin

2 Est-ce que vous travaillez actuellement ?

❏$_1$ Oui ⟶ Passer à la question 4.

❏$_2$ Non

3 Avez-vous travaillé durant la session précédente ?

❏$_1$ Oui

❏$_2$ Non ⟶ Passer à la question 5.

4 Combien d'heures par semaine travaillez-vous ?

_____ heures.

5 Trouvez-vous que bien réussir ses études tout en travaillant est très facile, assez facile, assez difficile ou très difficile ?

❏$_1$ Très facile

❏$_2$ Assez facile

❏$_3$ Assez difficile

❏$_4$ Très difficile

Merci de votre collaboration.

sauf que, selon sa réponse, l'informateur peut être dirigé vers une autre question. Différentes présentations sont possibles pour une question-filtre et il faut choisir celle qui sera la plus facile à comprendre. La figure 4.7 contient une illustration de la façon de faire la plus courante. Les questions de cet exemple s'adressent à des étudiants et les questions-filtres sont aux numéros 2 et 3.

En bref, la personne interrogée doit pouvoir lire avec aisance chaque page du formulaire, n'avoir à aucun moment à revenir en arrière, savoir quelles questions la concernent, où et comment y répondre.

Ordonner les questions

L'ordre des questions doit s'inspirer de diverses considérations quant à **la façon d'engager facilement l'informateur à répondre**. Voici quelques conseils à ce propos.

Du plus facile au plus difficile

Il est préférable de présenter les questions en allant du plus facile au plus difficile de manière à ne pas faire obstacle aux opérations mentales de l'informateur (se souvenir, calculer, etc.) et à lui permettre de « se réchauffer », pour faire une analogie avec le conditionnement physique.

Du général au particulier

Dans chaque partie du questionnaire, les questions devraient aussi aller du général au particulier pour permettre à l'informateur de traiter globalement un sujet et pour lui faciliter par la suite les réponses aux questions plus particulières.

De l'impersonnel au personnel

Il est également souhaitable que les questions portent d'abord sur des sujets impersonnels pour porter ensuite sur des sujets personnels. L'informateur sera ainsi rassuré sur le sérieux de la démarche avant d'aborder des questions qui l'engagent personnellement.

Une question d'information avant une question d'opinion

Il est par ailleurs suggéré (Blais 1987) de faire précéder une question d'opinion d'une question d'information sur le même thème, car les gens ont tendance à répondre n'importe quoi plutôt que d'avouer ne pas avoir d'opinion, sauf s'ils peuvent mentionner leur manque d'information dans une question préalable.

Des sujets bien enchaînés

Dans la mesure du possible, les questions qui sont liées au même sujet devraient se suivre afin de présenter une continuité d'ensemble, à moins qu'il s'agisse de vérifier la cohérence des réponses fournies dans deux parties similaires.

Rédiger le texte de présentation du questionnaire

Un texte de présentation doit obligatoirement accompagner le questionnaire. Cette présentation, qui constitue la page-couverture, se caractérise par sa brièveté et sa netteté. Il s'agit de se présenter personnellement ou au nom de l'organisme chapeautant la recherche, de préciser le sujet ou les buts de la recherche en termes non spécialisés, sans mentionner l'hypothèse comme telle. Il faut également inciter à répondre par divers encouragements et assurer l'anonymat. Dans certains cas, il peut être fait mention du peu de temps requis pour répondre. La figure 4.8 contient un exemple de texte de présentation.

Figure 4.8 Un texte de présentation de questionnaire

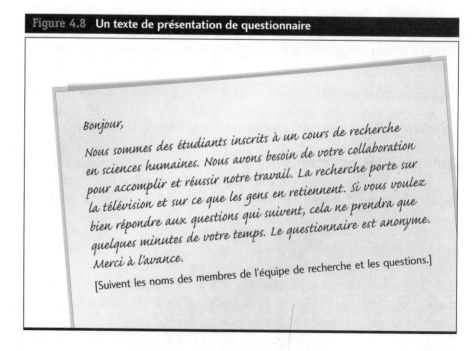

> Bonjour,
>
> Nous sommes des étudiants inscrits à un cours de recherche en sciences humaines. Nous avons besoin de votre collaboration pour accomplir et réussir notre travail. La recherche porte sur la télévision et sur ce que les gens en retiennent. Si vous voulez bien répondre aux questions qui suivent, cela ne prendra que quelques minutes de votre temps. Le questionnaire est anonyme. Merci à l'avance.
>
> [Suivent les noms des membres de l'équipe de recherche et les questions.]

Dans la présentation du questionnaire-interview, il faut insister encore davantage sur l'importance ou l'intérêt de la recherche, c'est-à-dire sur le service que les gens rendront en répondant à l'enquête, surtout si elle se fait par téléphone ; il faut aussi indiquer le temps approximatif nécessaire pour répondre aux questions.

Valider le formulaire de questions

Un formulaire de questions est valide si ces dernières correspondent fidèlement à la définition du problème. Chaque question formulée est en effet censée décrire un comportement observable, un indicateur de l'une ou l'autre dimension de l'hypothèse.

Il est suggéré de présenter la démarche entreprise à des pairs d'abord pour qu'ils évaluent l'adéquation entre la formulation du problème et la formulation des questions. Une telle évaluation apporte plus de crédibilité au travail.

Les pairs sont une aide précieuse dans l'évaluation de l'instrument de collecte de données.

Il peut aussi être utile de faire lire le formulaire à des connaissances qui semblent de bons juges dans le domaine étudié en leur disant de faire tous les commentaires qui leur viennent à l'esprit. Par exemple, si elles ne comprennent pas une question ou un terme en particulier, si elles se sentent gênées ou ne savent quoi répondre, ni où ni comment répondre, elles doivent le dire.

Il y a également intérêt à procéder à une préenquête. Il s'agit de soumettre le formulaire à un groupe de personnes ayant autant que possible les mêmes caractéristiques que la population à l'étude et à qui il n'est pas précisé qu'il s'agit d'un essai avant la fin. Ce genre de test permet de déceler les questions qui sont esquivées ou celles qui ne distinguent pas les informateurs parce que à peu près tout le monde donne la même réponse. Après la préenquête, il peut être utile de demander aux personnes qui ont répondu aux questions comment, globalement, elles ont vécu l'expérience. Cela permet de savoir ce qu'il y aurait lieu de corriger, soit dans la présentation, soit dans le ton, soit dans d'autres aspects de la forme ou du contenu. C'est une autre façon de s'assurer de la solidité de l'instrument.

Pour revoir et valider votre formulaire une dernière fois avant de le faire imprimer, utilisez la grille de correction de la figure 4.9 afin de vérifier si vous avez évité les trente erreurs qui y sont présentées.

CONSTRUIRE UN SCHÉMA D'ENTREVUE

Le schéma d'entrevue est l'instrument de collecte de données de l'entrevue de recherche. Il contient les questions et les sous-questions susceptibles d'être posées au cours de la rencontre avec une personne interviewée. Il s'agit essentiellement, à l'aide de votre schéma conceptuel, de traduire chaque dimension en une question d'ordre général et de traduire les indicateurs en sous-questions, chacune de ces dernières portant sur un aspect plus précis de la question sous laquelle elle s'insère. Pour construire un schéma d'entrevue, il faut prendre en considération les éléments suivants : le modèle de questions, la formulation des questions, l'agencement des questions et des sous-questions, ainsi que le texte de présentation de l'entrevue.

SCHÉMA D'ENTREVUE Instrument de collecte de données construit en vue d'interroger en profondeur une personne ou un petit groupe.

Figure 4.9 Une grille de correction d'un formulaire de questions

TRENTE ERREURS À ÉVITER

Cochez l'erreur dès que vous l'aurez vérifiée.

✓	Texte de présentation
	1. Présentation sans identification
	2. Présentation sans mention du sujet de la recherche
	3. Présentation sans assurance d'anonymat
	Présentation générale des questions
	4. Pas d'indication ou indication inadéquate quant à la façon générale de répondre avant la première question
	5. Pas d'indication à une question exigeant une façon de répondre inhabituelle
	6. Manque d'espace entre les questions
	7. Manque d'espace entre les réponses
	8. Mauvaise disposition des réponses
	9. Pas d'indication quant à l'endroit où répondre
	10. Question-filtre avec renvoi non indiqué ou mal indiqué
	11. Question non numérotée ou mal numérotée
	12. Réponses non codifiées ou mal codifiées
	13. Absence d'une phrase de transition pour passer d'un thème à un autre
	Formulation des questions
	14. Question ambiguë
	15. Question suggestive
	16. Question culpabilisante
	17. Question au vocabulaire inadéquat
	18. Question incompréhensible
	19. Question imprécise
	20. Question d'intention, d'anticipation ou de mémorisation excessive
	21. Question superflue (hors de l'analyse conceptuelle)
	22. Question manquante (par rapport aux indicateurs)
	Formulation des réponses
	23. Réponses non vraisemblables
	24. Réponses indéterminées
	25. Réponses manquantes
	26. Réponses non exclusives
	27. Réponses confuses
	28. Réponses non équilibrées (prépondérance ou refuge)
	29. Réponses dans un seul sens
	30. Manque de nuances dans les réponses

Connaître le modèle de questions

Un schéma d'entrevue se compose principalement de questions et de sous-questions sur le modèle de la **question ouverte**. Elles doivent être formulées de telle manière que la personne se sente libre dans sa façon de répondre, tant pour ce qui est de la durée que pour ce qui est du contenu. Les termes employés ne doivent donc pas donner de précisions sur la façon de répondre, en offrant des choix par exemple. La formulation d'une question ouverte vise surtout à empêcher une réponse stéréotypée et courte, car c'est l'expression du sentiment ou l'évaluation de la personne qui est désirée, et cela ne peut s'exprimer simplement par un mot ou une formule brève. Chaque question doit suggérer à la personne interviewée qu'elle a tout le temps nécessaire pour répondre, et à sa manière. La question ouverte s'inscrit par conséquent dans les outils propres à la recherche qualitative.

Formuler les questions

En formulant les questions, il faut tenir compte des mêmes recommandations que celles qui sont faites dans la section correspondante sur la construction d'un formulaire de questions (pages 67 à 69), en gardant à l'esprit que les questions ouvertes d'une entrevue doivent inviter la personne à élaborer sa réponse et non à la restreindre. De plus, les questions ne doivent pas mettre la personne interviewée mal à l'aise, c'est-à-dire l'offenser d'une quelconque manière ou lui donner le sentiment d'être jugée ou ridiculisée lorsqu'elle y répond. Il peut en être ainsi de questions touchant des sujets intimes formulées sans délicatesse ni respect. La section « Amener avec prudence les questions plus personnelles » (pages 68 et 69) comporte des conseils à ce propos.

Agencer les questions

Il faut également tenir compte des mêmes recommandations que celles qui sont faites sur l'ordonnancement des questions dans un formulaire de questions (pages 73 et 74) en ce qui a trait au passage des questions plus faciles aux plus difficiles et au passage des questions impersonnelles aux questions personnelles. Les recommandations spécifiques de l'agencement général des questions d'un schéma d'entrevue concernent le regroupement des questions et sous-questions par thème, la transition d'un thème à un autre et la place des questions factuelles.

Un regroupement des questions et sous-questions par thème

Chaque question correspond habituellement à une dimension de l'analyse conceptuelle. Les sous-questions qui s'y rattachent correspondent aux indicateurs de cette même dimension. C'est pourquoi chaque question et ses sous-questions forment un bloc dans le schéma d'entrevue portant ainsi sur un de ses thèmes. Par exemple, dans la rubrique « Un exemple de schéma d'entrevue », à la page 78, les sous-questions 1.1 à 1.5 s'inscrivent dans le thème de la question 1 et servent à en préciser le propos. La numérotation des sous-questions renvoie toujours à une question plus générale qui les précède. Les questions générales, quant à elles, portent chaque fois sur une dimension nouvelle.

À propos...

du bavardage en ligne

Il est maintenant possible de faire des entrevues individuelles ou de groupe dans Internet. Certaines entreprises de recherche (CROP et Ad hoc Recherche, notamment) en réalisent déjà par le biais du bavardage en ligne. La prudence est toutefois de mise, certains problèmes pouvant surgir quant à la représentativité des personnes interrogées et leur identité réelle. De plus, il est à peu près impossible d'étudier le langage corporel et les émotions des personnes interrogées.

Un exemple de schéma d'entrevue

Le schéma d'entrevue ci-dessous a été préparé pour une recherche menée auprès de personnes inscrites à un centre d'alphabétisation populaire réalisée par les animatrices du centre (Ghislaine Ratthé, Manon Ferland, Nicole Leblanc, Monique Bournival) et Ghislaine Guérard, professeure agrégée de l'Université Concordia.

Schéma d'entrevue
Intégration sociale de personnes analphabètes vivant dans un milieu de travailleurs.

1. Comment se fait-il que vous n'ayez pas appris à lire, à écrire et à compter pendant votre enfance ?
   1.1 Est-ce que cela vous a posé problème quand vous étiez petit ?
   1.2 Comment composiez-vous avec cette situation ?
   1.3 En gardez-vous des séquelles encore aujourd'hui ?
   1.4 Qu'est-ce qui est arrivé pour redresser la situation ?
   1.5 Racontez-moi une anecdote ou une histoire de votre enfance liée à vos difficultés d'écriture, de lecture ou de mathématiques.

2. Vous semblez bien vous débrouiller dans la vie, malgré vos difficultés à lire, écrire ou compter. Pourquoi, croyez-vous ?
   2.1 Racontez-moi une anecdote ou une histoire qui montre les moyens que vous utilisez pour vous débrouiller.

3. Y a-t-il des étapes de votre vie pendant lesquelles vous avez particulièrement souffert de ne pas savoir lire… écrire… compter… ?
   3.1 Comment composiez-vous avec cette situation ?
   3.2 Quels étaient vos trucs pour vous débrouiller sans avoir à lire ou à écrire ?
   3.3 Racontez-moi des anecdotes ou des histoires qui reflètent votre manière de composer avec cette situation.

4. Qu'est-ce qui vous a décidé à apprendre à lire et à écrire ?
   4.1 Pouvez-vous me raconter une anecdote ou une histoire qui montre quand et comment c'est arrivé ?

5. Qu'est-ce que ça change dans votre vie d'apprendre à lire et à écrire (ou de savoir lire et écrire) ?
   5.1 Racontez-moi des anecdotes ou des histoires qui montrent ce que ça change dans votre vie.

6. Est-ce qu'il y a des choses que vous aimeriez raconter ou dire qui n'ont pas été couvertes par les questions posées ?

Adapté de GHISLAINE GUÉRARD, NICOLE LEBLANC, GHISLAINE RATTHÉ et coll. (1999). *Apprendre à lire… apprendre à s'aimer…* (p. 57). Montréal, Production Un Mondalire.

Des transitions entre les questions

Il importe de prévoir des phrases de transition entre les questions, d'une part, pour faciliter le passage d'un thème à un autre, d'autre part, pour permettre à la personne de faire une pause et de se concentrer sur un autre sujet sans précipitation.

Les questions factuelles en fin de schéma

N'oubliez pas que l'entrevue exige des questions ouvertes. Exceptionnellement, s'il vous faut poser quelques questions factuelles concernant l'âge, l'état civil ou l'occupation, par exemple, il est préférable de les placer à la fin du schéma. Ceci permet d'éviter, puisqu'il ne s'agit pas de questions ouvertes, que la personne ne se méprenne sur le genre de réponses attendues d'elle dans l'ensemble de l'entrevue.

Rédiger le texte de présentation de l'entrevue

Pour s'assurer que la présentation de l'entrevue, qui sera faite oralement au moment de la rencontre avec les personnes interviewées, soit uniforme et complète, il faut la préparer et la rédiger dès maintenant. Cette présentation, jointe au schéma d'entrevue, se décompose en quatre points. D'abord, l'intervieweur se nomme, en spécifiant sa fonction (intervieweur pour telle entreprise, assistante de recherche, étudiant ou autre). Puis, il faut rappeler la raison de la rencontre en précisant clairement mais brièvement le sujet de la recherche. Ensuite, comme l'enregistrement de l'entretien est nécessaire pour l'analyse subséquente, la personne interviewée doit en être prévenue et elle doit être informée de toutes les précautions qui seront prises lors de son utilisation. Finalement, elle doit être assurée de la confidentialité de ses propos

pour qu'elle puisse tout dire sans craindre pour sa réputation. De plus, pour dissiper toute ambiguïté, il peut se révéler indispensable de mentionner quelles autres personnes auront accès à l'entrevue et dans quelles conditions. En présentant l'entrevue, il peut aussi être souhaitable de faire une énumération succincte des principaux thèmes sur lesquels elle portera. La personne interviewée sera ainsi rassurée sur ce qui lui sera demandé. Toutefois, cette énumération doit être brève.

Figure 4.10 Une présentation incluse dans le schéma d'entrevue

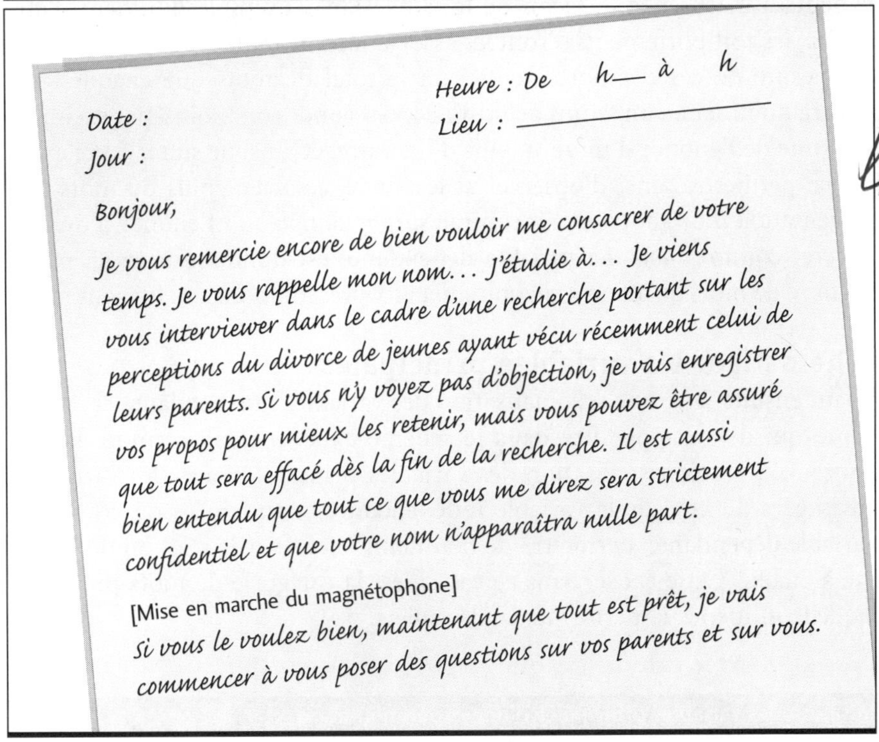

Date :   Heure : De ___ h___ à ___ h
Jour :   Lieu : _____

Bonjour,

Je vous remercie encore de bien vouloir me consacrer de votre temps. Je vous rappelle mon nom... J'étudie à... Je viens vous interviewer dans le cadre d'une recherche portant sur les perceptions du divorce de jeunes ayant vécu récemment celui de leurs parents. Si vous n'y voyez pas d'objection, je vais enregistrer vos propos pour mieux les retenir, mais vous pouvez être assuré que tout sera effacé dès la fin de la recherche. Il est aussi bien entendu que tout ce que vous me direz sera strictement confidentiel et que votre nom n'apparaîtra nulle part.

[Mise en marche du magnétophone]
Si vous le voulez bien, maintenant que tout est prêt, je vais commencer à vous poser des questions sur vos parents et sur vous.

Ce texte de présentation se place au début du schéma d'entrevue, sous l'**entête** qui doit comprendre des espaces réservés pour inscrire les coordonnées de l'entrevue : date, durée, jour et lieu de la rencontre, comme dans la figure 4.10. D'autres rubriques peuvent y être ajoutées, pour noter, par exemple, le nombre de personnes dans une entrevue de groupe ou l'organisme auquel elles appartiennent si l'entrevue repose sur l'appartenance à un groupe particulier, ou encore pour noter la façon de remercier les informateurs (par écrit ou par téléphone lors du premier contact en prévision de l'entrevue).

CONSTRUIRE UN SCHÈME EXPÉRIMENTAL

Le **schème expérimental**, ou plan d'expérience, est l'instrument de collecte de données à construire pour réaliser une expérimentation. Essentiellement, il va comprendre ce qui va rendre possible la vérification de l'hypothèse formulée lors de l'opérationnalisation. Pour le construire, il faut prendre en considération les éléments suivants : la précision des variables principales, leur schématisation, la neutralisation des variables intermédiaires, la détermination des moyens de réalisation, la répartition de sujets de l'expérience et la rédaction de la consigne à leur donner.

SCHÈME EXPÉRIMENTAL Instrument de collecte de données construit en vue de soumettre des sujets à une expérience.

Préciser les caractéristiques des variables principales

La **variable indépendante**, selon l'hypothèse, va modifier la **variable dépendante**. Il faut d'abord préciser dans le schème expérimental la façon dont cette variable indépendante sera manipulée. Par exemple, si l'expérience consiste à étudier les effets de la présentation de certains mots sur le nombre d'associations avec d'autres mots que peuvent faire les sujets, il faut indiquer dans le schème les catégories de ces mots (mots abstraits, mots concrets, par exemple) selon le type de réactions à observer.

Il faut aussi préciser dans le schème expérimental la nature des comportements à mesurer et la façon de le faire. Dans l'exemple qui vient d'être donné, les comportements seront les associations de mots faites par les sujets. La mesure de ces comportements sera le total de mots que chaque sujet pourra nommer en un temps déterminé (30 secondes ou moins, par exemple) à la suite de l'énoncé d'un mot, puis d'un autre, et ainsi de suite. Cette expérience permettra ainsi d'observer si les sujets associent plus de mots à la présentation d'un mot abstrait comme *surpopulation* qu'à l'énoncé d'un mot concret comme *table*. La variable dépendante est donc mesurée ici par le nombre de mots qu'associe chaque sujet aux présentations qui lui sont faites.

Schématiser les variables principales

Il faut ensuite faire une schématisation des variables indépendante et dépendante qui devra apparaître dans le schème expérimental, comme dans la figure 4.11. Cette visualisation des variables principales, avec les variations envisagées du côté de la variable indépendante et anticipées du côté de la variable dépendante, permettra de maintenir le cap sur le relation de causalité à établir. Cette cause, dans ce cas-ci, est la catégorie de mots présentés, laquelle influence la performance des sujets.

Figure 4.11   La schématisation des variables principales d'une expérimentation

Hypothèse : *La présentation de mots concrets à des sujets entraîne plus d'associations de mots que la présentation de mots abstraits.*

MANIPULATION		SENS DE L'HYPOTHÈSE	EFFETS OU RÉPONSES	
Variable indépendante (VI)	Variation (qualitative)	Effet sur	Variable dépendante (VD)	Variation (quantitative)
Présentation d'une série de mots	De deux catégories : • abstraits • concrets	⟶	Capacité des sujets à faire des associations avec d'autres mots	Nombre de mots associés

Neutraliser les variables intermédiaires

La construction du schème expérimental implique aussi la précision des moyens pris pour contrer les effets indésirables des variables intermédiaires qui peuvent intervenir entre les variables principales. Cette précaution méthodologique est indispensable car, sans elle, toute l'expérience peut être remise en question. Dans une expérience sur les colas (Thumin 1984), il a fallu prévoir que le laboratoire serait faiblement éclairé pour éliminer tout signe visuel, comme les nuances de couleur entre les boissons qui auraient pu faire dévier la reconnaissance des marques vers une autre variable explicative que celle qui était à mesurer, soit le goût.

Déterminer le matériel nécessaire à l'expérience

La construction du schème expérimental inclut la détermination du matériel nécessaire à l'expérience et des outils utilisés pour mesurer les effets de la variable indépendante sur la variable dépendante. Une fois déterminées les variables et leurs variations, il faut en effet concevoir le matériel nécessaire à l'expérience, qui peut se limiter à quelques outils. Ainsi, pour l'étude des associations de mots, il suffit d'avoir des cartons sur chacun desquels un mot est écrit, un chronomètre en vue de s'assurer que le même temps de réaction est accordé à chaque sujet et un magnétophone pour enregistrer les réponses. Le recours à des outils plus sophistiqués, tels test, questionnaire, grille d'observation, appareils de mesure spécifiques, dépendra de leur accessibilité et de leur pertinence quant aux effets à étudier.

Des tests

Les tests sont des instruments de mesure fréquemment utilisés en expérimentation. Ils permettent de se renseigner sur certaines caractéristiques des sujets de l'expérience. Il est fait usage, entre autres, des tests d'habileté, qui permettent d'évaluer l'intelligence ou les aptitudes des individus, et des tests de personnalité, qui permettent d'identifier ce qui caractérise chacun. Les tests peuvent prendre différentes formes. Ainsi, certains tests se composent de questions, à l'instar du questionnaire. Cependant, ils sont aussi constitués d'autres sortes de questions que celles du questionnaire, tel que l'illustre la figure 4.12.

Figure 4.12   Quelques sortes de questions possibles pour la construction d'un test

Question	Exemple
Sous forme d'une phrase à compléter	Je préfère les personnes qui…
À réponses multiples spontanées	Énumérez cinq caractéristiques de votre travail.
Sous forme de lacunes à remplir dans un texte	Je suis parce que la vie m'apparaît .
À énumération ou *check-list*	Parmi les 20 qualificatifs suivants, cochez ceux qui correspondent à l'ami idéal.
D'acuité	Nommez ce qui différencie les trois dessins suivants.
D'appariement	Associez, par une flèche, chacune des couleurs de la colonne de gauche à un des sentiments énumérés dans la colonne de droite. [Note. Plus de sentiments que de couleurs sont énumérés pour éviter les déductions par élimination.]
À choix forcé	Pour chaque couple d'éléments, précisez, en encerclant, de quelle attitude vous pensez vous rapprocher le plus : conservateur-libéral, positif-négatif, volontaire-fataliste, etc.

Adapté de Jean-Pierre Pourtois et Huguette Desmet (1988). *Épistémologie et instrumentation en sciences humaines* (p. 161-162). Bruxelles, Pierre Mardaga éditeur.

D'autres tests peuvent exiger du sujet qu'il accomplisse certaines actions telles que construire, dessiner, agir ou réagir. La construction de tout test comprend la façon dont les sujets doivent s'y soumettre : telle activité à accomplir, tel problème à résoudre ou telle performance attendue.

Un questionnaire

Le questionnaire est aussi utilisé pour connaître certaines caractéristiques des sujets qui seront mises en relation avec leurs résultats à des tests pouvant faire appel à l'odorat ou à un autre sens, par exemple. Ainsi, Thumin (1984) a mené une expérience auprès de collégiens, laquelle consistait à leur faire goûter différents colas pour savoir s'ils parvenaient à distinguer les marques. Il leur avait fait remplir un questionnaire au préalable pour connaître leurs habitudes de consommation et leurs marques préférées en vue de vérifier par la suite si une relation existait entre ces facteurs et leur capacité de reconnaître ce qu'ils buvaient au cours de l'expérience.

Une grille d'observation

Une grille d'observation peut servir à noter certains comportements précis puisque le but est de mesurer des phénomènes. Ainsi, au cours d'une expérimentation sur le terrain sur une base navale étasunienne, Dean, Willis et Hewitt (1984) ont observé la distance qui s'établissait entre 562 militaires, pris deux à deux, quand ils se rencontraient à divers endroits de la base, durant leurs heures de travail, mais en dehors de leur lieu de travail, comme à la cafétéria, au centre récréatif, etc. Lorsqu'un échange de quelques mots avait lieu entre deux militaires debout, les observateurs notaient sur leur grille la distance à laquelle ils se parlaient (par le nombre de carreaux du plancher qui les séparaient) et le grade de chacun (par le ou les galons sur leur uniforme). Cette grille d'observation leur a ainsi permis de vérifier si les distances variaient entre supérieur et inférieur, selon le grade de celui qui établissait le contact (variable indépendante), et de constater l'ordre de grandeur des distances (variable dépendante).

Des appareils de mesure spécifiques

Différents appareils permettent également de mesurer spécifiquement certains comportements des individus, comme le labyrinthe pour l'apprentissage, les chocs électriques pour la motivation, l'électrocardiographe pour l'émotion ou l'illusiomètre pour la perception. Avant d'opter pour un de ces appareils, il faut d'abord vérifier s'il est accessible et s'il correspond bien à ce qu'il s'agit de mesurer eu égard à l'hypothèse. Si l'un d'entre eux est utilisé, il faut préciser alors comment il le sera.

Répartir les sujets de l'expérience

Après avoir isolé les variables indépendante et dépendante, choisi la façon de les mesurer et décidé de la manière de contrer les effets des variables intermédiaires, il reste à déterminer si l'expérience portera sur un seul ensemble de sujets, sur deux ensembles ou plus, ou encore sur un seul cas. Un plan d'expérience avec un seul groupe de sujets peut être envisagé si rien ne laisse présager que ces sujets se distinguent du reste de la population et s'ils peuvent être soumis à différentes variations de la variable indépendante (variations de l'intensité du volume, par exemple). Cependant, s'il y a lieu d'avoir un groupe de contrôle, il faut utiliser un plan d'expérience à plus d'un groupe. Exceptionnellement enfin, l'expérience peut porter sur un seul cas. Il faut

Figure 4.13 Les moments de prises de mesures dans les plans d'expérience à un seul groupe

POSSIBILITÉS	MESURE AVANT	INTRODUCTION DE LA VARIABLE INDÉPENDANTE	MESURES APRÈS
Première	Oui	Oui	Oui
Deuxième	Non	Oui	Oui
Troisième	Non	Oui, à différentes variations	Oui
Quatrième	Non	Deux variables indépendantes	Oui

aussi déterminer le moment de la prise de mesure, qui varie d'ailleurs selon que l'expérience porte sur un groupe ou plus.

Un seul groupe

Si l'expérience ne porte que sur un groupe expérimental, il faut prévoir prendre une mesure avant l'expérimentation, en faisant un prétest. Cette mesure sera comparée avec une même mesure prise à la suite de l'introduction de la variable indépendante, lors d'un post-test. Il est possible, par exemple, de demander aux sujets de remplir un premier questionnaire sur leurs opinions politiques, puis un second du même genre après les avoir exposés à la variable indépendante, qui pourrait être d'avoir suivi un premier cours de science politique. Il peut aussi être décidé de soumettre le groupe à plus d'une variable indépendante, comme la présence d'une personne de sexe féminin dans un groupe masculin, puis la présence d'une autre d'une ethnie différente, et d'en observer les effets sur les croyances des sujets quant aux différences de sexe, d'une part, et d'ethnie, d'autre part. La figure 4.13 illustre ces diverses possibilités. Il est possible également de prendre plusieurs autres mesures à des moments différents, avant et après l'introduction de la variable indépendante.

Deux groupes ou plus

Si l'expérience nécessite un groupe expérimental et un groupe de contrôle, il faut d'abord s'assurer de leur équivalence en leur faisant subir un test ou en les soumettant à un questionnaire pour connaître les caractéristiques des sujets qui doivent être contrôlées. Que les groupes soient équivalents ou non, il est aussi envisageable de se limiter à une mesure seulement, après la manipulation de la variable indépendante. Comme pour toutes les autres possibilités, la décision doit tenir compte de la définition du problème et des contraintes qui ne peuvent pas être contournées.

La figure 4.14 illustre les principales possibilités de prises de mesures dans les plans d'expérience à plus d'un groupe. Plusieurs autres mesures peuvent être prises :

- multiplier les groupes, c'est-à-dire avoir deux groupes de contrôle dont un seul fait l'objet d'une mesure avant l'introduction de la variable indépendante et deux groupes expérimentaux dont un seul est soumis à cette mesure (il s'agit d'un plan d'expérience à quatre groupes dit *de Solomon*) ;

Figure 4.14 Les moments de prises de mesures dans les plans d'expérience à plus d'un groupe

Possibilités	Groupe	Mesure avant	Introduction de la variable indépendante	Mesures après
Première	Équivalents	Oui	Oui	Oui
Deuxième	Équivalents	Non	Oui	Oui
Troisième	Non équivalents	Oui	Oui	Oui

- introduire plus d'une variable indépendante (il s'agit d'un plan d'expérience factoriel);
- prendre plusieurs mesures de la variable indépendante (il s'agit d'un plan d'expérience combiné).

Pour comparer statistiquement des groupes non équivalents, le plan d'expérience de régression-discontinuité (Baker 1988) peut aussi être utilisé s'il est possible de rendre comparables les groupes étudiés.

Le cas unique

Une dernière possibilité consiste à faire subir l'expérience à un seul sujet. Ce plan d'expérience peut être envisagé à condition qu'il soit possible de faire subir plusieurs changements au sujet et de postuler qu'il reviendra ensuite à son état initial.

Rédiger la consigne à donner aux sujets

La construction d'un schème expérimental exige également la rédaction de la consigne à donner aux sujets, car tout ce qu'il est permis de dire au moment de faire l'expérience doit avoir été soigneusement déterminé. La consigne doit être la même pour tous les sujets de l'expérience, qui doivent en effet recevoir la même information et dans les mêmes termes. C'est l'assurance que tous les participants seront soumis à l'expérience de la même façon. Il faut préciser dans la consigne le but de l'expérience, celui qui peut être dévoilé sans fausser les résultats. Sinon, comme c'est habituellement le cas, il s'agit de donner plutôt des indications sur la tâche à accomplir; le but se

Figure 4.15 Un exemple de consigne verbale à donner aux sujets d'une expérience

Je vous remercie d'avoir bien voulu consacrer de votre temps à une étude en venant à ce laboratoire. Vous avez été réunis pour goûter à certains produits comestibles et dire ce que vous en pensez. Dès que je vous en indique un qui est placé sur la table devant vous, vous y goûtez et vous écrivez, sur la feuille qui l'accompagne, à quoi il vous fait penser. Vous cessez d'écrire dès que je dis : « Terminé. » Le crayon est devant vous. Est-ce que tout le monde a compris ? Est-ce que tout le monde est prêt ?

confond alors avec la description de ce qui est demandé ou, du moins, des habiletés à manifester. D'une façon ou d'une autre, la consigne doit comprendre de l'information précise sur ce qu'il est demandé aux sujets de faire, de même que sur le temps accordé et le matériel ou les moyens fournis. Enfin, il faut demander si tous les participants ont compris la consigne. La figure 4.15 contient un exemple de consigne.

CONSTRUIRE DES CATÉGORIES D'ANALYSE DE CONTENU

Pour pouvoir recueillir des informations pertinentes sur votre problème de recherche dans des documents non chiffrés, il faut construire des **catégories d'analyse de contenu**. Le choix des catégories constitue un moment important avant de procéder à l'étude complète de la documentation. Essentiellement, ce sont les dimensions et les indicateurs de votre schéma conceptuel, établi lors de l'opérationnalisation de votre problème de recherche, qui vont servir à ce choix. Pour construire les catégories, il faut prendre en considération les éléments suivants : les catégories usuelles de l'analyse de contenu, les unités de signification, les qualités d'une bonne catégorisation et la préparation d'un outil de notation des unités prélevées.

CATÉGORIES D'ANALYSE DE CONTENU
Instrument de collecte de données construit en vue de dégager les éléments significatifs d'un document.

Connaître les catégories d'analyse usuelles

Les catégories d'analyse permettent de prélever des éléments de la documentation qui représentent des informations pertinentes au problème de recherche. Avant de les fixer définitivement, il convient d'examiner d'abord les catégories usuelles d'analyse de contenu. Les six catégories suivantes donnent une idée de ce qu'il est possible de retenir d'un document.

- Les **thèmes traités** : le programme d'un parti, les nouvelles technologies, l'environnement, et ainsi de suite.

- L'**orientation de la communication**, à savoir toute attitude de l'auteur ou des auteurs du document par rapport aux thèmes : est-elle favorable, défavorable, nuancée ? Autrement dit, quelles sont les prises de position sur chaque thème ?

- Les **valeurs véhiculées** dans le document de façon soit explicite (l'accent est mis ouvertement sur la compétitivité, le bonheur, la réussite ou la qualité de vie, par exemple), soit implicite (lorsque les valeurs ne sont pas formellement exprimées).

- Les **moyens proposés** par l'auteur ou les auteurs pour atteindre telle ou telle valeur : menace, persuasion, force, dialogue, etc.

- Les **caractéristiques sociales** des acteurs ou des personnages du document : âge, sexe, religion, ethnie, scolarité, groupe d'appartenance, origine sociale, etc.

- Les **références** ou ce qui situe le document, c'est-à-dire sa provenance (époque, auteur, lieu, etc.), son espèce (tract, discours, journal, émissions de radio ou de télévision, etc.) ou son cautionnement (auteurs mentionnés, spécialistes sur lesquels l'auteur s'appuie, affirmation de base, etc.).

Les têtes chercheuses

Le philosophe français Auguste Comte (1798-1857), ancien élève de l'École polytechnique, a élaboré une doctrine, le positivisme, en s'inspirant des sciences de la nature afin d'étudier scientifiquement l'être humain et les sociétés.

Son cours de philosophie positive, qu'il a dispensé à partir de 1830 à Paris, était basé sur les mathématiques, l'astronomie, la physique, la chimie et la physiologie. Influencés par la doctrine du positiviste, les historiens de l'époque ont développé la méthode historique afin de traiter l'histoire de façon rationnelle.

Choisir les unités de signification

Les catégories d'analyse construites, dont chacune correspond, par exemple, à un indicateur, permettent de prélever des unités de signification dans la documentation. Ces unités de signification peuvent être :

- des mots ;
- des thèmes développés sur deux lignes et plus ou couvrant une page et plus ;
- des personnalités, des personnages ou des portraits-types, selon le genre de documentation ;
- d'autres éléments variés comme des façons d'argumenter, des genres littéraires ou tout autre élément qui permet de classer des segments du document.

Les unités de signification pourront être mesurées quantitativement et leur importance plus ou moins grande pourra être évaluée qualitativement grâce aux unités de numération et de qualification.

Les unités de numération

Les unités de signification qui pourront être mesurées de façon quantitative sont celles qui représentent des unités de numération. Elles sont comptées en en considérant la fréquence et l'espace matériel qu'elles occupent. Pour tenir compte de leur **fréquence**, il s'agira de noter le nombre de fois que chaque unité de signification apparaît. Il importe alors de s'assurer que chaque unité pourra être calculée sur une même échelle de mesure par rapport au problème à l'étude, sinon le calcul, qui suppose des unités comparables, ne reflètera pas la réalité. Il s'agira également de noter, pour chaque apparition d'une unité de signification, l'**espace** que cette dernière occupe dans le document analysé. Ce procédé est particulièrement utilisé pour l'étude des médias. Ainsi, l'espace occupé dans un journal par un thème donné peut être calculé en lignes ou en colonnes par exemple, l'espace accordé à ce thème à la radio ou à la télévision pourrait être calculé en temps, en minutes qui lui sont allouées notamment.

Les unités de qualification

En recherche qualitative, c'est le prélèvement des unités de qualification qui permettra de faire ressortir les unités de signification d'un document. Les façons de prélever des unités de qualification sont les suivantes.

- Il faut relever la **présence** d'une catégorie dans le document analysé même si elle n'apparaît qu'exceptionnellement, car elle prendra peut-être une grande importance, par exemple une photo parmi des articles de journaux. Il faut également noter l'**absence** de certaines catégories car cette absence peut servir à découvrir, par exemple, le non-dit ou le sens caché d'un document quand il s'agit d'en étudier le contenu latent.
- Il faut aussi noter l'**importance** donnée à une catégorie dans le document analysé. Il s'agit ici de prendre en considération l'insistance avec laquelle certains éléments sont traités, leur mise en valeur. Ainsi, dans des publicités, ce peut être ce qui est souligné à grands traits ou ce qui est le plus explicite ou le plus clairement montré.
- Enfin, il faut noter les **caractéristiques particulières** des unités de signification telles les types de réactions, les façons de faire, les portraits caractérisés. Dans des annonces télévisées, par exemple, il peut s'agir d'établir les types d'hommes et de femmes qui y sont représentés.

UNITÉS DE SIGNIFICATION Segment d'un document placé dans une catégorie donnée.

UNITÉS DE NUMÉRATION Bases de calcul des unités de signification prélevées.

UNITÉS DE QUALIFICATION Notation appréciative des unités de signification prélevées.

Un exemple d'unités de signification

Le groupe de recherche La maîtresse d'école voulait comparer comment deux quotidiens, *La Presse* et *Le Devoir*, rapportaient l'information concernant deux conflits, l'un en Pologne, l'autre au Salvador. Pour analyser le contenu des articles de ces journaux, douze unités de signification ont été retenues. Dans la liste ci-dessous, les unités de numération sont précédées d'un numéro blanc sur pastille orangée, et les unités de qualification, d'un numéro bleu.

1. La photo
2. Les agences de presse
3. Le choix des mots
4. Les sources des journalistes
5. L'espace
6. L'encadré
7. Les guillemets
8. Les omissions
9. La liberté de presse
10. La fausse nouvelle et le démenti
11. Le titre
12. L'organisation du texte

Adapté de LA MAÎTRESSE D'ÉCOLE (1985). *L'arme de l'information*. Montréal, Éditions CSAN, PNC, FNEEQ, 36 p.

La feuille de codage présentée dans la figure 4.16, page 89, contient des espaces pour prélever les unités de numération et les unités de qualification.

Connaître les qualités d'une bonne catégorisation

Pour que les catégories retenues soient faciles à utiliser et répondent bien aux objectifs de la recherche, leur catégorisation doit présenter certaines qualités essentielles : l'exhaustivité, la clarté, l'exclusivité et l'équilibre.

CATÉGORISATION Rangement des données recueillies selon une logique de classement prédéfinie.

L'exhaustivité

Il y a exhaustivité lorsque tous les indicateurs de la recherche ont bien été traduits dans l'une ou l'autre des catégories d'analyse ; c'est une assurance que le prélèvement couvre tout ce qui peut permettre de répondre à l'objectif de recherche ou d'évaluer l'hypothèse avancée. Ainsi, dans une étude sur le sexisme en publicité télévisée, il ne s'agit pas seulement de relever le temps d'apparition de l'un et l'autre sexe dans les messages publicitaires (unités de numération), mais aussi d'examiner les situations et les rôles dans lesquels les personnages sont placés (unités de qualification).

La clarté

Chaque catégorie doit être clairement définie, et ce, pour que les unités de signification s'y rapportant soient facilement repérables dans le document et pour que, dans une équipe de recherche, toutes les catégories soient comprises de la même manière par des codeurs différents. Ainsi, dans une étude sur le sexisme, pour coder le temps d'apparition des femmes dans une publicité, il faut s'entendre, dans le cas où deux femmes apparaissent en même temps dans une scène, par exemple, s'il faut multiplier par deux le temps d'apparition dans la catégorie «Personnages féminins» ou si c'est simplement le sexe qui doit être pris en considération. De même, il conviendrait de donner des exemples de descriptions dans la catégorie «Rôles joués», pour indiquer quel genre de faits rapporter. Si d'autres catégories sont susceptibles de donner lieu à diverses interprétations, des mises au point s'imposent pour éviter de devoir rejeter le travail par la suite, faute d'homogénéité. En effet, il est difficile de traiter des données disparates provenant de catégories mal définies.

À propos...

des logiciels d'analyse

L'utilisation des fiches ou des feuilles de codage changera probablement avec la possibilité qu'offre l'informatique de travailler d'une autre manière sur des documents écrits. D'une part, il est dès maintenant possible d'enregistrer, par lecture optique, un document sur un cédérom. D'autre part, le développement de logiciels de prélèvement ou d'analyse se poursuit. Conçus pour analyser le contenu d'une documentation rattachée à une recherche particulière, ces logiciels pourront sans doute être adaptés à d'autres recherches portant sur des documents du même type.

L'exclusivité

Les catégories doivent être mutuellement exclusives pour ne pas créer d'ambiguïté lors du prélèvement. Par exemple, dans l'étude sur le sexisme, ce qui se rapporte à la catégorie «Personnages masculins» ne doit pas se rapporter à la catégorie «Personnages féminins». Si, dans ce cas-ci, la distinction semble claire et évidente, il n'en est pas toujours de même pour d'autres catégories. Par exemple, s'il s'agit de dégager de discours politiques ce qui est un encouragement à la course aux armements ou, au contraire, au désarmement, il peut s'y trouver un encouragement tant dans un sens que dans l'autre, selon la partie du texte ou même selon l'ambiguïté voulue par l'auteur. Il faut alors refaire autrement la catégorisation pour la rendre vraiment exclusive ou accepter le principe de la double classification «lorsqu'un même énoncé renferme plus d'un sens clairement exprimé par le sujet lui-même» (L'Écuyer 1987 : 60). Il est sûrement possible de limiter le nombre de tels cas, mais il ne faut pas les ignorer.

L'équilibre

Le nombre de catégories peut être fort variable. De façon générale, en faire trop peu n'amène qu'à saisir des choses simplistes dans le document, tandis qu'en faire beaucoup, sous prétexte de ne rien perdre, peut conduire à reproduire l'ensemble du document et non à en dégager les éléments significatifs. Il n'y a pas de nombre magique sur ce plan. Il s'agit de déterminer un nombre qui tienne compte de l'ampleur des documents à analyser et des divers indicateurs de la définition du problème.

Préparer un outil de notation des unités prélevées

Il reste maintenant à préparer un outil qui servira à noter les unités de signification par catégories d'analyse sur une feuille de codage ou sur des fiches au moment de la collecte des données.

Une feuille de codage

Une feuille de codage doit permettre de relever toutes les unités de signification liées aux différentes catégories d'analyse en vue de leur analyse subséquente. Il faut donc prévoir une section ou un espace pour noter les unités de numération et de qualification, comme dans l'exemple de feuille de codage de la figure 4.16. Une feuille de codage est utile pour prélever des unités de signification dans des documents de même nature tels les épisodes d'une série télévisée, les paroles de chansons d'amour, le contenu d'un magazine populaire ou, comme dans la figure 4.16, les représentations sexuées dans des publicités télévisées. Il faut aussi prévoir un espace pour noter des observations qu'il était impossible de prévoir et qui pourraient se révéler utiles lors de l'analyse. C'est pourquoi il est judicieux d'ajouter, comme dans l'exemple de la figure 4.16, une dernière catégorie «Autres précisions (s'il y a lieu)», qui peut apparaître à plus d'un endroit sur la feuille de codage.

Un système de classement des fiches

Le prélèvement des unités dans les documents sélectionnés pourra aussi être fait à l'aide de fiches, notamment si la recherche fait appel à la méthode historique (Thuillier et Tulard 1986). Pour s'y retrouver, il faut prévoir un système de classement de ces fiches dont la base sera les catégories d'analyse. Les fiches vont servir à consigner des extraits (courts ou longs) des documents analysés touchant ces catégories. La photocopie peut remplacer

Figure 4.16 **Une feuille de codage**

PUBLICITÉS TÉLÉVISÉES ET SEXISME

Identification

Produit : _____ Diffuseur : _____ Codeur : _____

Date : _____ Heure : _____ Durée : _____

Scène(s) présentée(s) : _____

Unités de numération

PERSONNAGES	NOMBRE	TEMPS D'APPARITION (SECONDES)	TEMPS DE DIALOGUE (SECONDES)
1 Féminins			
2 Masculins			

Unités de qualification

3 Rôles joués (description / énumération)
  1) Personnages féminins : _____
  2) Personnages masculins : _____

4 Comportements
  1) Personnages féminins : _____
  2) Personnages masculins : _____

5 Apparence physique (âge)
  1) Personnages féminins : _____
  2) Personnages masculins : _____

6 Contexte de présentation
  1) Personnages féminins : _____
  2) Personnages masculins : _____

7 Relations entre les personnages
  1) Personnages féminins : _____
  2) Personnages masculins : _____

8 Narrateur ou narratrice (s'il y a lieu)
  1) Sexe de la voix : _____
  2) Ton de la voix : _____
  3) Temps accordé (secondes) : _____

9 Autres précisions (s'il y a lieu)
  _____
  _____

Feuille n° : _____

avantageusement la fiche si l'extrait retenu est particulièrement long, d'un apport majeur pour la suite de la recherche et s'il nécessite d'être examiné de nouveau. Les fiches peuvent aussi contenir un fait, un point précis, une référence à consulter, une réflexion théorique ou méthodologique sur une catégorie particulière, bref, tout ce qui concourt à étayer la recherche. Ces fiches se présentent comme celles qui ont été faites lors de la recension de la documentation (voir le chapitre 1). L'uniformité dans la présentation des fiches est importante si la recherche est réalisée en équipe.

CONSTRUIRE DES SÉRIES CHIFFRÉES

Pour faire une analyse de statistiques, il faut construire des séries chiffrées qui permettront de prélever des données quantitatives dans des compilations statistiques existantes. Il s'agit d'établir les coordonnées à obtenir et de prévoir les séries chiffrées qui vont en découler.

Établir les coordonnées à obtenir

Les coordonnées sous lesquelles les informations quantitatives indispensables à la recherche seront prélevées sont analogues aux catégories d'analyse de contenu. Ces coordonnées sont établies à partir des dimensions ou des indicateurs de l'analyse conceptuelle. Il importe de s'assurer que tout ce que la définition du problème exige comme renseignements a bien été déterminé en fait de coordonnées à rechercher. Par exemple, dans une recherche dont l'hypothèse affirmerait que l'aide financière gouvernementale accordée aux étudiants québécois n'a pas suivi le coût de la vie, la façon dont a été concrétisé le concept d'aide financière gouvernementale aux étudiants déterminera les **coordonnées** à tirer des documents à sa disposition, lesquelles pourraient être : les sommes accordées, le nombre de bénéficiaires, les diverses formes d'aide, les ordres d'enseignement inclus, la période de temps à considérer et, si l'évolution de cette aide est une information importante, le pourcentage annuel d'acceptation des demandes. Par ailleurs, l'autre partie de l'hypothèse implique qu'il faut aussi faire le relevé de l'indice du coût de la vie, en fixant une année de référence pour pouvoir constater s'il en coûtait plus cher ou moins cher pour vivre avant ou après cette année charnière.

Prévoir les séries chiffrées à recueillir

Une fois les coordonnées établies, il reste, pour terminer la construction, à préciser les séries chiffrées à recueillir dans le but de ne prélever que ce qui est pertinent au problème de recherche. Dans l'exemple précédent, en tenant compte de la période historique retenue (de 1940 à aujourd'hui), cela amène à l'énumération suivante des chiffres à recueillir dans la documentation :

- la somme d'argent distribuée par les gouvernements chaque année depuis 1940 (date des premiers versements);
- le nombre de bénéficiaires par année;
- les sommes données séparément en bourses et en prêts à partir du début de ce système en 1966-1967;
- les sommes données respectivement à l'ordre collégial et à l'ordre universitaire chaque année;
- le nombre de demandes faites chaque année;
- le nombre de demandes acceptées;
- l'indice du coût de la vie durant la période considérée.

Les données statistiques figurent souvent dans des rapports.

LA QUALITÉ D'UN INSTRUMENT DE COLLECTE

Une recherche scientifique est évaluée principalement sur la qualité de ses instruments avant même l'étude de ses résultats. En effet, ces derniers ne peuvent être valables que dans la mesure où l'instrument construit est adéquat. Pour s'assurer d'avoir un bon instrument, il faut le soumettre à des pairs quand cela est possible et le tester au préalable auprès de spécimens de la population visée. Il s'agit ensuite d'apporter les corrections qui s'imposent afin que l'analyse subséquente de ce qui a été recueilli ne souffre pas de déficiences provenant de l'instrument même, lequel doit être d'une grande fidélité et d'une grande précision.

La fidélité

La **fidélité d'un instrument de collecte** garantit la justesse des résultats. Un instrument est jugé fidèle, ou fiable, lorsque, utilisé auprès de sujets équivalents mais par un chercheur différent, il produit les mêmes résultats. Par exemple, si les catégories d'analyse de contenu définies pour la recherche sur les stéréotypes sexuels dans la publicité télévisée sont ensuite utilisées par un autre chercheur et produisent des résultats semblables, il peut être affirmé que l'instrument est fidèle. C'est donc la répétition de l'expérience ou de l'observation qui constitue la meilleure garantie de la fidélité d'un instrument. Toutefois, en sciences humaines, il n'est pas toujours possible de répéter les expériences dans les mêmes conditions. La fidélité d'un instrument est, pour cette raison, difficile à apprécier. Il faut espérer qu'une autre enquête du même type sera menée un jour avec le même instrument. La vérification se fait donc surtout indirectement, soit par des découvertes ultérieures qui viennent corroborer les résultats précédents, soit par une analyse minutieuse et exhaustive des éléments de l'instrument et des procédés par une équipe de pairs.

Une autre indication indirecte de la fidélité d'un instrument est le succès des applications concrètes auxquelles il peut donner lieu. Ainsi, un formulaire de questions construit pour enquêter sur le racisme d'une population s'est révélé des plus utile dans des applications ultérieures, notamment pour l'embauche d'employés du secteur public ; comme ces questions permettent de détecter des tendances au racisme, il est possible de réduire l'embauche de personnes qui ont de tels penchants. En résumé, un outil est fidèle s'il garde la même pertinence à la suite d'utilisations successives.

La précision

La **précision d'un instrument de collecte** est la qualité d'un instrument qui permet de recueillir correctement toute l'information nécessaire. Si, pour classer par la suite des informateurs dans des catégories selon leur orientation politique ou leur situation sociale, par exemple, l'instrument n'a pas permis de réunir tous les renseignements nécessaires ni l'éventail des possibilités, c'est qu'il manque de précision. La précision est donc liée à la capacité d'un instrument de capter toutes les manifestations d'un phénomène.

FIDÉLITÉ D'UN INSTRUMENT DE COLLECTE Qualité d'un instrument qui permet d'obtenir des résultats semblables lorsqu'il est utilisé dans différentes recherches ou applications.

PRÉCISION D'UN INSTRUMENT DE COLLECTE Qualité d'un instrument qui est sensible aux manifestations diverses de l'objet d'études.

Un instrument de collecte est essentiel à la démarche scientifique. Il ne suffit pas d'émettre des hypothèses sur la nature des choses et des êtres, le but premier de la recherche étant de confronter des idées à la réalité des faits. Voilà pourquoi recueillir ces faits est si important et pourquoi il faut mettre le plus grand soin à construire l'instrument de collecte. L'instrument de collecte contient en condensé tout ce que l'hypothèse ou l'objectif de recherche nécessite d'explorer dans la réalité. De la qualité de cet instrument dépend, pour une bonne part, la pertinence des données qui seront recueillies. Des précisions pour mener à bien cette collecte sont fournies dans les deux chapitres suivants, lesquels portent sur la troisième étape de la recherche, la collecte des données.

Résumé

Les instruments de collecte de données correspondant aux six méthodes et techniques principales de recherche en sciences humaines ont été présentés dans ce chapitre. Pour l'observation en situation, il s'agit de construire un **cadre d'observation**. Pour y arriver, il faut d'abord faire un relevé de toutes les informations disponibles sur le terrain, puis, il est nécessaire de circonscrire une situation d'observation. Enfin, il faut constituer un système de prise de notes factuelles et réflexives à consigner dans une grille d'observation ou un cahier de bord.

Pour le questionnaire ou le sondage, il s'agit de construire un **formulaire de questions**. Le formulaire se présente sous la forme d'une série de questions accompagnées d'un choix de réponses. Ces **questions** sont **fermées** car l'informateur doit choisir ses réponses parmi celles qui lui sont proposées. Il effectuera son choix tantôt entre deux réponses, tantôt entre plusieurs. Exceptionnellement, une **question** pourra être **ouverte** et exiger une réponse courte ou élaborée. Pour bien formuler une question, il faut une seule idée par question, des termes neutres, simples et précis. Les questions doivent également être plausibles. Les questions plus personnelles se placent de préférence à la fin, ce qui permet de gagner la confiance de l'informateur, et toutes les situations sont présentées sur un même pied d'égalité. Des réponses bien formulées seront pour leur part vraisemblables, explicites, exhaustives, mutuellement exclusives, en nombre restreint et équilibrées. La présentation du formulaire doit être soignée, et l'informateur doit pouvoir le remplir facilement grâce à des indications simples et uniformes sur la façon de procéder et à la bonne mise en forme des **questions-filtres**. Les questions doivent être ordonnées du plus facile au plus difficile, du général au particulier et de l'impersonnel au personnel ; les questions d'information précèdent les questions d'opinion et les questions sur les mêmes sujets se suivent. Un texte de présentation doit accompagner le formulaire et contenir l'identification de l'enquêteur, le sujet de la recherche et l'assurance de l'anonymat. La validation de l'instrument dépendra de la traduction réussie des indicateurs en une ou plusieurs questions ; le formulaire gagnera d'ailleurs à être soumis à diverses personnes dont les commentaires en permettront l'amélioration.

Pour l'entrevue de recherche, il s'agit de construire un **schéma d'entrevue**. Celui-ci se compose de questions et de sous-questions ouvertes puisqu'elles sont formulées de telle façon qu'elles laissent à la personne interviewée le soin de répondre dans ses propres mots et dans le temps qu'elle désire. Le schéma regroupe chaque question avec les sous-questions qui s'y rapportent. Leur formulation doit être respectueuse, des phrases de transition doivent être prévues pour annoncer un changement de thème, et les questions factuelles doivent être placées à la fin du schéma. Au début du schéma doivent apparaître les coordonnées de l'entrevue et sa présentation, qui doit nécessairement comprendre le nom et la fonction de l'intervieweuse, le sujet de la recherche, la justification de l'utilisation du magnétophone et l'assurance de la confidentialité.

Pour l'expérimentation, il s'agit de construire un **schème expérimental**. Celui-ci comprend la description des variables principales et la façon de faire varier la variable indépendante et de mesurer ses effets sur la variable dépendante. Une schématisation permet de visualiser cette relation de causalité. Il faut préciser aussi comment seront neutralisés les effets des variables intermédiaires. Tests, questionnaires, grilles d'observation et appareils divers servent à mesurer les effets de la variable indépendante. Il reste ensuite à déterminer comment répartir les sujets de l'expérience. Les sujets peuvent former un seul ensemble qui sera soumis à la variable indépendante ou constituer au moins deux groupes, le groupe expérimental et le groupe de contrôle. Il est nécessaire, enfin, de rédiger une consigne uniforme à fournir aux sujets.

Pour l'analyse de contenu, il s'agit de construire des **catégories d'analyse**. Il faut choisir des **unités de signification** (mots, thèmes, personnages, actions, etc.) qui seront prélevées par **unités de numération** et par **unités de qualification**. Le choix des catégories (**catégorisation**) doit tenir compte des catégories d'analyse usuelles et découler des indicateurs; elles doivent être exhaustives, claires, exclusives et équilibrées. L'outil de collecte sera une feuille de codage ou un système de fiches qui permettra de recueillir systématiquement dans la documentation tout élément significatif de la définition du problème.

Pour l'analyse de statistiques, il faut construire des **séries chiffrées**. Il s'agit d'établir les coordonnées à prélever à partir de l'analyse conceptuelle. Il reste ensuite à préciser, en les énumérant, la nature des séries de chiffres liées à ces coordonnées, séries qui seront recueillies par la suite.

Il y a lieu, enfin, de tester la **fidélité** et la **précision d'un instrument de collecte**. Un instrument fidèle reproduirait les mêmes résultats s'il était réutilisé. Un instrument précis enregistre bien le phénomène étudié en tenant compte de ses variations.

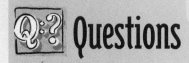 **Questions**

1. Que faut-il faire, dans l'ordre, pour construire un cadre d'observation? Nommez les **trois** éléments essentiels à cette construction, donnez le sens de chacun et des précisions sur leur contenu.

2. Que faut-il faire, dans l'ordre, pour construire un formulaire de questions? Nommez les **sept** éléments essentiels à cette construction, donnez le sens de chacun et quelques précisions sur leur contenu.

3. Que faut-il faire, dans l'ordre, pour construire un schéma d'entrevue? Nommez les **quatre** éléments essentiels à cette construction, donnez le sens de chacun et des précisions sur leur contenu.

4. Que faut-il faire, dans l'ordre, pour construire un schème expérimental? Nommez les **six** éléments essentiels à cette construction, donnez le sens de chacun et des précisions sur leur contenu.

5. Que faut-il faire, dans l'ordre, pour construire des catégories d'analyse de contenu? Nommez les **quatre** éléments essentiels à cette construction, donnez le sens de chacun et des précisions sur leur contenu.

6. Que faut-il faire, dans l'ordre, pour construire des séries chiffrées? Nommez les **deux** éléments essentiels à cette construction, donnez le sens de chacun et des précisions sur leur contenu.

Répondez à la question correspondant à la méthode ou à la technique de recherche que vous avez retenue.

Le cadre d'observation

7. Qu'est-ce qui distingue une grille d'observation d'un cahier de bord?

Le formulaire de questions

8. Voici une question apparaissant dans un formulaire et ses quatre choix de réponses :

   Est-il vrai que le sport et la lecture, parce qu'ils sont le propre de l'être équilibré, conduisent ceux et celles qui les pratiquent à moins de violence?

   ( )₁ *Vrai.*

   ( )₂ *Pas sûr.*

   ( )₃ *Peut-être.*

   ( )₄ *Mets-en.*

   a) Nommez deux erreurs dans la formulation de la question et, pour chacune, expliquez-la en vous référant explicitement à l'un ou à l'autre des termes utilisés dans la question.

   b) Nommez deux erreurs dans la formulation des choix de réponses et, pour chacune, expliquez-la en vous référant explicitement à l'un ou à l'autre des termes utilisés dans les choix de réponses.

Le schéma d'entrevue

9. Voici une question et deux sous-questions apparaissant dans un schéma d'entrevue s'adressant à des adolescents :

   Q.1 En quoi est-ce avantageux d'avoir un permis de conduire à 16 ans?

   Q.1.1 Pourquoi est-ce préférable de faire cette demande à sa mère d'abord?

   Q.1.2 Jusqu'à quel point seriez-vous un bon conducteur si vous aviez le permis de conduire?

   a) Nommez deux erreurs dans l'une ou l'autre des trois formulations et, pour chacune, donnez d'abord son numéro de question ou de sous-question.

   b) Expliquez les erreurs en vous référant explicitement à l'un ou à l'autre des termes utilisés dans la formulation.

Le schème expérimental

10. Vous formulez l'hypothèse suivante :

    Sur la présentation successive de photos, les sujets d'une expérimentation peuvent décrire avec plus de détails les photos représentant des personnes du sexe opposé que celles représentant des personnes de leur sexe.

a) Faites la schématisation de cette expérimentation (avec les mêmes éléments que ceux du tableau 4.11).

b) Nommez trois éléments de matériel dont vous aurez besoin pour faire l'expérience et, pour chacun, précisez comment vous l'utiliserez, en vous référant explicitement à l'hypothèse.

c) Quel plan d'expérience adopterez-vous? Justifiez votre réponse.

d) Rédigez la consigne qui pourrait être donnée aux sujets de l'expérience. N'oubliez pas de mentionner le but, l'activité à faire, le temps accordé et les moyens fournis.

Les catégories d'analyse de contenu

11. Une chercheuse s'intéresse à la une de quatre journaux pour y prélever tous les sujets traités et l'espace accordé à chacun sur la page, en nombre de lignes et de colonnes. Elle s'intéresse aussi à ce qui y est mis le plus en valeur en portant une attention particulière à l'endroit sur la page qui attire d'abord l'oeil du lecteur ou de la lectrice.

a) Dans cette présentation de recherche, qu'est-ce qui est une unité de signification? Pourquoi?

b) Qu'est-ce qui est une unité de numération? Pourquoi?

c) Qu'est-ce qui est une unité de qualification? Pourquoi?

Les séries chiffrées

12. Précisez la nature des séries chiffrées à établir pour vérifier l'hypothèse suivante :

Au cours des quatre dernières décennies, la scolarité des Québécois et des Québécoises a été directement proportionnelle à leur rémunération annuelle et inversement proportionnelle à leur taux de chômage.

QUESTION D'INTÉGRATION

13. Vous êtes considéré comme un expert-consultant en construction d'instruments de collecte de données pour des recherches en sciences humaines. Il vous est demandé conseil pour construire un de ces instruments. Déterminez s'il s'agit de l'observation en situation, du questionnaire ou sondage, de l'entrevue de recherche, de l'expérimentation, de l'analyse de contenu ou de l'analyse de statistiques, puis donnez les renseignements suivants.

a) Dites quel instrument il faut construire.

b) Précisez les éléments qui entrent dans sa construction.

c) Décrivez comment construire l'instrument, dans les grandes lignes seulement, mais en précisant le sens des termes utilisés.

LA COLLECTE DES DONNÉES

Chapitre 5

Sélectionner des éléments de la population

Objectifs

Après la lecture de ce chapitre, vous devriez pouvoir :

- définir les termes *population* et *échantillon* ;
- faire la différence entre un échantillonnage de type probabiliste et un échantillonnage de type non probabiliste ;
- définir les trois sortes d'échantillonnage de type probabiliste ;
- définir les trois sortes d'échantillonnage de type non probabiliste ;
- décrire les procédés de tirage probabiliste ;
- décrire les procédés de tri non probabiliste ;
- déterminer approximativement la taille d'un échantillon pour une population donnée.

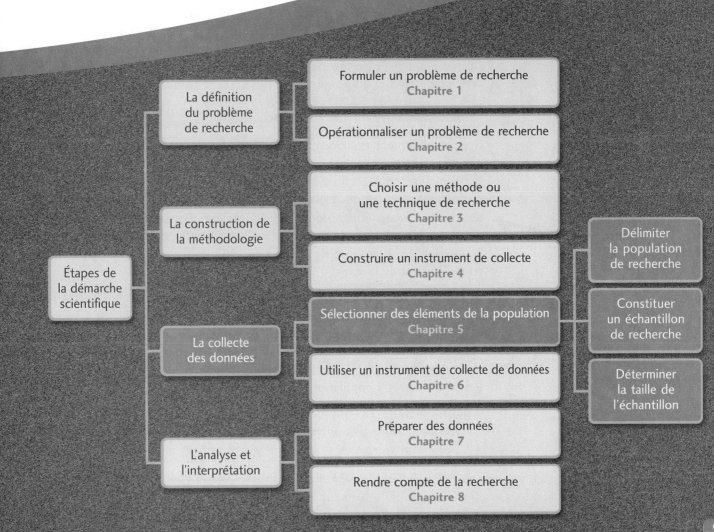

Étapes de la démarche scientifique

La définition du problème de recherche
- Formuler un problème de recherche **Chapitre 1**
- Opérationnaliser un problème de recherche **Chapitre 2**

La construction de la méthodologie
- Choisir une méthode ou une technique de recherche **Chapitre 3**
- Construire un instrument de collecte **Chapitre 4**

La collecte des données
- Sélectionner des éléments de la population **Chapitre 5**
  - Délimiter la population de recherche
  - Constituer un échantillon de recherche
  - Déterminer la taille de l'échantillon
- Utiliser un instrument de collecte de données **Chapitre 6**

L'analyse et l'interprétation
- Préparer des données **Chapitre 7**
- Rendre compte de la recherche **Chapitre 8**

Vous venez de réaliser la deuxième étape de votre recherche, la construction de la méthodologie. La troisième étape est la collecte des données. Elle se divise en deux phases. Dans ce chapitre, vous en réaliserez la première, soit la sélection des éléments de la population sur laquelle porte votre recherche, qui s'effectue en trois temps. Il s'agit premièrement de délimiter précisément cette population, deuxièmement de constituer l'échantillon sur lequel se fera la collecte, en choisissant un type et une sorte d'échantillonnage ainsi qu'un procédé de sélection, et troisièmement de déterminer la taille de l'échantillon, eu égard à la définition de votre problème de recherche.

DÉLIMITER LA POPULATION DE RECHERCHE

POPULATION Ensemble d'éléments ayant une ou plusieurs caractéristiques en commun qui les distinguent d'autres éléments et sur lesquels porte l'investigation.

Dans le langage des sciences humaines, une **population** est un «ensemble fini ou infini d'éléments définis à l'avance sur lesquels portent les observations» (Grawitz 1994 : 306). Ainsi, la population du Canada est l'ensemble des personnes ou individus qui habitent au Canada, ou encore la population des livres d'une bibliothèque est l'ensemble des livres de cette bibliothèque. Dans un cas comme dans l'autre, il s'agit d'une population parce qu'il existe un **critère** qui permet de rassembler les individus ou les choses tout en les distinguant des autres. Le fait d'habiter au Canada est un critère qui rassemble dans une même population toutes les personnes qui vivent au Canada et qui les distingue de toutes celles qui n'y habitent pas. Dans cet exemple, la question de la citoyenneté, critère habituel pour identifier les personnes pouvant se dire canadiennes, n'est pas prise en considération. Seul compte le fait de résider sur le territoire canadien. De même, le fait d'être un livre de la bibliothèque municipale de telle ville est un critère qui réunit tous les livres de cette population et qui les distingue des livres se trouvant ailleurs.

Une population donnée se reconnaît donc au moyen d'un critère montrant que ses éléments ont une caractéristique commune ou sont de même nature. Il est évidemment également possible de construire une population plus complexe, définie à l'aide de plus d'un critère. Ainsi, lorsqu'il est question de la population des locataires de la ville de Montréal, au moins deux critères distinguent ces individus des autres, soit le critère de la ville habitée et celui du mode d'occupation résidentielle. Par ailleurs, le nombre des éléments d'une population donnée forme son **effectif**. Par exemple, l'effectif de la population de la province de Québec en 2002 était de 7 422 902 habitants selon l'Institut de la statistique du Québec.

EFFECTIF Nombre total d'éléments dans une population.

Pour que la recherche soit valable et réalisable, il faut déterminer très précisément quelle sera la population qui sera étudiée afin de savoir si tel ou tel élément en fait partie ou non. Les critères servant à cerner cette population doivent donc être définis. Par exemple, si la recherche porte sur le personnel enseignant du Québec, certaines questions vont permettre d'établir les caractéristiques de cette population.

- Faut-il prendre en compte tous les ordres d'enseignement (primaire, secondaire, collégial et universitaire)?

  Si la réponse est non, un premier critère à établir serait le ou les ordres d'enseignement pris en compte. L'ordre d'enseignement collégial pourrait suffire, par exemple.

- Faut-il prendre en compte les professeurs des établissements privés et ceux des établissements publics?

  Si la réponse est oui, il n'y aura pas de critère à établir sur cet aspect puisqu'un critère sert uniquement à préciser la nature d'une population et à la distinguer d'une autre.

- Tous les professeurs seront-ils pris en compte, qu'ils enseignent dans des classes ordinaires, aux adultes ou aux membres de collectivités particulières?

  Pour des raisons pratiques et pourvu que cela n'entraîne pas de distorsions par rapport au problème de recherche, la population pourrait être limitée aux professeurs de l'enseignement ordinaire. Cette précision introduit un deuxième critère : enseigner dans les classes ordinaires.

- Toutes les disciplines d'enseignement seront-elles prises en compte?

  Il pourrait être précisé dans un troisième et dernier critère que la population ne comprendra que les professeurs qui enseignent telle ou telle discipline. La population pourrait être limitée aux professeurs de sciences humaines, par exemple. (Normalement, il faudrait définir le terme *sciences humaines*, définition qui serait nécessaire pour spécifier clairement quelles disciplines sont prises en compte, mais cet aspect ne sera pas traité ici.)

Il est maintenant possible de préciser quelle est la population qui sera observée. La population sur laquelle portera la recherche sera les professeurs du Québec définie selon trois critères : 1) ils enseignent au collégial, 2) dans les classes ordinaires et 3) en sciences humaines.

En recherche qualitative, cette délimitation précise et nécessaire de la population de recherche peut cependant subir une ou plusieurs modifications par la suite. Par exemple, une recherche sur la vie en prison peut s'avérer incomplète si la population définie au départ est limitée aux prisonniers. Il peut être nécessaire dans ce cas d'élargir les caractéristiques de la population pour y inclure les gardiens et gardiennes, notamment.

CONSTITUER UN ÉCHANTILLON DE RECHERCHE

L'idéal, dans une recherche scientifique, est de se renseigner auprès de toute la population à l'étude. Cela est cependant difficile lorsque l'effectif dépasse quelques centaines d'éléments, et quasi impossible quand il en compte des millions, à cause des ressources humaines qu'exigerait alors la recherche et des coûts qu'elle entraînerait. Il peut également y avoir des contraintes dues au peu d'informations existantes sur une population donnée, à l'accès difficile à cette population ou à des règlements quant à la confidentialité de certaines listes d'individus. Il faut donc sélectionner des éléments de la population qui formeront un **échantillon**, c'est-à-dire une partie de la population auprès de laquelle les informations seront recueillies. En science, il est présumé qu'un échantillon de quelques dizaines, centaines ou milliers d'éléments, provenant d'une population donnée permettra de faire des estimations généralisables à toute cette population. C'est sans doute ce qu'il faut faire pour enquêter sur les professeurs du Québec qui enseignent au collégial, dans les classes ordinaires, en sciences humaines, car il serait long et onéreux d'essayer de les joindre tous.

ÉCHANTILLON Sous-ensemble d'éléments d'une population donnée.

ERREUR D'OBSERVATION Manquement du chercheur ou de la chercheuse au moment de la définition ou de la sélection des éléments de la population.

BASE DE POPULATION Liste complète des éléments d'une population.

ÉCHANTILLONNAGE Ensemble des opérations permettant de sélectionner un sous-ensemble d'une population en vue de constituer un échantillon.

ÉCHANTILLONNAGE PROBABILISTE Type d'échantillonnage où la probabilité d'être sélectionné est connue pour chaque élément d'une population et qui permet d'estimer le degré de représentativité d'un échantillon.

REPRÉSENTATIVITÉ D'UN ÉCHANTILLON Qualité d'un échantillon composé de façon à contenir les mêmes caractéristiques que celles de la population dont il est extrait.

Il faut par ailleurs éviter l'**erreur d'observation** dans la constitution d'un échantillon. Cette erreur peut découler d'une liste incomplète ou ambiguë des éléments de la population. Elle peut provenir d'une sélection qui s'est écartée des critères fixés pour déterminer la population ou d'une définition imprécise d'un ou de plusieurs critères. S'il apparaît impossible de faire disparaître complètement l'erreur d'observation, il faut pour le moins la rendre négligeable, en resserrant les critères de sélection ou en complétant la **base de population**, pour ne pas invalider les résultats.

Il existe différentes façons de choisir la fraction de la population sur laquelle portera l'investigation. Généralement, la définition du problème oriente vers un type d'échantillonnage et, à l'intérieur de celui-ci, vers une sorte d'échantillonnage plus particulière, mais il peut arriver que la définition du problème conduise à un choix plus complexe. L'**échantillonnage** consiste en un ensemble d'opérations qui permettent de constituer un échantillon représentatif de la population à l'étude. Quant au choix des procédés de sélection des éléments, tirages ou tris, il dépend des moyens disponibles pour rejoindre ces éléments. Il n'existe donc pas d'échantillonnage meilleur qu'un autre. C'est celui qui répond le mieux aux exigences de la définition du problème qui est le plus adéquat ou le meilleur dans les circonstances.

Les types d'échantillonnage

Il y a d'abord un choix à faire entre deux types d'échantillonnage en tenant compte de la représentativité recherchée et des moyens d'accès à la population : l'échantillonnage probabiliste et l'échantillonnage non probabiliste.

L'échantillonnage probabiliste

L'**échantillonnage probabiliste** est appelé ainsi parce qu'il s'appuie sur la théorie des probabilités, selon laquelle il est possible de calculer la probabilité qu'un évènement se produise. Dans ce sens, un échantillonnage est probabiliste si chaque élément de la population a une chance déterminée et connue à l'avance d'être sélectionné pour faire partie de l'échantillon. Cependant, ce type d'échantillonnage suppose que certaines conditions seront remplies. L'échantillonnage probabiliste exige une **base de population** ou de **sondage**. C'est à cette seule condition qu'il est possible d'estimer la probabilité qu'a chaque élément d'être choisi. Cette liste d'éléments permet ensuite de constituer un échantillon dont le degré de **représentativité** par rapport à la population de laquelle il est extrait peut être estimé. Un échantillon est représentatif lorsque les éléments qui le composent ressemblent aux autres éléments de la population. Chaque élément doit être équivalent, c'est-à-dire qu'aucun ne doit avoir été omis de la liste ni avoir été répété, et le choix définitif doit pouvoir être comparé au résultat d'un véritable tirage au sort, comme un tirage fait les yeux bandés ou le tirage automatique de boules dans une urne. Enfin, un nombre suffisant d'éléments doit avoir été sélectionné.

Un échantillonnage de type probabiliste nécessite donc :
- une base de population ;
- la connaissance de la probabilité de chaque élément ou individu d'être sélectionné ;
- un véritable tirage au sort (voir « Les procédés de tirage probabiliste ») ;
- un nombre suffisant d'éléments de la population (voir « Déterminer la taille de l'échantillon »).

En règle générale, quand cela est possible, c'est l'échantillonnage probabiliste qui est choisi, car il permet d'estimer le degré de représentativité de l'échantillon par rapport à la population dont il est extrait. Par exemple, la définition du problème de recherche peut exiger un échantillonnage probabiliste si l'objectif est de généraliser les résultats à toute la population, comme c'est le cas d'une enquête sur l'intention de vote à une élection.

L'échantillonnage non probabiliste

La définition du problème ne nécessite pas un échantillonnage probabiliste quand le but premier de la recherche n'est pas de généraliser les résultats à toute la population. C'est notamment le cas lorsqu'il s'agit d'une étude portant sur quelques éléments seulement de la population ou d'une recherche visant à approfondir la compréhension de divers types de comportements, sans égard à leur poids relatif dans la population. Il peut aussi arriver que certaines circonstances — une base de population incomplète, un accès restreint à la population, un temps limité, des ressources minimes ou tout autre obstacle important — empêchent de procéder à un échantillonnage probabiliste. Dans tous ces cas, il demeure possible de constituer un échantillon en recourant à l'**échantillonnage non probabiliste**. Dans ce type d'échantillonnage, la probabilité qu'un élément d'une population donnée soit choisi n'est pas connue et il est impossible de savoir si chacun a au départ une chance égale ou non d'être sélectionné pour faire partie de l'échantillon. Si l'échantillon ainsi constitué peut être représentatif, son degré de représentativité ne peut toutefois pas être évalué.

Les données recueillies à partir d'un échantillonnage non probabiliste restent tout de même valables et pertinentes. Les résultats d'une recherche dans laquelle ce type d'échantillonnage a été employé souffrent d'ailleurs moins des aléas de la collecte, tels les individus impossibles à joindre, les refus de répondre et les remplacements d'individus, car les résultats ne tendent pas vers la même précision méthodologique que ceux qui sont obtenus à l'aide de l'échantillonnage probabiliste. De plus, les échantillonnages non probabilistes, que les statisticiens appellent aussi *échantillonnages empiriques*, sont souvent moins coûteux et requièrent moins de temps.

L'erreur d'échantillonnage

Tout échantillonnage entraîne une marge d'erreur d'échantillonnage. Cette erreur provient du fait que les renseignements obtenus auprès d'une partie d'une population ne peuvent refléter exactement toute la population. C'est une erreur inévitable car, comme l'étude ne porte que sur un échantillon, il n'est pas possible d'obtenir exactement les mêmes moyennes, proportions ou variances que celles qui seraient calculées pour l'ensemble de la population. Il n'est tenu compte de ce genre d'erreur que dans l'échantillonnage probabiliste puisqu'il est le seul qui permet d'estimer le degré de représentativité de l'échantillon. L'erreur d'échantillonnage peut aussi affecter un échantillonnage non probabiliste, mais l'estimation en est impossible. Ainsi, en mesurant la taille de 100 des 200 joueurs de football d'un collège, tout en ayant estimé la probabilité de chacun d'être choisi pour la mesure (échantillonnage probabiliste), la moyenne de la taille de l'échantillon des 100 joueurs devrait se rapprocher de celle de toute la population, mais elle ne coïncidera pas nécessairement parfaitement avec cette dernière. Si la sélection a été faite selon les règles du hasard, cette erreur n'invalide pas l'échantillonnage. Elle permet simplement de préciser que la moyenne calculée

À propos...

des types d'échantillonnage

Loubet del Bayle (1986) rapporte une marge d'erreur moyenne à peu près identique dans la prédiction des résultats à quatre élections entre un institut de sondage procédant par un échantillonnage probabiliste et un autre, par un échantillonnage non probabiliste.

ÉCHANTILLONNAGE NON PROBABILISTE Type d'échantillonnage où la probabilité qu'un élément d'une population soit choisi pour faire partie de l'échantillon n'est pas connue et qui ne permet pas d'estimer le degré de représentativité de l'échantillon ainsi constitué.

ERREUR D'ÉCHANTILLONNAGE Imprécision inévitable quand l'investigation porte sur un échantillon, estimable si celui-ci est probabiliste.

ne peut pas correspondre exactement, sauf exception, à celle de la population. C'est pourquoi il est précisé dans un rapport de sondage que la marge d'erreur se situe, par exemple, à plus ou moins 5 %, 19 fois sur 20. Plus le nombre d'éléments sélectionnés est élevé dans une population, plus la marge d'erreur peut être réduite, jusqu'à 3 % ou même 1 %.

Les trois sortes d'échantillonnage probabiliste

Tout comme pour le choix du type d'échantillonnage approprié, c'est la définition du problème de recherche qui détermine la sorte d'échantillonnage probabiliste à employer. Si tous les éléments de l'échantillon sont interchangeables du point de vue de cette définition, il sera possible de procéder à un échantillonnage aléatoire simple. Si la définition du problème oblige à distinguer des sous-groupes dans la population, le choix de l'échantillonnage probabiliste stratifié s'imposera. Enfin, si le problème porte sur une population dont les éléments peuvent être tirés au hasard mais préférablement ou obligatoirement par groupes au lieu de l'être individuellement, c'est à l'échantillonnage probabiliste en grappes qu'il conviendra d'avoir recours.

L'échantillonnage aléatoire simple

ÉCHANTILLONNAGE ALÉATOIRE SIMPLE Constitution d'un échantillon par un tirage au hasard parmi les éléments de la population de recherche.

L'échantillonnage aléatoire simple est la façon de faire la plus élémentaire. Il réapparaît d'ailleurs à une phase ou à une autre dans les autres sortes d'échantillonnage probabiliste. Le terme *aléatoire* signifie que c'est le hasard qui sert à sélectionner les éléments, le hasard dont il est question ici étant un hasard contrôlé. Le terme de *randomisation* est aussi utilisé en science pour signifier qu'une démarche est effectuée en recourant au hasard et non en procédant « par hasard ». Procéder par hasard, ce serait s'y prendre un peu n'importe comment, alors qu'avoir recours au hasard, c'est prendre des précautions particulières au moment du tirage pour lui donner un caractère scientifique en offrant à chaque élément de la population une possibilité connue d'être choisi. Il s'agit d'éviter le plus possible la facilité (prendre les éléments qui tombent sous la main), l'arbitraire (prendre l'un ou l'autre élément sans justification apparente) et le penchant personnel (pour certains éléments). Le terme *simple* signifie que le tirage se fait directement sur la base de la population. L'échantillonnage aléatoire simple peut être suffisant pour déterminer l'échantillon. Par exemple, si la recherche porte sur le contenu des émissions musicales à la radio, il faut d'abord dresser la liste de toutes ces émissions, puis tirer au hasard, comme dans un boulier, un certain nombre d'entre elles à partir de la liste établie.

L'échantillonnage stratifié

ÉCHANTILLONNAGE STRATIFIÉ Constitution d'un échantillon dans une population de recherche par un tirage au hasard à l'intérieur de sous-groupes, ou strates, constitués d'éléments ayant des caractéristiques communes.

L'échantillonnage stratifié est une sorte d'échantillonnage probabiliste qui part du fait qu'une ou plusieurs caractéristiques distinguent les éléments de la population et qu'il y a lieu d'en tenir compte avant la sélection. Cet échantillonnage permet de créer des sous-groupes, ou strates, qui ont une certaine homogénéité parce qu'il est présumé que les éléments composant chaque strate ont une certaine ressemblance et que chaque sous-groupe est ainsi distinct des autres. Par exemple, si la recherche porte sur la tâche des professeurs de sciences humaines au collégial, sachant que la tâche est différente selon que le professeur est à temps plein ou à temps partiel, il peut s'avérer nécessaire de s'assurer d'une présence importante des deux groupes dans l'échantillon et de créer par conséquent deux sous-groupes, ou strates, avant de sélectionner les individus. Il s'agit ensuite de procéder à un échantillonnage aléatoire simple à l'intérieur de chaque strate. Grâce à l'échantillonnage stratifié, il est donc possible de tenir compte dès la constitution de l'échantillon de certaines variables susceptibles d'avoir un effet sur les résultats. Ainsi, des catégories d'éléments de la population différentes des autres ne risquent pas d'être exclues de l'échantillon, alors qu'elles auraient pu l'être avec l'échantillonnage aléatoire simple (Pinto et Grawitz 1967).

Le poids relatif de chacune des strates peut cependant poser problème. Ainsi, si les strates à créer se rapportent aux religions pratiquées dans une ville, il faut autant de strates qu'il y a de religions. De plus, si la proportion des fidèles pour chaque religion est connue et s'il est souhaitable de la reproduire dans l'échantillon de façon que chaque strate ait le même poids que celui qu'elle a dans la population, il faut faire en sorte que l'échantillon soit constitué d'un pourcentage des personnes appartenant à une religion égal à celui qui a été calculé dans l'ensemble de la population pour cette religion. Par exemple, si la ville compte 75 % de catholiques, un pourcentage identique d'individus doit être sélectionné dans la strate des catholiques. Il s'agit d'un **échantillonnage stratifié proportionnel**, utilisé quand il s'agit de refléter fidèlement la proportion de chaque strate dans la population.

Il est souvent difficile de se renseigner auprès de toute la population à l'étude.

Il peut cependant arriver que cet échantillonnage proportionnel conduise à extraire un nombre infime d'éléments dans une strate donnée. Si, par exemple, il y a moins de 1 % de fidèles musulmans dans la ville et s'ils sont sélectionnés uniquement en tenant compte de leur poids dans la population, il est probable qu'il se trouvera si peu de musulmans dans l'échantillon que les comparaisons avec d'autres strates se révèleront peu probantes. En sélectionnant plutôt un même nombre d'éléments à l'intérieur de chaque strate, chacune est assurée d'avoir une présence non négligeable. Il y a ainsi suffisamment d'éléments dans chaque strate pour permettre des comparaisons par la suite. C'est l'**échantillonnage stratifié pondéré**, dans lequel il y a égalisation de chaque strate. Une fois les comparaisons faites, il reste possible de revenir au poids relatif de chaque strate dans la population en affectant à chacune son pourcentage réel dans les calculs d'ensemble.

L'échantillonnage en grappes

L'échantillonnage en grappes, troisième sorte d'échantillonnage probabiliste, est utilisé lorsque, fait exceptionnel, la base de population de laquelle il faut extraire un échantillon n'existe pas ou lorsqu'il serait onéreux ou long de la créer. L'échantillonnage en grappes permet de contourner la difficulté tout en recourant à un échantillonnage probabiliste. Il s'agit, en l'occurrence, de faire porter le tirage au sort non sur les éléments mêmes, mais sur d'autres unités les englobant. La base de population dans l'échantillonnage en grappes n'est donc pas une liste des éléments mais une liste de groupements. Une fois ces groupements d'éléments, ou grappes, sélectionnés aléatoirement, il s'agit de recueillir les données auprès de tous les éléments réunis dans ces grappes. C'est par exemple le cas lorsque des élèves d'une école sont choisis non à partir d'une liste de noms, mais d'une liste de groupes-cours. Les grappes se distinguent des strates en ce qu'elles existent dans la réalité, alors que les strates sont construites.

Il est également possible, une fois les grappes sélectionnées aléatoirement, d'identifier les éléments qui en font partie et de procéder à un tirage au sort à l'intérieur de chaque grappe. Ce serait le cas pour la recherche sur les

professeurs en sciences humaines du collégial au Québec en procédant d'abord à un choix aléatoire de régions (grappes), puis en demandant à chaque collège des régions sélectionnées de fournir la liste de leurs professeurs. Ainsi, l'échantillonnage en grappes, contrairement aux deux autres sortes d'échantillonnage probabiliste, peut se faire sans l'utilisation préalable d'une liste des éléments de la population, tout en permettant de calculer la probabilité de chacun d'être choisi.

Si les grappes choisies renferment des quantités différentes d'éléments, il est possible de reproduire dans l'échantillon leur poids respectif dans la population pour obtenir une plus grande représentativité. Il s'agit alors de procéder à un **échantillonnage proportionnel en grappes**. Ainsi, dans l'exemple précédent sur la détermination d'un échantillon des professeurs du Québec par régions, si une région regroupe 10 fois plus de professeurs de collège qu'une autre, il faut prendre 10 fois plus d'individus dans cette grappe que dans l'autre pour respecter les proportions dans le nombre comparatif d'individus d'une région à l'autre. Il en est de même avec des secteurs de recensement ayant des nombres différents de résidants. Cela permet d'obtenir un portrait équilibré de l'ensemble.

Une autre variante de l'échantillonnage en grappes est l'**échantillonnage en grappes à plusieurs degrés ou en cascade**. Le procédé consiste à faire plusieurs sélections, en allant des grappes plus larges à des grappes plus étroites. Le nombre de degrés peut varier selon les besoins de l'étude. Il peut n'y en avoir que deux, comme dans l'exemple des professeurs : d'abord des régions (premier degré), puis des collèges dans chaque région (second degré). Un troisième degré serait ajouté si seul un certain nombre de départements était choisi à l'intérieur de chaque collège.

Il arrive qu'il faille combiner deux ou trois sortes d'échantillonnage dans un échantillonnage de type probabiliste. Ainsi, la combinaison de deux sortes d'échantillonnage s'impose si c'est l'échantillonnage stratifié ou en grappes qui sert à établir l'échantillon. En effet, chacun d'eux inclut, à un moment donné, l'échantillonnage aléatoire simple. Il est de plus possible de combiner les trois sortes d'échantillonnage probabiliste. Ainsi, dans l'étude sur les professeurs en sciences humaines du collégial au Québec, l'échantillonnage peut commencer par un échantillonnage en grappes dans lequel des régions du Québec sont choisies au hasard. Cet échantillonnage peut être poursuivi par un échantillonnage stratifié en distinguant les professeurs à temps plein des professeurs à temps partiel. Enfin, l'échantillonnage peut se terminer par un échantillonnage aléatoire simple à l'intérieur de chacune des deux strates.

Les trois sortes d'échantillonnage non probabiliste

La définition du problème de recherche éclairera aussi le choix de la sorte d'échantillonnage non probabiliste appropriée. L'échantillonnage accidentel sera utilisé si la définition du problème n'exige pas une façon de faire particulière dans la sélection des éléments de la population ou s'il n'y a pas d'autre choix possible. Si, par ailleurs, des éléments de la population sont exemplaires de leurs semblables, l'échantillonnage typique peut se révéler le plus approprié. Enfin, s'il est souhaitable que l'échantillon reflète certaines caractéristiques présentes dans la population et en proportion de leur poids relatif, l'échantillonnage par quotas s'imposera.

Un exemple de sélection de l'échantillon

Afin d'étudier les facteurs déterminant l'émergence des aspirations de carrière des joueurs de hockey junior au Québec, et, par ricochet, la fabrication de joueurs de hockey professionnels, Jean Poupart a réalisé une série d'entrevues.

Des 200 joueurs qui faisaient partie, en 1974 et 1975, de la Ligue de hockey junior majeur du Québec (LHJMQ), 39 ont été interrogés.

«La sélection des personnes interviewées visait non pas une représentativité statistique, mais plutôt une "représentativité sociologique", à savoir un échantillon comportant une diversité d'expériences en fonction de critères jugés essentiels à la compréhension de l'objet étudié, et permettant d'atteindre une certaine saturation du matériel recueilli […]. Un des critères retenus a été celui du type d'équipe. Les 39 joueurs interviewés appartenaient ainsi à trois des 10 équipes de la LHJMQ. Deux de ces trois équipes étaient de petites organisations, l'une gagnante et l'autre perdante, alors que la troisième, également gagnante, constituait l'une des plus grosses organisations du circuit. En matière de carrière, les joueurs considéraient comme avantageux le fait d'évoluer dans une équipe gagnante. Une telle équipe a l'avantage de participer aux championnats de la Ligue et, éventuellement, aux compétitions de la coupe Mémoriale auxquelles prennent part les équipes championnes des trois ligues de hockey junior majeur canadiennes : la Ligue de hockey junior majeur de l'Ontario, la Ligue de hockey junior majeur de l'Ouest et la Ligue de hockey junior majeur du Québec. En plus du type d'équipe, il a été tenu compte également de l'âge et du prestige des joueurs, l'âge parce que l'expérience des joueurs varie selon le nombre d'années passées dans les rangs amateurs et le prestige parce que les perspectives de carrière ne sont pas les mêmes selon que l'on est considéré comme une vedette ou comme un joueur ordinaire.»

JEAN POUPART (1999). «Vouloir faire carrière dans le hockey professionnel : l'exemple des joueurs juniors québécois dans les années soixante-dix» (p. 166). *Sociologie et sociétés*, vol. 31, n° 1 (printemps).

L'échantillonnage accidentel

L'échantillonnage accidentel est l'échantillonnage non probabiliste qui impose le moins de contraintes dans la sélection des éléments. Par exemple, si une recherche porte sur l'opinion des ouvriers d'une usine sur un sujet donné, il peut être décidé de ne questionner que ceux qui se présentent à la cafétéria à l'heure du dîner ou ceux qui sortent de l'usine en fin de journée, sans tenir compte de ceux qui ne dînent pas à la cafétéria ou qui ne sortent pas de l'usine à l'heure prévue. Il n'y a aucun moyen de connaître les éléments exclus de l'échantillon par une telle sorte d'échantillonnage. La seule possibilité de comparaison est indirecte et implique qu'il va falloir faire un parallèle avec un recensement existant sur cette même population. Il faut espérer que l'échantillonnage accidentel n'induise pas trop en erreur, mais cela ne demeure qu'un souhait (Selltiz et coll. 1959).

ÉCHANTILLONNAGE ACCIDENTEL Constitution d'un échantillon de la population de recherche à la convenance du chercheur ou de la chercheuse.

L'échantillonnage typique

Dans l'échantillonnage typique, tous les éléments choisis pour faire partie de l'échantillon sont des modèles de la population à l'étude. Ce sont un ou plusieurs éléments considérés comme des portraits types de la population à l'étude qui sont alors recherchés. Par exemple, dans une recherche sur la nature des préoccupations sociales d'étudiants du collégial, il peut être décidé de ne retenir que ceux qui sont inscrits en sciences humaines parce qu'il est raisonnable de penser qu'ils sont plus préoccupés que les autres par les questions sociales. À l'inverse, ce sont les «anti-portraits types» qui pourraient être retenus, c'est-à-dire les gens qui, volontairement ou non, présentent des traits caractéristiques opposés à ceux des éléments exemplaires et qui donnent, par la négative, des informations sur la population dont ils sont en quelque sorte l'envers. Par exemple, il serait possible de constituer un échantillon de sans-abri afin de mieux connaître, par contraste, ce que vivent sans

ÉCHANTILLONNAGE TYPIQUE Constitution d'un échantillon de la population de recherche par la sélection d'éléments exemplaires de celle-ci.

s'en rendre compte les gens ayant un domicile fixe. Il est cependant plus fréquent de se pencher sur des éléments modèles que sur des éléments atypiques. Ainsi, dans une recherche sur les idéologies véhiculées par les centrales syndicales, l'échantillon pourrait ne contenir que les manifestes parmi les innombrables documents que chaque syndicat a publiés, parce que les manifestes semblent mieux refléter les idées et les doctrines syndicales.

L'échantillonnage par quotas

L'échantillonnage par quotas est basé sur certaines caractéristiques de la population qui doivent êtres reproduites en proportion dans l'échantillon. Son utilisation nécessite donc certaines données chiffrées sur la population. Par exemple, si la recherche porte sur la population immigrante et si des données sont disponibles sur la proportion d'immigrants par classe d'âge, il est possible de constituer un échantillon respectant ces mêmes proportions pour chaque classe d'âge. Ainsi, si les personnes de moins de 24 ans représentent 42 % de l'ensemble de la population immigrante, l'échantillon comprendra aussi 42 % de personnes de moins de 24 ans, et il en sera de même pour les autres classes d'âge. Il y a par conséquent des quotas à respecter, c'est-à-dire des nombres maximaux d'éléments pour chaque caractéristique retenue, et ce, en vue de maintenir dans l'échantillon le poids relatif qu'a chaque catégorie dans l'ensemble de la population.

N'importe qui peut être choisi dans la population à l'étude, à condition que cette règle des quotas soit respectée. Par exemple, si l'enquête se fait par téléphone et si la personne qui répond est un homme alors que le quota pour ce sexe est déjà atteint, il faut demander à parler à une femme de la maison ; il en est de même pour tous les critères pour lesquels des quotas ont été fixés. Si l'enquête se fait en face-à-face, il faut, en s'excusant, interrompre la conversation dès qu'une caractéristique pour laquelle suffisamment d'informateurs ont déjà été rejoints est reconnue.

L'échantillonnage non probabiliste par quotas ressemble à l'échantillonnage probabiliste stratifié, sauf que, dans le premier cas, il n'y a pas de tirage au sort. C'est pourquoi il est impossible de mesurer le degré de représentativité de l'échantillon ainsi constitué, lequel reflète néanmoins les proportions présentes dans la population. Dans les faits, l'échantillonnage par quotas a prouvé à maintes reprises son utilité et sa commodité. La marge d'erreur qui s'y rattache semble peu différer de celle de l'échantillonnage probabiliste aléatoire. Voilà pourquoi l'échantillonnage non probabiliste par quotas est souvent employé par les maisons de sondage et certains organismes gouvernementaux.

Tout comme dans l'échantillonnage probabiliste, il est possible de combiner les trois sortes d'échantillonnage de type non probabiliste. Ainsi, pour faire une étude sur les relations de travail dans les entreprises, il est possible de procéder d'abord à un échantillonnage typique en se concentrant sur trois catégories d'entreprises, petites, moyennes et grandes, puis de poursuivre avec un échantillonnage par quotas en prenant un nombre d'entreprises dans chaque catégorie selon leur proportion dans l'ensemble et, enfin, de terminer avec un échantillonnage accidentel en entrant dans les entreprises qui le veulent bien.

Si la définition du problème n'oblige pas à opter pour une sorte d'échantillonnage précise, rien n'empêche de combiner certains échantillonnages probabilistes avec des échantillonnages non probabilistes, pour autant que ce choix soit justifié. Par exemple, dans une enquête sur les médecins du

ÉCHANTILLONNAGE PAR QUOTAS
Constitution d'un échantillon de la population de recherche par la sélection d'éléments catégorisés suivant leur proportion dans cette population.

Dans une recherche sur les idéologies véhiculées par les centrales syndicales, l'échantillon pourrait ne contenir que les manifestes parmi les innombrables documents que chaque syndicat a publiés.

Canada, l'échantillonnage pourrait commencer par un échantillonnage accidentel en prenant les provinces qui acceptent d'y participer, puisque la santé est de compétence provinciale. L'échantillonnage pourrait être poursuivi avec un échantillonnage en grappes permettant de choisir au hasard un certain nombre d'établissements de santé. La définition du problème pourrait exiger de poursuivre avec un échantillonnage typique si la population était limitée, par exemple, aux médecins ayant 10 années et plus d'expérience. Enfin, un échantillonnage aléatoire simple parmi ces médecins d'expérience permettrait d'obtenir l'échantillon voulu.

Les procédés de sélection

Une fois le type et la sorte d'échantillonnage déterminés, il reste plus concrètement à procéder à la sélection des éléments de la population devant constituer l'échantillon. Cette sélection se fait par tirage avec l'échantillonnage probabiliste, et il existe trois procédés pour le faire. Cette sélection se fait par tri avec l'échantillonnage non probabiliste, et il existe cinq procédés pour le faire.

Les procédés de tirage probabiliste

Trois procédés de tirage sont utilisés en sciences humaines pour faire l'échantillonnage probabiliste : le tirage manuel, le tirage systématique et le tirage informatisé. Pour pouvoir les utiliser, il faut d'abord **numéroter chaque élément** de la base de population ou numéroter chaque grappe.

Le tirage manuel • Le **tirage manuel** est un procédé de tirage facile et rapide d'exécution. Pour faire un tirage manuel, le numéro de chaque élément ou de chaque grappe est inscrit, par exemple, sur des bouts de papier de même dimension. Une fois qu'ils ont été mélangés dans une enveloppe ou dans tout autre contenant, il s'agit de piger le nombre de numéros désiré. Le tirage manuel peut être employé lors d'une expérimentation pour répartir aléatoirement les sujets en deux groupes ou lors d'une enquête lorsque le nombre d'individus est limité.

Le tirage systématique • Le **tirage systématique** consiste à regrouper les numéros par paquets de 10, 20 ou plus selon la taille de l'échantillon désirée. Chaque paquet se compose d'un même nombre de numéros, et il y a autant de paquets ou de numéros regroupés qu'il y a d'éléments à sélectionner. Puis, si par exemple les paquets regroupent 20 numéros, il s'agit alors de faire un tirage manuel entre 1 et 20. Par exemple, si le numéro 13 est tiré, le nom correspondant à ce numéro est choisi dans le premier paquet, puis, dans le deuxième, l'élément associé au numéro 33 (20 + 13), dans le troisième, l'élément associé au numéro 53 (40 + 13), dans le quatrième, celui associé au numéro 73 (60 + 13), et ainsi de suite. Il y a de cette manière **systématiquement** un intervalle de 20 numéros entre chacun des choix, à partir du premier qui a été fait dans le premier paquet jusqu'à la fin de la liste. Ainsi, s'il y a 3 000 professeurs qui enseignent en sciences humaines dans des classes ordinaires dans les collèges du Québec et si l'échantillonnage systématique est utilisé pour en sélectionner 300, il faut 300 paquets, puisqu'un numéro par paquet sera pigé. Pour connaître le nombre de numéros à regrouper dans chaque paquet, il reste à diviser l'effectif par le nombre d'individus désiré (3 000 ÷ 300 = 10) ; il faut donc 10 numéros par paquet. Il faut procéder ensuite à un tirage manuel entre 1 et 10 pour déterminer le numéro à retenir dans chaque paquet, puis il n'y a qu'à respecter l'intervalle systématique de 10 à partir de ce premier numéro tiré au hasard.

TIRAGE MANUEL Procédé probabiliste d'échantillonnage par lequel tous les éléments de la population sont choisis à la main.

TIRAGE SYSTÉMATIQUE Procédé probabiliste d'échantillonnage par lequel les éléments de la population sont choisis à intervalle régulier dans des regroupements.

Tableau 5.1 Une table de nombres aléatoires

17031	15532	16006	89840	44231	55053	57859	98736	97770	69560
46068	23960	51491	69217	69235	52827	19263	89194	24726	67945
29287	08655	33171	62097	54727	75276	94979	95023	33087	05835
13452	95111	24993	18476	45482	16698	38247	59071	26588	48372
54822	41406	14108	61813	81646	97975	26103	73433	15984	12248
61157	86506	36521	74559	95909	83124	58410	92789	40796	26484
06297	36767	53523	14324	87207	05735	81259	21006	37041	18175
06380	50714	29468	36676	92934	32241	33596	58725	54268	29531
16922	55536	02285	32303	12394	89836	73410	98591	00932	98470
75522	42808	52924	24688	24178	84663	78611	45748	11730	64919
77676	33246	65833	68819	01858	50522	94887	45814	43572	18939
92087	86889	84083	14650	08095	95590	97963	09335	97474	97457
12320	78625	16733	63782	45620	66638	71798	64974	61135	82160
52356	13378	53650	93061	87111	49832	64647	44638	41368	19047
07901	28539	89636	10385	62725	06591	28382	55094	88209	76728
56343	35970	02447	06844	40971	85887	47863	46252	37497	58570
58144	15741	01028	08871	01297	10732	74618	63693	67541	30104
99547	74293	07796	27114	58187	02955	91212	15016	99462	87670
09414	37290	84727	45600	94054	69968	96711	03620	13178	61944
04277	01667	72412	36426	97145	83220	16067	10268	19617	36639
07364	66305	45505	68845	96583	22892	42200	68326	18363	77033
65558	07846	35533	50124	72186	22898	50040	06093	98906	39580
70782	33400	30616	78710	92467	94177	57873	04405	52316	98513
00265	05446	80843	50570	66276	17289	82648	35778	83999	52254
23675	13661	97400	11151	28082	41771	32730	94989	04214	13908
80817	08512	43918	39234	45514	39559	44774	89216	28606	40950
28426	57962	36149	23071	01274	36321	42625	52913	92319	46602
21699	83058	78365	90291	41255	88742	90959	71911	12364	36500
76196	25126	75243	06455	09699	27259	87118	61898	34070	30663
29910	23090	03597	94026	22920	24888	12060	94269	26857	86418
88434	97038	07584	91689	20272	28419	31588	02629	10304	40897
19631	04682	73840	11159	07635	44424	73856	59622	19881	11576
09207	26807	35382	28345	56942	55028	05253	20412	32181	29668
47677	11154	22639	37745	18850	27436	46074	24186	31239	89847
72402	94986	61941	09619	45721	28566	64866	59213	76003	16418
70210	45782	18412	43100	08253	60693	24399	31778	74211	35853
36947	45782	18412	43100	08253	60693	24399	31778	74211	35853
50512	87468	29926	36505	30657	18856	76880	35595	73896	04326
62112	73064	46212	02202	73464	48659	10954	02926	00794	24981
82353	20212	18866	97787	13678	63246	68120	39120	33821	86064

ROBERT TRUDEL et RACHAD ANTONIUS (1991). *Méthodes quantitatives appliquées aux sciences humaines* (p. 509). Montréal, Centre éducatif et culturel.

L'échantillonnage systématique, abondamment utilisé par les firmes de sondage, est utile quand il s'avère trop long et fastidieux de procéder à un tirage manuel parmi toute la population. Cependant, avant d'effectuer un tirage systématique, il importe de s'assurer que l'ordre dans lequel les éléments apparaissent sur la liste n'amène pas certains éléments ayant des caractéristiques particulières à être toujours placés aux mêmes endroits dans chaque paquet ; ces éléments pourraient ainsi être toujours exclus ou toujours choisis systématiquement. Par exemple, si une base de population était constituée de la liste du personnel d'une entreprise, direction par direction, liste qui commencerait chaque fois par le directeur ou la directrice, puis descendrait dans la hiérarchie jusqu'au simple employé, chaque paquet pourrait grouper les éléments dans un ordre particulier, suivant la classification du personnel. Selon le numéro tiré au hasard dans le premier paquet, et avec l'intervalle régulier qui suivrait, certaines personnes, en raison de leur position dans la hiérarchie, pourraient ne jamais être sélectionnées ; choisir ainsi enfreindrait alors la condition d'équivalence entre les individus qui assure un véritable échantillonnage probabiliste. Mettre les noms en ordre alphabétique, par exemple, permet d'éviter ce genre d'erreur.

Le tirage informatisé • Il est également possible d'avoir recours au **tirage informatisé** pour procéder au choix des numéros correspondant aux éléments à sélectionner. Avec le développement de la micro-informatique, la plupart des ordinateurs sont maintenant en mesure de générer une ou plusieurs séries de nombres aléatoires dans des limites fixées. Plusieurs documents statistiques ou liés à la recherche fournissent également des tables de nombres aléatoires, comme celle du tableau 5.1, qui permettent un **tirage de nombres au hasard**. Avec une telle liste, il suffit d'abord de choisir, manuellement, l'endroit où débuter dans la table, puis de prendre tous les numéros subséquents jusqu'à ce que le nombre d'éléments requis soit atteint. Voilà une autre façon simple de constituer un échantillon en ayant recours au hasard.

Les procédés de tri non probabiliste

Lorsque la définition du problème de recherche n'exige pas une sélection probabiliste, le choix des éléments de l'échantillon peut se faire par le tri à l'aveuglette, le tri orienté, le tri de volontaires, le tri expertisé ou le tri boule de neige.

Le tri à l'aveuglette • Le **tri à l'aveuglette** consiste à choisir les premiers éléments qui se présentent, quelles que soient leurs caractéristiques. Les personnes sélectionnées de cette manière, lors d'une enquête par exemple, risquent de n'avoir aucun lien avec le sujet de l'étude. La situation serait semblable si des articles d'un journal d'un jour donné étaient réunis en vue de les analyser pour vérifier si la violence faite aux femmes y est traitée. Il est certes possible qu'aucun article de ce genre n'ait été publié ce jour-là, tout comme il est possible de tomber sur un journal misogyne. Ce genre de tri est acceptable seulement si l'étude porte sur une large population homogène et s'il n'est pas possible de s'y prendre autrement.

Le tri orienté • Le **tri orienté** est un peu plus précis que le tri à l'aveuglette. Il consiste à sélectionner des éléments qui semblent faire partie de la population à l'étude et qui sont liés au problème de recherche. Par exemple, dans une recherche sur les étudiants qui sont membres d'organisations étudiantes, il s'agirait de se présenter dans les locaux des organisations étudiantes ; dans une recherche sur les téléromans, il s'agirait de regarder la télévision les jours et aux heures où ils sont diffusés. Il n'est pas possible de savoir, cependant, si les éléments ainsi sélectionnés reflètent l'ensemble de la population, ni s'ils sont excentriques et marginaux à certains égards.

À propos...

de l'échantillonnage pour un sondage

Voici comment le Centre de recherche sur l'opinion publique, mieux connu sous le sigle CROP, constitue habituellement un échantillon pour un sondage parmi la population adulte du Québec. Son échantillonnage est de type probabiliste, ce qui lui permet ensuite de généraliser avec plus d'assurance ses résultats à l'ensemble de la population. CROP recourt à l'échantillonnage stratifié. Il découpe le Québec en trois régions ou strates : le Montréal métropolitain, le Québec métropolitain et le reste du Québec. CROP se sert des annuaires téléphoniques de chacune de ces régions comme base de population. Un tirage systématique est fait dans ces annuaires. Comme il est impossible de prévoir qui va répondre au téléphone lors de l'enquête, et afin de donner une chance égale à chaque adulte du ménage ainsi joint d'être sélectionné, l'intervieweur dispose d'une grille de sélection ; il s'informe de la composition du ménage et précise, de façon rotative, à qui il veut s'adresser.

TIRAGE INFORMATISÉ Procédé probabiliste d'échantillonnage par lequel les nombres au hasard sont générés par programmation.

TIRAGE DE NOMBRES AU HASARD Tirage informatisé à partir d'une liste de chiffres aléatoires déjà publiée.

TRI À L'AVEUGLETTE Procédé non probabiliste d'échantillonnage basé sur la commodité d'accès.

TRI ORIENTÉ Procédé non probabiliste d'échantillonnage guidé par une certaine ressemblance avec la population à l'étude.

TRI DE VOLONTAIRES Procédé non probabiliste d'échantillonnage invitant des sujets à participer à une expérimentation.

Le tri de volontaires • Comme le terme l'indique, le **tri de volontaires**, utilisé uniquement en recherche expérimentale, fait appel à la collaboration des individus d'une population donnée pour qu'ils participent à une expérimentation. Il n'est pas possible de savoir quelles personnes se présenteront ni si elles seront représentatives de la population dont elles disent provenir. Il faut seulement espérer qu'elles ne s'éloignent pas trop des caractéristiques principales de la population à l'étude. La sollicitation des volontaires pourrait être faite de vive voix ou par le biais d'une annonce publiée dans un journal en leur demandant de se rendre à tel local, tel jour, à telle heure. Il est ainsi possible d'obtenir suffisamment de sujets pour les besoins de l'expérimentation.

TRI EXPERTISÉ Procédé non probabiliste d'échantillonnage dirigé par une ou des personnes donnant accès aux éléments de la population.

Le tri expertisé • Lorsque la population à étudier est délimitée mais que le moyen de l'atteindre n'est pas connu, il est possible d'avoir recours au **tri expertisé**. Il s'agit de faire appel à une ou plusieurs personnes qui connaissent le milieu en question ou à des experts. Ce peut être autant pour trouver des documents à analyser que pour entrer en contact avec des personnes. Par exemple, dans une recherche sur les enfants maltraités, il serait possible de s'adresser à une travailleuse sociale oeuvrant auprès de cette population d'enfants.

TRI BOULE DE NEIGE Procédé non probabiliste d'échantillonnage aidé d'un premier noyau d'individus de la population, lesquels conduisent à d'autres individus qui font de même, et ainsi de suite.

Le tri boule de neige • Le **tri boule de neige** consiste à utiliser quelques individus de la population à l'étude pour en sélectionner d'autres. Ce procédé est utilisé lorsque le milieu est peu connu ou qu'il est relativement fermé, ou encore lorsque la recherche porte sur un réseau d'influences. Par exemple, si la recherche porte sur des toxicomanes ou des présidentes-directrices générales d'entreprises, mais que seulement quelques personnes sont accessibles, il s'agit, dans un premier temps, de prendre contact avec ces personnes, puis de leur demander des noms de leurs semblables qui, à leur tour, peuvent fournir les noms d'autres personnes, et ainsi de suite jusqu'à ce qu'un nombre suffisant de cas soit réuni. L'échantillon grossit ainsi de plus en plus, comme une boule de neige qui roule, d'où l'expression qualifiant cette sorte de tri.

Les diverses possibilités d'échantillonnage et les façons de sélectionner les éléments de la population de recherche sont résumées dans le tableau 5.2. Il s'agit donc d'abord de choisir un type d'échantillonnage, probabiliste ou non probabiliste, puis une sorte d'échantillonnage parmi un éventail de trois possibilités pour chaque type. Pour ce qui est du procédé de sélection, il y a trois possibilités de tirage probabiliste et cinq possibilités de tri non probabiliste. La taille de l'échantillon est ensuite à déterminer. Ce qui importe,

Tableau 5.2	**Les choix à faire pour échantillonner**		
TYPES D'ÉCHANTILLONAGE	**SORTES D'ÉCHANTILLONNAGE**	**PROCÉDÉS DE SÉLECTION**	**TAILLE DE L'ÉCHANTILLON**
Échantillonnage probabiliste	Échantillonnage : – aléatoire simple, – stratifié, – en grappes.	Tirage : – manuel, – systématique, – informatisé.	Varie selon l'effectif de la population.
Échantillonnage non probabiliste	Échantillonnage : – accidentel, – typique, – par quotas.	Tri : – à l'aveuglette, – orienté, – de volontaires, – expertisé, – boule de neige.	Varie selon le nombre d'éléments nécessaires aux comparaisons à faire, ou jugés suffisants d'après le principe de la saturation des sources.

surtout, en procédant à ces divers choix, c'est de bien définir les critères qui délimitent la population de recherche dans le but de sélectionner un échantillon adéquat.

DÉTERMINER LA TAILLE DE L'ÉCHANTILLON

La taille d'un échantillon, c'est le nombre d'éléments devant faire partie de l'échantillon. Selon le type d'échantillonnage adopté, différents facteurs entrent en ligne de compte pour la déterminer.

La détermination probabiliste

Lorsque l'échantillonnage est probabiliste, la taille de l'échantillon est déterminée par des règles précises puisqu'elle dépend de l'application de certaines formules mathématiques (Trudel et Antonius 1991 ; Parent 2003). En s'inspirant de ces formules, voici des balises générales d'applicabilité selon l'effectif de la population.

- Avec un effectif de moins de 100 éléments, il vaut mieux se renseigner auprès de chacun ou auprès de 50 % d'entre eux au moins.

- Avec un effectif de quelques centaines à quelques milliers d'éléments, il est préférable de prendre une centaine d'éléments pour chaque strate constituée et, plus globalement, d'avoir 10 % de la population quand elle est composée de quelques milliers d'éléments.

- Avec un effectif de une ou quelques dizaines de milliers d'éléments, il n'y a pas lieu d'ajouter beaucoup de cas puisque 1 % de la population est suffisant. C'est encore plus vrai quand il s'agit de millions d'éléments, car le pourcentage nécessaire décroît abruptement. Pour prendre l'exemple de Voyer (1982), dans l'échantillonnage aléatoire des élèves du secondaire d'une commission scolaire comptant 30 000 jeunes, avec une précision mathématique de plus ou moins 5 %, il suffirait de prendre 379 élèves sur

Astuce

Vous hésitez devant toutes les possibilités d'échantillonnage ? Selon votre hypothèse de recherche et la méthode ou la technique que vous aurez retenue, évaluez les deux possibilités qui semblent le mieux convenir à la constitution de votre échantillon. Pesez le pour et le contre de chacune, puis consultez votre professeur pour faire votre choix définitif.

TAILLE D'UN ÉCHANTILLON Nombre d'éléments sélectionnés pour faire partie de l'échantillon.

Un exemple de choix d'échantillonnage

Dans une étude qui a marqué le Québec en démontrant la présence du sexisme dans les manuels scolaires, Lise Dunnigan explique comment les documents de l'échantillon ont été retenus. La population de manuels scolaires approuvés par le ministère de l'Éducation du Québec pour l'année 1974-1975, au primaire et au secondaire, comptait environ 1 000 titres.

« Les manuels anglais (125) et d'autres langues anciennes et vivantes (85) ont été rejetés à cause des problèmes qu'ils auraient posés.

Les manuels d'histoire (80) et de géographie (48) n'ont pas été codifiés

puisqu'ils traitent en général de personnages authentiques, et non pas fictifs.

Les oeuvres littéraires intégrales (67) ont été éliminées en partie à cause du temps de lecture qu'elles auraient exigé, et en partie à cause de la complexité des personnages qu'on y trouve et pour lesquels notre grille aurait été tout à fait inadaptée.

Les autres matières comptent donc environ 600 titres parmi lesquels bon nombre d'autres furent rejetés à cause de l'absence de contenu pertinent à l'analyse : dictionnaires, atlas, bibles, certains livres de grammaire, de sciences pures ou de mathématiques avancées, cahiers d'exercices, etc.

De plus, nous avons dû nous limiter aux manuels disponibles à la bibliothèque

centrale du gouvernement. En principe, la DGEES possède un exemplaire de tous les manuels approuvés, mais certains ayant été égarés, il se peut que des contenus intéressants aient échappé à l'analyse.

Bref, cette étude, à défaut d'être exhaustive, porte quand même sur un échantillon de 225 manuels, ce qui est amplement suffisant pour donner une image représentative de l'idéologie générale concernant les rôles sociaux liés au sexe de l'individu. »

LISE DUNNIGAN (1980). *Analyse des stéréotypes masculins et féminins dans les manuels scolaires au Québec* (p. 7). Québec, Gouvernement du Québec, Conseil du Statut de la femme.

À propos...

de la taille de l'échantillon pour un sondage

La taille de l'échantillon pour un sondage CROP couvrant le Québec est de quelque 1 600 individus, ou numéros de téléphone, en l'occurrence (voir « À propos de l'échantillonnage pour un sondage », page 109). Compte tenu que, pour diverses raisons, l'entrevue ne peut pas être menée à terme dans environ 38 % des cas, la taille de l'échantillon permet ainsi d'avoir suffisamment d'informateurs, soit autour de 1 000 personnes. D'un point de vue statistique, la marge d'erreur de l'échantillon se situe autour de 3 %, 19 fois sur 20. Lorsque les données ont été recueillies, elles sont pondérées selon les données de Statistique Canada en fonction des régions, du sexe et de la langue d'usage, de façon que chacune de ces caractéristiques ait dans l'échantillon le même poids que dans la population.

SATURATION DES SOURCES En recherche qualitative, le fait d'avoir atteint un nombre suffisant d'éléments pour constituer l'échantillon, grâce au caractère répétitif des informations recueillies.

les 30 000, soit 1,126 %. Pour constituer un échantillon parmi tous les élèves du secondaire au Québec, soit 1 200 000 élèves, il serait nécessaire de prendre seulement 5 élèves de plus, soit 384, ou 0,032 % de tous les élèves, et le même nombre suffirait pour constituer un échantillon de tous les élèves des écoles secondaires du Canada, soit 384 sur 6 000 000, ou 0,006 %. L'effectif en 2005 ne changerait pas sensiblement ces proportions.

Plus la population est grande, moins, proportionnellement, le pourcentage d'éléments nécessaires pour constituer un échantillon est élevé; il devient même inutile d'en grossir la taille quand une population atteint plus d'un million d'éléments. Voilà pourquoi les sondages nationaux sont si fréquents; ils n'exigent pas un échantillon composé de beaucoup plus d'individus qu'un sondage régional ou municipal pour que les résultats soient représentatifs de l'ensemble. Cependant, plus l'exigence de précision est grande, plus il faut augmenter la taille de l'échantillon. Ce serait le cas pour réduire la marge d'erreur d'échantillonnage de 5 % à 1 %, par exemple. En revanche, il ne faut pas tenter d'atteindre un niveau de confiance plus élevé que ce que commandent les résultats recherchés. De plus, s'il est nécessaire de créer des sous-groupes dans la population en vue de rassembler les éléments selon une ou quelques caractéristiques (âge, région, ethnie, revenu, etc.), il ne faut pas négliger d'augmenter la taille de l'échantillon en conséquence afin de s'assurer d'une représentation suffisante de chaque caractéristique pour pouvoir ensuite la décrire et la mettre en relation avec les autres caractéristiques ou variables.

La détermination non probabiliste

Pour déterminer la taille de l'échantillon à l'aide de l'échantillonnage non probabiliste, il suffit d'avoir un nombre d'éléments qui permettra par la suite de faire les comparaisons nécessaires. C'est la définition du problème, bien précisée, qui demeure le premier guide de détermination de l'échantillon non probabiliste et qui en fixe la taille. Si une enquête, par exemple, consiste à comparer statistiquement les caractéristiques des acheteurs de motocyclettes avec celles des acheteurs de bicyclettes, il faut s'informer auprès d'au moins une cinquantaine d'acheteurs de chaque catégorie. Cette quantité d'informateurs est indispensable pour recueillir suffisamment de données chiffrées permettant de constituer des tableaux complets. Par contre, s'il s'agit de connaître le vécu d'ex-détenus, une rencontre bien préparée avec quelques-uns peut suffire. De même, si l'objectif de recherche est d'examiner les divers points de vue sur les conséquences d'un projet gouvernemental, il peut suffire d'avoir un échantillon d'une taille égale au nombre de points de vue existants. Ces trois exemples montrent combien peut différer la taille des échantillons non probabilistes selon le problème de recherche. La taille dépasse rarement, cependant, quelques centaines d'unités, à moins de vouloir tenir compte de plusieurs caractéristiques ou variables parmi les éléments sélectionnés. À l'inverse, un cas bien choisi et justifié, comme l'étude d'une entreprise ou d'un organisme quelconque, ou même d'un seul individu observé assez longtemps, peut représenter qualitativement la population de recherche.

En recherche qualitative, la détermination définitive de la taille de l'échantillon s'achève en réalité au moment de la collecte des données. Cette détermination s'appuie sur le principe de la **saturation des sources**. Cela signifie qu'il faut arrêter la collecte auprès des éléments de la population dès qu'il est possible de prédire qu'il y aura répétition dans les informations recueillies. Les répétitions d'informations recueillies auprès d'éléments supplémentaires de la population n'ajouteraient en effet rien de plus à la compréhension du problème à l'étude, et leur cueillette se ferait au détriment du temps à consacrer ensuite à l'analyse. La taille de l'échantillon s'en trouve de ce fait réduite.

Pour conclure, mieux la population de recherche a été délimitée et plus celle-ci est accessible, plus nombreuses sont les possibilités de choix des éléments auprès desquels investiguer. Il ne s'agit pas pour autant de prendre plus d'éléments que l'exige la nature de la recherche. C'est en premier lieu à la lumière de la définition du problème de recherche que le choix doit se faire. La sélection des éléments de la population qui formeront l'échantillon doit être bien conçue, car il ne faut pas faire dire par la suite aux informations recueillies plus que ce que représente la source de ces informations. Il reste maintenant à savoir utiliser l'instrument de collecte de données qui servira à recueillir les informations nécessaires à la recherche auprès des éléments de l'échantillon. Ce sera l'objet du prochain chapitre.

Résumé

Tout problème de recherche amène à s'intéresser à un ensemble d'éléments, la **population** de recherche. Dans un premier temps, il faut bien préciser les critères qui définissent cette population. Le nombre des éléments qui la composent forme son **effectif**. En règle générale, en raison de contraintes de temps, de coûts et de commodité, il ne sera possible d'investiguer qu'auprès d'une partie de la population de recherche, l'**échantillon**, qui est constitué à l'aide de l'**échantillonnage**.

Il y a deux types d'échantillonnage : l'**échantillonnage probabiliste** et l'**échantillonnage non probabiliste**. L'échantillonnage probabiliste permet de calculer la probabilité de chacun des éléments d'être sélectionné pour faire partie de l'échantillon. Il s'agit de disposer d'une **base de population**, c'est-à-dire d'une liste des éléments composant la population, ne comportant ni omission ni répétition. Grâce à ce type d'échantillonnage, il est possible de constituer un échantillon qui, à l'intérieur d'une marge d'erreur évaluable, est représentatif de toute la population. L'échantillonnage non probabiliste a aussi une valeur certaine, mais il n'est pas possible d'estimer précisément le degré de **représentativité de l'échantillon** constitué de cette manière par rapport à la population dont il est extrait. Ce type d'échantillonnage est utilisé quand les objectifs d'une recherche ne sont pas principalement orientés vers la généralisation, mais vers l'exploration ou l'approfondissement de cas particuliers.

Il y a trois sortes d'échantillonnage probabiliste. Le plus élémentaire, qui se combine avec d'autres, est l'**échantillonnage aléatoire simple**. Il s'agit de procéder à un tirage au hasard, comme s'il s'agissait d'une loterie, parmi tous les numéros associés à chaque élément de la population. Avant de tirer au hasard, il peut apparaître important de s'assurer de la présence suffisante d'une ou de quelques catégories d'éléments dans l'échantillon ; il faut alors procéder à un **échantillonnage stratifié**, dans lequel des sous-groupes, ou strates, de la population sont créés. Un tirage aléatoire simple

MOTS CLÉS

▸ **Population**

▸ **Effectif**

▸ **Échantillon**

▸ **Échantillonnage**

▸ **Échantillonnage probabiliste**

▸ **Échantillonnage non probabiliste**

▸ **Base de population**

▸ **Représentativité de l'échantillon**

▸ **Échantillonnage aléatoire simple**

▸ **Échantillonnage stratifié**

▸ **Échantillonnage en grappes**

▸ **Tirage manuel**

▸ **Tirage systématique**

▸ **Tirage informatisé**

▸ **Tirage de nombres au hasard**

▸ **Échantillonnage accidentel**

▸ **Échantillonnage typique**

▸ **Échantillonnage par quotas**

▸ **Tri à l'aveuglette**

▸ **Tri orienté**

▸ **Tri de volontaires**

▸ **Tri expertisé**

▸ **Tri boule de neige**

▸ **Taille de l'échantillon**

▸ **Saturation des sources**

est ensuite fait à l'intérieur de chaque strate ainsi créée. Il est possible de faire un échantillonnage aléatoire sans connaître chaque élément de la population à l'aide de l'**échantillonnage en grappes**. Ce procédé consiste à définir des unités ou grappes regroupant ces éléments, puis à faire un tirage au hasard parmi ces grappes. Reste ensuite à choisir un procédé de sélection des éléments : **tirage manuel**, **tirage systématique**, en tirant un numéro à intervalles réguliers dans des regroupements d'éléments de la population, ou **tirage informatisé**, en générant des nombres par ordinateur (comme le **tirage de nombres au hasard**).

Il existe trois sortes d'échantillonnage non probabiliste. Le premier, l'**échantillonnage accidentel**, est celui qui présente le moins de contraintes ; il se fait d'abord et avant tout à la convenance du chercheur ou de la chercheuse, quand il n'est pas possible de faire mieux. Par ailleurs, si la recherche nécessite que les éléments à sélectionner soient exemplaires de la population à l'étude ou en soient l'image inversée, c'est l'**échantillonnage typique** qui est utilisé. La sélection est alors dirigée vers des éléments qui sont un modèle ou une synthèse des caractéristiques de la population à étudier. Il est aussi possible de procéder à un **échantillonnage par quotas** si la répartition des éléments de la population suivant certaines caractéristiques est connue et si l'échantillon doit refléter cette répartition. Il s'agit de fixer des proportions correspondant à celles de la population et il faut arrêter de prendre des éléments de telle ou telle catégorie lorsque le quota pour ces catégories est atteint. Reste ensuite à choisir un procédé de sélection des éléments qui sera soit le **tri à l'aveuglette**, dans lequel les éléments retenus sont ceux qui se présentent, soit le **tri orienté**, qui consiste à sélectionner les éléments qui semblent faire partie de la population, soit le **tri de volontaires**, en recrutant des éléments qui se portent eux-mêmes volontaires pour une expérimentation, soit le **tri expertisé**, dans lequel les éléments sont sélectionnés par l'entremise d'une ou de plusieurs personnes connaissant la population, soit le **tri boule de neige**, dans lequel des individus de la population en choisissent d'autres semblables à eux.

Le choix d'un type et d'une sorte d'échantillonnage doit d'abord être dicté par la définition du problème. Celle-ci peut même conduire à combiner plus d'un type et plus d'une sorte d'échantillonnage. Diverses combinaisons sont possibles, en effet, selon les moyens disponibles, le genre de population à l'étude et le traitement envisagé des données.

La **taille de l'échantillon**, c'est-à-dire le nombre d'éléments devant en faire partie, est fixée en considérant divers facteurs. Lorsqu'elle est déterminée à l'aide de l'échantillonnage non probabiliste, il s'agit de prendre un nombre suffisant d'éléments pour le genre de traitement de données à faire en tenant compte de la **saturation des sources**. Lorsque la taille de l'échantillon est établie à l'aide de l'échantillonnage probabiliste, il importe de respecter certaines règles pour s'assurer d'un degré suffisant de représentativité de l'échantillon. Plus la recherche exige de faire ressortir diverses caractéristiques de la population, plus il faut augmenter en conséquence la taille de l'échantillon.

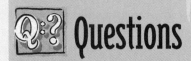

Questions

1. Quels sont les deux types d'échantillonnage et qu'est-ce qui les distingue ?

2. Quelles sont les trois sortes d'échantillonnage probabiliste et qu'est-ce qui les distingue ?

3. Quelles sont les trois sortes d'échantillonnage non probabiliste et qu'est-ce qui les distingue ?

4. Comment un tirage probabiliste ou au hasard se fait-il ? Exposez brièvement les différentes façons de faire.

5. Comment un tri non probabiliste ou par hasard se fait-il ? Exposez brièvement les différentes façons de faire.

6. Comment la taille d'un échantillonnage probabiliste est-elle déterminée par rapport à celle d'un échantillonnage non probabiliste ?

QUESTIONS D'APPLICATION

7. Quel type d'échantillonnage et quelle sorte d'échantillonnage ont pu être utilisés dans les sept exemples ci-dessous ? Justifiez vos réponses séparément quant au type et à la sorte d'échantillonnage dans chaque exemple.

   a) Une équipe de chercheuses fait un sondage d'opinion auprès des citoyens d'une municipalité. Elles établissent un échantillon en divisant la carte de la ville en secteurs numérotés (chaque secteur représentant un quadrilatère d'environ quatre rues). Elles tirent ensuite au hasard les secteurs où se fera l'enquête, puis elles se rendent aux adresses ainsi sélectionnées.

   b) Vous obtenez la liste de tous les étudiants et étudiantes de votre collège, sans omission et sans répétition. Vous divisez cette liste en deux groupes : le groupe du secteur pré-universitaire et celui du secteur technique. Dans chaque groupe, vous prenez au hasard un nombre égal d'étudiants.

   c) Des briqueleurs ont décidé d'enquêter sur les risques d'accident dans leur métier. Pour ce faire, dans leurs journées de congé, ils vont rencontrer quelques camarades demeurant à proximité de leur résidence.

   d) Lors d'une enquête sur les loisirs des jeunes dans une municipalité, les enquêteuses décident de rencontrer une centaine d'entre eux. Elles se concentrent, en proportion égale, sur des jeunes qui ne pratiquent que des sports individuels et sur d'autres qui ne pratiquent que des sports collectifs, en les considérant comme des modèles particuliers de comportements.

   e) Une organisation charitable décide d'enquêter sur ses bénévoles. Elle en interviewe un certain nombre pris au hasard parmi la liste complète de ceux-ci.

   f) Pour connaître les habitudes télévisuelles d'une population, des chercheurs décident de rencontrer des personnes de diverses classes d'âge en proportion de leur importance relative dans cette population. Ils arrêtent d'en prendre dans tel groupe d'âge particulier quand ils en ont le même pourcentage que dans la population.

   g) Des chercheuses veulent faire une recherche sur les argumentations liées au problème de l'avortement. Elles recueillent toute la documentation écrite existant sur la question. Elles obtiennent ainsi plusieurs centaines de prises de position. Dans un premier temps, elles divisent ces prises de position en trois catégories nettement distinctes : les pro-avortements sans réserve, les pro-avortements à certaines conditions et les anti-avortements. En deuxième lieu, elles tirent au hasard, à l'intérieur de chacune de ces trois catégories, un certain nombre de textes à analyser.

8. La participation d'un étudiant à la collecte des données de son équipe est d'enquêter auprès de ses pairs dans un groupe-cours. N'importe quel groupe faisait l'affaire, étant donné le type et la sorte d'échantillonnage retenus par son équipe. Une étudiante d'une autre équipe enquête, elle aussi, dans un groupe-cours. Avant de sélectionner ce groupe, l'équipe a numéroté tous les groupes-cours, les a réunis en paquets de 10, puis a pigé un numéro entre 1 et 10, tirant le numéro 4 ; l'étudiante enquête justement dans le quatrième d'un de ces groupes. Quel procédé de sélection l'étudiant a-t-il utilisé ? Quel procédé de sélection l'étudiante a-t-elle utilisé ? Justifiez votre réponse dans chaque cas.

9. Si, en utilisant l'échantillonnage de type probabiliste dans une population de 10 000 éléments, un chercheur prélève un échantillon de 1 000 éléments, doit-il multiplier cette taille par 10 si la population est de 100 000 éléments? Justifiez votre réponse.

QUESTION D'INTÉGRATION

10. La propriétaire d'un terrain de camping de 1 000 emplacements décide d'enquêter sur la satisfaction des locataires de ces emplacements. Le nom de chaque locataire figure sur des fiches numérotées. La propriétaire ne veut pas se renseigner auprès de tout le monde, étant donné le temps requis et les coûts que cela engendrerait. Elle pense aux trois scénarios suivants pour prélever un échantillon.

Scénario 1. La propriétaire mettrait les 1 000 numéros correspondant aux fiches dans une boîte et en tirerait 200, puis elle irait rencontrer les locataires sélectionnés.

Scénario 2. Comme le locataire attitré de chaque emplacement a rempli un bail différent selon qu'il s'installait avec une roulotte, une tente-roulotte ou une tente, la propriétaire présume que chaque type de campeurs, ayant besoin de services particuliers, doit avoir un degré de satisfaction différent de celui des autres. Elle séparerait donc ses locataires en trois paquets et, à l'aide d'un petit programme informatique qui génère des nombres au hasard, pigerait des numéros dans chaque paquet.

Scénario 3. Sachant que 50 % de ses campeurs occupent des roulottes, 35 % des tentes-roulottes et 15 % des tentes, la propriétaire ferait remplir 200 questionnaires dans les mêmes proportions, en les distribuant au gré de ses rencontres sur chaque type d'emplacement.

a) Dans le scénario 1, quel type d'échantillonnage la propriétaire ferait-elle? Justifiez votre réponse.

b) Dans le scénario 1, quelle sorte d'échantillonnage la propriétaire ferait-elle? Justifiez votre réponse.

c) Dans le scénario 1, quel procédé de tirage la propriétaire adopterait-elle? Justifiez votre réponse.

d) Dans le scénario 1, la taille de l'échantillon mentionnée serait-elle suffisante? Justifiez votre réponse.

e) Dans le scénario 2, quel type d'échantillonnage la propriétaire ferait-elle? Justifiez votre réponse.

f) Dans le scénario 2, quelle sorte d'échantillonnage la propriétaire ferait-elle? Justifiez votre réponse.

g) Dans le scénario 2, quel procédé de tirage la propriétaire adopterait-elle? Justifiez votre réponse.

h) Dans le scénario 3, quel type d'échantillonnage la propriétaire ferait-elle? Justifiez votre réponse.

i) Dans le scénario 3, quelle sorte d'échantillonnage la propriétaire ferait-elle? Justifiez votre réponse.

j) Dans le scénario 3, quel procédé de tri la propriétaire adopterait-elle? Justifiez votre réponse.

Chapitre 6

Utiliser un instrument de collecte de données

 Objectifs

Après la lecture de ce chapitre, vous devriez pouvoir :

- préciser les précautions à prendre avec les informateurs et pour le travail sur des documents ;
- manier convenablement l'instrument de collecte construit ;
- dire pourquoi il faut planifier la collecte.

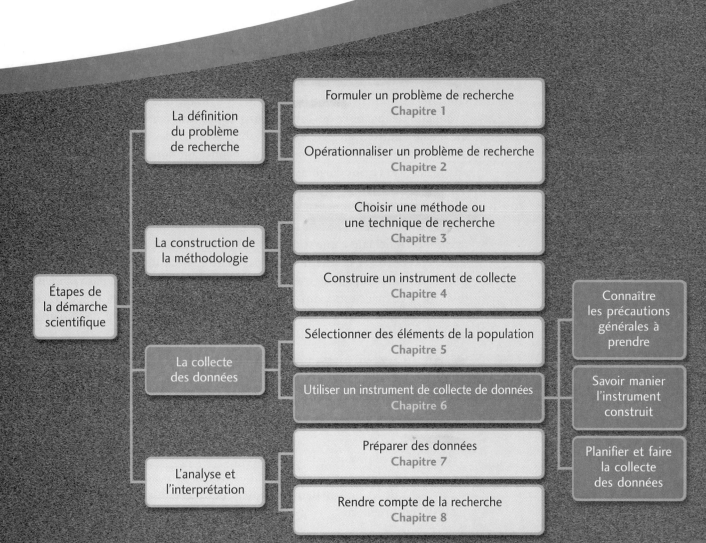

Vous venez de sélectionner les éléments de votre population de recherche, vous êtes maintenant sur le point de les rencontrer s'il s'agit d'informateurs ou de les examiner en profondeur s'il s'agit de documents. Vous avez, pour ce faire, construit un instrument de collecte de données. Avant de vous lancer dans cette collecte, il vous faut d'abord connaître les précautions générales à prendre pour que vous la réussissiez, qu'il s'agisse de la relation avec les informateurs ou du travail sur des documents. Il faut vous assurer ensuite de savoir manier l'instrument construit : savoir, selon le cas, observer, interviewer, questionner, expérimenter, prélever des données dans des documents non chiffrés ou chiffrés. Il vous faudra enfin planifier le temps requis pour faire la collecte.

CONNAÎTRE LES PRÉCAUTIONS GÉNÉRALES À PRENDRE

Quel que soit l'instrument de collecte utilisé, il faut développer certaines qualités afin de pouvoir recueillir des données irremplaçables, inédites. Il faut en effet de la vigilance, de l'ouverture d'esprit aussi bien à l'attendu qu'à l'inattendu, de l'objectivité et une grande intégrité. En d'autres mots, il faut faire preuve de professionnalisme pour mener à bien la collecte des données. Ce professionnalisme doit se manifester à tous les moments de la collecte, que ce soit dans le respect des personnes, dans le traitement égal de chacune, dans le relevé exact d'une observation ou dans l'évaluation d'un document.

Le contact avec des informateurs

Si vous avez opté pour une méthode ou une technique directe d'investigation, vous allez entrer en contact avec des informateurs. Cela ne peut pas se faire n'importe comment, sans préparation, en pensant que les choses se dérouleront pour le mieux, ce qui reviendrait à ne pas tenir compte des interactions, inévitables, entre deux personnes. Avant d'aborder des personnes pour leur demander de collaborer à la recherche, il vous faut donc penser au préalable aux meilleures façons d'agir avec elles, car **de la qualité de la relation établie dépend la qualité des données qui seront recueillies**. L'attitude adoptée au moment de la rencontre avec des informateurs ou des sujets d'expérience a en effet une influence directe sur la qualité des informations recueillies. Une personne participant à une recherche collabore d'autant mieux qu'elle se sent estimée, écoutée, et qu'elle ne peut pas mettre en doute votre intégrité. Les gens ne se confient pas, par exemple, à quelqu'un qui ne semble pas vraiment intéressé à ce qu'ils ont à dire. De même, si vous vous montrez pressés d'en finir, l'informateur ne s'efforcera pas de nuancer ses propos ni de s'assurer qu'il a dit tout ce qu'il voulait dire.

Quatre précautions sont à prendre pour assurer votre réussite dans l'utilisation d'un instrument de collecte de données lorsque vous avez opté pour une méthode ou une technique d'investigation directe.

Une première précaution concerne la prise des dispositions préalables suivantes :
• choisir un lieu propice à la rencontre ;
• s'assurer que les informateurs soient libérés de leurs activités habituelles ;
• s'assurer que les informateurs acceptent de vous consacrer le temps nécessaire pour la collecte.

La seule exception à ces dispositions touche l'observation en situation. Dans ce cas, il s'agit plutôt d'obtenir un endroit d'observation adéquat d'où vous ne perturberez pas les activités coutumières des personnes observées.

Une deuxième précaution concerne le climat de confiance à établir avec chacun des informateurs en manifestant les aptitudes suivantes :
- écouter chaque informateur attentivement ;
- montrer clairement l'intérêt qui lui est porté ;
- lui faire sentir que vous comprenez la situation dans laquelle il est placé.

Une troisième précaution concerne les conditions environnementales à créer, qui doivent être similaires pour tous les informateurs, à savoir :
- donner les mêmes consignes à tous ;
- n'admettre aucune personne extérieure à la recherche ;
- ne pas mettre en contact les informateurs, à moins que la recherche l'exige ;
- s'assurer que tous les membres de l'équipe agissent de la même façon.

Une quatrième précaution concerne votre engagement à respecter l'éthique scientifique en vigueur en sciences humaines. À la demande de l'institution concernée ou de votre professeur, ou même de votre propre initiative, il y a lieu de prendre un engagement écrit vis-à-vis des participants à la recherche. Le texte à rédiger à cet effet peut prendre modèle sur celui qui apparaît dans la figure 6.1.

La nécessité d'un tel protocole (règles ou manières de faire) a été présentée en introduction à cet ouvrage dans la section « L'éthique de la recherche scientifique ». Si jamais les sujets subissaient des torts, il faudrait immédiatement cesser la recherche et ne la reprendre qu'à la condition d'avoir éliminé la ou les causes de ces préjudices.

Figure 6.1   Un protocole éthique de recherche en sciences humaines

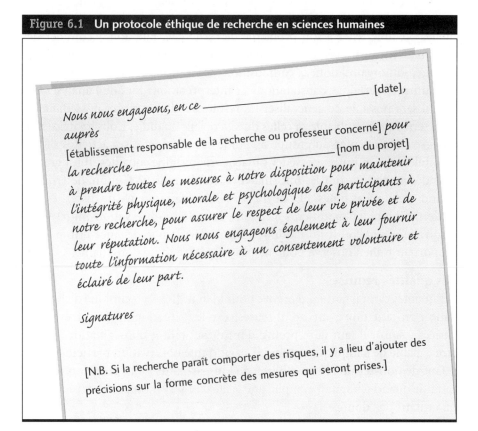

Nous nous engageons, en ce _____ [date], auprès [établissement responsable de la recherche ou professeur concerné] pour la recherche _____ [nom du projet] à prendre toutes les mesures à notre disposition pour maintenir l'intégrité physique, morale et psychologique des participants à notre recherche, pour assurer le respect de leur vie privée et de leur réputation. Nous nous engageons également à leur fournir toute l'information nécessaire à un consentement volontaire et éclairé de leur part.

signatures

[N.B. Si la recherche paraît comporter des risques, il y a lieu d'ajouter des précisions sur la forme concrète des mesures qui seront prises.]

Le travail sur des documents

Si vous avez opté pour une méthode ou une technique indirecte d'investigation, trois précautions sont à prendre pour assurer votre réussite dans l'utilisation d'un instrument de collecte pour prélever des données dans des documents :

- il faut vous assurer d'avoir tous les documents en mains ; si vous devez vous rendre dans un lieu particulier pour avoir accès aux documents dans lesquels vous allez prélever les données, il est important de connaître précisément les jours et les heures d'ouverture de cet endroit ;
- sur place, il est judicieux de rappeler à la personne responsable de la documentation sur laquelle vous travaillez la nature de votre recherche ; toute l'aide nécessaire pourra ainsi vous être fournie ;
- dans un travail en équipe, il faut vous assurer d'avoir une compréhension commune de ce qu'il y a à prélever ; expliciter aux autres, à tour de rôle, votre compréhension est par conséquent une précaution non négligeable.

SAVOIR MANIER L'INSTRUMENT CONSTRUIT

Le maniement de chacun des six instruments de collecte de données exige une certaine dextérité qui sera précisée, selon le cas, sous forme de qualités requises ou de façons de faire pour y arriver dans les sections suivantes. Chaque instrument possède de plus ses caractéristiques propres selon la technique ou la méthode de recherche à laquelle il se rattache et commande donc des conseils particuliers d'utilisation. Grâce à ces informations et à ces conseils, vous serez mieux à même d'utiliser l'instrument de collecte de données que vous avez construit.

Savoir observer

L'observatrice aura d'autant plus d'assurance qu'elle aura conscience de tous les aspects de son travail, qui consiste à prendre en note le plus de phénomènes possible reliés à son problème de recherche. Elle doit accumuler des informations sur toutes sortes d'aspects concernant le site, que ce soit sur son histoire, son organisation, sa composition ; ces informations pourront éclairer et confirmer certaines constatations et interprétations lors de l'analyse. Dès lors, il sera possible de généraliser les résultats à d'autres sites possédant des caractéristiques semblables à celles du site qu'elle a étudié. L'observatrice doit aussi se faire accepter du groupe à l'étude et participer à ses activités s'il y a lieu. Elle doit, en outre, posséder ou acquérir certaines qualités. Il lui faut de plus découvrir qui sont les informateurs clés du milieu et, enfin, déterminer quand prendre des notes. Elle devra par ailleurs faire preuve de discernement et de flexibilité, et modifier, s'il le faut, le cadre d'observation initial selon ce qu'elle observera. Il lui faudra enfin maintenir une distance critique par rapport au milieu observé pour ne pas en perdre toute l'originalité.

Les qualités requises

Les qualités dont il faut faire preuve pour bien utiliser la technique de l'observation en situation sont nombreuses, car les situations peuvent être très variées : tantôt il faut faire preuve d'intuition, tantôt d'imagination ; il faut être capable de s'impliquer quand il s'agit d'une observation participante ; et il faut démontrer de l'impassibilité, de l'impartialité, de la précision et de la minutie quand il s'agit de remplir une grille d'observation pour un traitement quantitatif des données.

Astuce

Pour ne pas perdre de vue l'originalité de ce que vous observez ou pour éviter que le site ne vous devienne trop familier, essayez de garder une distance critique par rapport au milieu. Voici un antidote efficace : racontez à une autre personne ce que vous avez vu pour provoquer des réactions chez elle et soulever ses questions critiques. Ou encore, absentez-vous quelques jours, au milieu de l'enquête, si c'est possible. Vous allez ainsi recréer la distance nécessaire pour mieux voir. Vous pouvez aussi, tout en restant sur place, vous retirer à l'écart pour faire l'examen des faits et gestes que vous aurez consignés. En un mot, ne vous laissez pas devenir indifférent ou indifférente à certaines manifestations.

En outre, la personne qui observe doit être consciente de ses manières d'être habituelles pour pouvoir s'en servir ou les atténuer, selon le cas. Ainsi, une personne qui inspire facilement confiance ne doit pas modifier son attitude, alors que celle qui paraît évasive ou secrète doit s'efforcer de dissiper tout malentendu. Il y a donc un travail de réflexion à faire sur soi-même avant l'observation. Il est bon de se présenter simplement comme quelqu'un qui s'intéresse aux autres et qui veut connaître ses semblables, sans aucune arrière-pensée. Il ne faut pas prendre parti pour tel membre ou tel sous-groupe du milieu, mais demeurer neutre. Il s'agit aussi de faire preuve d'ouverture, de sympathie, sans exprimer d'opinions préconçues et sans faire étalage de ses connaissances. Les personnes observées ne peuvent qu'apprécier une telle attitude; dès lors, l'anxiété diminue de part et d'autre et une collaboration facile s'installe.

Le maniement adéquat du cadre d'observation a donc des exigences allant au-delà du simple constat sur le terrain, et bien utiliser l'instrument nécessite un engagement total. De plus, si le groupe est photographié ou filmé, il faut le faire discrètement, de manière à ne pas perturber la situation.

Des informateurs clés

La collaboration du groupe est plus facile à obtenir si l'observatrice gagne la confiance des **informateurs clés**, c'est-à-dire les personnes les plus écoutées dans le groupe. C'est donc surtout à elles qu'il y a lieu d'expliquer la recherche afin que le groupe accepte de participer à la recherche et s'y intéresse. Les informateurs clés peuvent être repérés :

- en s'informant de la position que chacun occupe dans le groupe ;
- en portant attention à ceux que les uns et les autres consultent ;
- en recherchant ceux qui connaissent davantage leur milieu ;
- en cherchant la source des résistances, s'il y a lieu.

Comme les informateurs clés exercent un certain pouvoir sur le groupe, une approche manquée avec l'un d'eux pourrait exclure l'observatrice de tout un pan de la réalité significative du milieu. Certains autres informateurs, tout en n'occupant pas de position stratégique, peuvent par ailleurs avoir acquis une compétence dans la connaissance du milieu très utile à l'observatrice. Une bonne relation avec ces personnes clés facilite le travail d'observation. De plus, parce que celles-ci auront rassuré les autres membres du groupe, le risque qu'ils se comportent différemment qu'à l'accoutumée est moindre.

La prise de notes

Avant d'aller sur le terrain, l'observatrice doit s'assurer de bien connaître son cadre d'observation afin de pouvoir concentrer son attention sur la notation des faits et gestes qui sont en rapport avec les rubriques préalablement retenues. Si elle utilise un **cahier de bord**, elle le remplit sur place si possible, pour autant que cela n'incommode aucunement les gens observés et que ce travail ne nuise pas à l'observation même, sinon il ne faut pas tenter de rédiger sur place. Il faut cependant le faire le plus tôt possible après la séance d'observation, de préférence dans la même journée, pour ne rien perdre de toute la richesse de ce qui a pu être saisi de la situation observée. Si l'outil de collecte est une **grille d'observation**, il faut trouver le moyen de le faire sur place, car c'est une condition indispensable à la prise de notes précises.

Afin de ne rien oublier d'important, préparez une liste de ce que vous devriez dire dans votre présentation du sujet de recherche, puis exercez-vous.

INFORMATEUR CLÉ Personne connaissant le milieu observé et exerçant une certaine influence sur lui.

Si vous travaillez en équipe à l'observation d'un groupe, réunissez-vous tout de suite après vos premières séances d'observation pour comparer vos notes. Vous éviterez ainsi que l'un ou l'autre soit obnubilé par son seul point de vue et vous pourrez réorienter le tir s'il y a lieu. Vous vous assurerez ainsi de recueillir les informations indispensables.

Cependant, s'il s'agit de noter un jugement sur ce qui est observé, il peut être plus judicieux d'attendre un certain temps, parfois même quelques heures avant d'inscrire quoi que ce soit. De même faut-il attendre souvent avant de commencer à prendre des notes que la période d'acclimatation soit passée, c'est-à-dire que les participants soient revenus à leur façon habituelle d'agir, oubliant qu'ils sont observés. La vigilance est en outre toujours de mise pour ne pas négliger de noter certaines observations même si elles ne paraissent pas importantes de prime abord, pour autant qu'elles ont un rapport avec le problème de recherche. Ainsi, idées préconçues ou préjugés ne prendront pas le dessus sur les informations à prélever.

Savoir interviewer

Pour réussir à interviewer quelqu'un, il faut lui en avoir fait la demande au préalable; du soin apporté à ce premier contact peut dépendre la bonne marche de l'entrevue qui va suivre. Les qualités requises pour diriger l'entrevue sont celles qui favorisent l'expression la plus libre possible de la personne interviewée. Enfin, la maîtrise du schéma d'entrevue est indispensable pour mener correctement l'entretien jusqu'au bout.

Le contact préalable

Le premier contact avec l'informateur potentiel est très important. Il ne s'agit pas d'un simple échange de propos formel, froid et détaché entre futur intervieweur et futur interviewé, mais de l'établissement d'une première relation qui doit intéresser l'informateur et lui donner le goût de parler avec la personne qui le sollicite et de vraiment livrer par la suite une partie de lui-même. L'intervieweur doit évidemment tenir compte du «rituel» ou des conventions sociales propres aux gens de cultures autres que la sienne (Blanchet et coll. 1987). En fait, si l'intervieweur n'a pas porté suffisamment attention à

Astuce

Faites un essai sur bande vidéo pour vous voir en train d'interviewer, puis commentez cet essai avec les autres membres de l'équipe. Ainsi, vous vous connaîtrez tous mieux, vous apprendrez, vous pourrez corriger vos attitudes et vous vous encouragerez!

Un exemple de notation du contexte d'entrevue

En rapportant un entretien qu'il a eu avec une personne atteinte d'aphasie (trouble du langage causé par une lésion cérébrale), le psychologue Howard Gardner en a aussi précisé le contexte. La description du contexte est indiquée par les caractères en italique.

«GARDNER : J'ai demandé à Monsieur Ford ce qu'il faisait avant d'être admis à l'hôpital.

FORD : Je suis opé... non... heu, bien..., encore.

Il prononça ces mots doucement, avec beaucoup d'efforts. Les sons n'étaient pas bien articulés; il énonçait chaque syllabe d'une voix dure, forte et gutturale. Avec de

l'entraînement, on parvint à le comprendre, mais j'ai eu beaucoup de difficultés au début [...].

GARDNER : Et rentrez-vous à la maison pour le week-end?

FORD : Oui, bien sûr... jeudi, euh... non, vendredi... Bar-ba-ra... femme... et, oh, voiture... conduire... vous savez... repos... et... télé-vision

GARDNER : Pouvez-vous tout comprendre à la télévision?

FORD : Oh, oui, oui, oui... euh... presque tout.

Ford eut un petit sourire.»

HOWARD GARDNER (1974). *The shattered mind : The person after brain damage* (p. 61-62). New York, Vintage Books. Cité par M. F. BEAR, B. W. CONNORS et M. A. PARADISO (1997). *Neurosciences : à la découverte du cerveau* (p. 583). Paris, Éditions Pradel.

ce premier contact, en face-à-face ou par téléphone, l'informateur pourra être réticent à se faire interviewer ou manifester un sentiment d'agacement dès le début de l'entrevue, ce qui nuirait à son déroulement. Ce premier contact amène les interlocuteurs à s'évaluer l'un l'autre, et, selon que l'impression qui s'en dégage est bonne, tiède ou mauvaise, l'entrevue à venir sera déjà sur une lancée. L'intervieweur doit d'abord être convaincu lui-même de l'intérêt d'une telle rencontre et de la satisfaction qu'elle lui procurera, ce qui lui permettra de communiquer son enthousiasme à son interlocuteur. Dès ce premier contact, il peut être pertinent de parler de l'usage nécessaire du magnétophone, mais, en règle générale, l'intervieweur peut attendre le moment de l'entrevue même. Exceptionnellement, si une personne hésite à laisser enregistrer ses propos, l'intervieweur peut lui proposer d'effacer la bande devant elle à la fin de l'entrevue, en espérant que ses inquiétudes s'estomperont d'ici là.

Pour joindre les personnes possédant les caractéristiques de la population délimitée, il faut d'abord établir l'admissibilité de celles qui sont sollicitées à l'aide de questions factuelles. Celles-ci apparaissent avant le schéma d'entrevue ou sur une feuille indépendante. Cette procédure évite une perte de temps précieux de part et d'autre puisqu'elle permet de savoir immédiatement qui est admissible ou non.

Les qualités requises

Il faut d'abord inspirer confiance. Pour inspirer confiance l'intervieweur doit adopter un comportement poli, aimable. Il doit paraître sûr de lui mais sans ostentation. Il ne faut pas non plus prendre un air supérieur, ou placer l'informateur dans une situation d'infériorité en s'asseyant derrière un gros bureau, ou encore accentuer les différences de position sociale. La confiance s'inspire également par la façon d'aborder les sujets et par le sérieux avec lequel l'intervieweur accomplit son travail.

L'intervieweur doit aussi démontrer une ouverture à l'autre et se garder de ses propres préjugés. L'informateur doit sentir qu'il peut tout dire sans se heurter à une attitude moralisatrice et sans avoir l'impression que l'intervieweur cherche à juger ses propos. Pour ce faire, il faut montrer de l'intérêt pour ce que l'informateur dit, non dans le but de l'approuver ou de le désapprouver, mais pour bien lui faire sentir que tout ce qu'il dit a de l'importance et est pris au sérieux. En bref, l'informateur doit avoir l'impression qu'il est écouté, dans le plein sens du terme. Lorsque les propos de ce dernier sont particulièrement importants ou complexes, l'intervieweur peut les reformuler pour montrer encore plus son intérêt ou pour s'assurer de les avoir bien compris. Pour avoir recours à la reformulation, qui peut être introduite de la façon suivante : «Si j'ai bien compris, vous…», il faut savoir résumer clairement les propos.

L'intervieweur doit en outre se connaître suffisamment pour que ses gestes, ses paroles ou son humeur ne nuisent pas à l'expression de l'informateur. La maîtrise de soi est essentielle à cet égard. Il ne faut pas se laisser distraire par le décor, par la fatigue ou par ses propres pensées. L'informateur risque d'interpréter la distraction, volontaire ou non, de son vis-à-vis comme un manque d'intérêt pour ses propos, ce qui peut nuire à la suite de l'entretien.

Il est important aussi de faire preuve d'empathie, une qualité qui englobe probablement toutes les autres. L'empathie est la capacité de se mettre à la place de la personne interviewée et de ressentir ce qu'elle-même peut ressentir. Cette qualité permet de prévoir les réactions de l'autre et de prévenir les mauvais effets d'une réaction à retardement. L'empathie peut conduire à rassurer, à sympathiser, à manifester de la compréhension, assurant ainsi les conditions les plus favorables à l'expression des pensées, des sentiments et des croyances, dans la plus grande liberté possible.

Cette empathie doit s'exercer tout particulièrement dans deux situations. L'une concerne la capacité d'accueillir les silences de l'autre. Un silence, à un moment ou à un autre de l'entretien, est tout à fait normal. L'informateur peut être à la recherche d'un mot pour terminer une phrase, prendre un moment de réflexion avant de répondre, étudier la réaction de son interlocuteur pour vérifier s'il a été compris avant de poursuivre, et ainsi de suite. Dans ce cas, l'intervieweur ne doit surtout pas se précipiter pour parler, passer à une autre question ou reformuler la même question. Ce serait manifester un manque de sensibilité à l'égard de l'autre. Comme l'informateur doit faire un effort de mémorisation ou de formulation, il faut lui laisser le temps de l'accomplir. **Le silence peut devenir un allié si l'intervieweur sait lui faire de la place**.

L'autre situation où l'empathie joue un rôle essentiel concerne la fin de l'entrevue. Il est important de soigner la façon de terminer l'entretien. Si l'intervieweur a le moindrement réussi à créer le climat d'intimité propre à un échange profond, il ne doit pas y mettre fin brusquement, sans égard pour le témoignage que l'informateur a bien voulu donner, lequel n'a pas été nécessairement facile à livrer. Il faut non seulement témoigner sa reconnaissance à l'informateur en le remerciant, car il ne faut jamais oublier que c'est d'abord lui qui rend service et non l'inverse, mais aussi le préparer à la fin de l'entrevue. Ce peut être en l'annonçant préalablement ou en donnant des indices non verbaux (par exemple, en tournant lentement le schéma à l'envers ou en soulevant sa serviette). L'informateur voit ainsi venir la fin de l'entrevue.

Les derniers moments d'un entretien sont susceptibles d'apporter des informations capitales pour la recherche. D'abord, il peut être utile de rappeler les sujets traités pour demander à l'informateur s'il n'a pas autre chose à ajouter sur l'un ou sur l'autre. Des points d'intérêt négligés peuvent alors ressortir. Aussi, comme en recherche qualitative les interprétations des informateurs sont prises en grande considération, il y a lieu de demander à l'informateur comment il a vécu l'entrevue, ce qui lui a été facile ou difficile à exprimer. Ainsi, de riches informations peuvent être recueillies pour l'analyse subséquente tout en fournissant une autre source de satisfaction à l'informateur puisqu'il s'agit d'une autre façon de lui manifester de l'intérêt. Enfin, ces derniers moments peuvent parfois, en dissipant les craintes ou préjugés de l'informateur au sujet de son interlocuteur, l'amener à ajouter des propos qui éclairent sous un jour nouveau toute l'entrevue ou à exprimer des choses qu'il n'avait pas osé dire précédemment.

La maîtrise du schéma

Il est nécessaire de connaître à fond le schéma d'entrevue afin de n'avoir à y jeter un coup d'œil que de temps en temps pendant l'entrevue. Cette connaissance du schéma permet :

- de vérifier si l'informateur, en répondant à une question générale, répond en même temps à une des sous-questions ; si c'est le cas, il ne faut pas la lui poser par la suite, car il pourrait penser que l'intervieweur ne l'écoute pas vraiment ; il convient de cocher cette sous-question sur le schéma d'entrevue ;

- de vérifier si l'informateur est passé de lui-même à un autre thème du schéma ; tout en le laissant continuer, il ne faut pas oublier de le ramener ensuite au sujet précédent s'il reste des sous-questions à lui poser ;

- de ne pas perdre le fil conducteur de la démarche d'entrevue prévue.

S'il connaît bien son schéma, l'intervieweur est plus disponible non seulement pour écouter ce que dit l'interviewé, mais aussi pour observer son visage, ses mimiques ou son comportement en général, bref, tout son langage non verbal. Après l'entrevue, il y a lieu de noter, pour le compte rendu de la collecte, les manifestations de ce langage non verbal, informations qui peuvent se révéler très utiles au moment de l'analyse de l'entrevue. Si deux personnes rencontrent l'informateur ensemble, elles peuvent se répartir la tâche, l'une s'occupant essentiellement de poser les questions et de suivre la conversation, l'autre se chargeant des aspects techniques, comme de faire fonctionner le magnétophone et d'observer le langage non verbal de l'informateur.

Après une première entrevue, si des ajustements semblent nécessaires pour mieux répondre au problème de recherche ou mieux se faire comprendre de l'informateur suivant, il vaut mieux les faire. S'il s'agit d'une recherche en équipe, les changements doivent faire l'objet d'un consensus et non être décidés individuellement.

Savoir questionner

Le questionnaire exige des qualités particulières de l'enquêteuse non seulement parce que, en raison du caractère directif de cet instrument, il n'est pas permis de s'en écarter, mais également parce qu'il peut prendre une forme interview ou autoadministrée. Par ailleurs, il peut être distribué et administré de différentes manières.

Les qualités requises

La plupart des qualités requises de l'intervieweur s'appliquent à l'enquêteuse quand elle administre un questionnaire-interview. La maîtrise du formulaire de questions doit être quasi parfaite, car les questions défilent rapidement, les réponses demandées étant brèves. Tout en notant une réponse, il faut déjà se préparer à poser la question suivante pour ne pas impatienter l'informateur. **Les questions doivent être posées calmement, distinctement et textuellement**. L'enquêteuse n'a pas la liberté, comme dans l'entrevue de recherche, de reformuler autrement une question incomprise ; elle peut tout au plus la répéter ou donner une explication sommaire, sans déformation. En effet, pour que les réponses soient comparables, les questions doivent être exactement les mêmes d'un informateur à l'autre. Le choix des réponses proposées pour chaque question doit lui aussi être lu calmement, distinctement et textuellement. **Si le questionnaire compte quelques questions ouvertes, les réponses doivent être transcrites mot à mot**. Enfin, il est bon de revoir l'ensemble du formulaire avant de clore l'interview pour vérifier si une question ou une réponse n'ont pas été oubliées.

Le questionnaire exige des qualités particulières de l'enquêteuse.

CONSTANCE D'UN INSTRUMENT DE COLLECTE Qualité d'une recherche assurée par le fait que l'instrument de collecte a été utilisé de la même façon tout au long de la collecte.

Si l'enquête est menée par téléphone, pour un sondage par exemple, il faut s'assurer que l'informateur suit bien et que son intérêt est maintenu afin qu'il ne raccroche pas précipitamment. L'enquêteuse peut lui demander à quelques occasions : «Est-ce que ça va?» ou «Préférez-vous que j'aille plus lentement?» selon la perception qu'elle a de l'informateur.

S'il s'agit d'un questionnaire autoadministré, sa présentation orale doit être claire, succincte et textuellement identique à celle qui apparaît sur le formulaire, car le message doit être identique pour tous. L'enquêteuse doit être à l'écoute des informateurs afin d'être en mesure de répondre à leurs questions et de s'assurer qu'ils ont bien compris ce qu'ils auront à faire. L'enquêteuse pourra ensuite répondre à des questions individuelles en allant voir les informateurs qui en auraient. Cependant, il importe de ne pas dépasser le cadre de ce qu'il est possible de dire car, pour avoir des données comparables, il faut que tout le monde ait été soumis à une interrogation semblable. Il est possible d'être plus bref avec les retardataires, en leur demandant de lire attentivement la présentation écrite sur le formulaire. Dernier élément important à retenir quant à l'administration : chaque informateur doit savoir précisément ce qu'il doit faire lorsqu'il aura fini de répondre. Cette information peut être incluse à la fin du formulaire ou être donnée oralement, à tout le monde, avant sa remise. Pour une même enquête, il faut toujours agir de la même manière; s'il s'agit d'un travail d'équipe, tous les enquêteurs doivent s'entendre sur la façon de procéder. Dans un cas comme dans l'autre, la **constance de l'instrument de collecte** est ainsi assurée.

La distribution et l'administration du questionnaire

La distribution et l'administration du questionnaire autoadministré peuvent se faire dans un lieu qui rassemble des informateurs. Il est possible de faire l'enquête par téléphone, de poster le formulaire ou d'aller le porter au domicile des informateurs. Il est préférable toutefois, quand la recherche s'y prête, de se rendre dans un lieu où les informateurs sont tous rassemblés, soit de manière non organisé (par exemple, des étudiants dans une bibliothèque), soit de manière organisée (par exemple, des étudiants dans une classe). Dans ce dernier cas, le refus de répondre sera exceptionnel si la présentation de l'enquête est bien faite et engageante; un temps précieux sera ainsi épargné. Par contre, il faut s'attendre à un plus grand nombre de refus lorsque le rassemblement n'est pas organisé. Quant au questionnaire-interview, il est plus long à administrer puisque l'enquêteuse doit rencontrer individuellement les informateurs pour leur poser les questions prévues. Enfin, pour un échantillon de même taille, l'enquête par questionnaire nécessite plus de temps que le sondage car elle contient un plus grand nombre de questions.

Savoir expérimenter

Avant de réaliser l'expérimentation, il faut savoir y intéresser des gens pour qu'ils acceptent de s'y soumettre. Le déroulement adéquat de l'expérimentation même exige par ailleurs une attention particulière à l'environnement dans lequel elle sera menée afin de maintenir des conditions similaires. Enfin, il faut également se soucier de ne pas influencer les participants.

Figure 6.2 Une sollicitation de volontaires

> Bonjour,
>
> Nous avons une expérience intéressante à faire qui ne comporte aucun danger. Nous aurions besoin de votre aide. Il s'agit simplement d'examiner des dessins pendant une quinzaine de minutes et de nous dire ce que vous en retenez. Votre participation demeurera anonyme. Pouvez-vous vous rendre [suivent les indications sur le lieu, l'heure, etc.] ?

La sollicitation de volontaires

Le temps venu de solliciter des volontaires pour leur demander de participer à une expérience, il faut à la fois susciter leur intérêt et dissiper leur appréhension devant l'inconnu. Pour ce faire, le recruteur gagne à manifester de l'enthousiasme tout en précisant succinctement la tâche ou, du moins, les habiletés demandées. Pour éveiller l'intérêt des volontaires éventuels, il y a lieu d'utiliser les mêmes arguments que pour le questionnaire ou le sondage : importance de la recherche, aide apportée, etc. Par exemple, la présentation d'une recherche sur les impressions visuelles pourrait être faite comme dans la figure 6.2.

L'obstacle le plus important concerne l'impression qu'ont les gens qu'ils seront utilisés comme cobayes, sans égard pour leurs sentiments. Par contre, l'élément le plus incitatif réside dans le fait de piquer leur curiosité ; en effet, les situations d'une expérimentation sont souvent plus inusitées que celles des autres techniques de recherche. Il faut donc trouver le moyen d'équilibrer réticences et curiosité pour obtenir la participation de volontaires.

Le maintien de conditions similaires d'expérimentation

Pour bien réussir une expérimentation, il faut d'abord s'assurer que les sujets ou groupes de sujets subiront l'expérience prévue dans le même environnement ou dans des lieux équivalents. À cette fin, il faut vérifier si les lieux sont disponibles pour toute la durée de l'expérience, s'il ne s'y trouve pas de personnes extérieures à la recherche ni d'objets superflus, si l'éclairage est bien réglé et si le bruit a été éliminé. Il faut aussi s'assurer que le matériel utilisé demeure constant dans sa forme et son contenu pour que le prélèvement soit uniforme. Par ailleurs, il est préférable de rapprocher le plus possible, sauf dans des circonstances particulières, les différents temps d'expérimentation afin de ne pas perdre des sujets et d'éviter qu'une variable intermédiaire ne s'introduise, comme des changements dans l'état des sujets à cause de ce qu'ils ont vécu entre-temps, s'il s'agit des mêmes personnes.

Clics et déclics

Cégep régional de Lanaudière
Le département des sciences humaines du Cégep régional de Lanaudière à L'Assomption a constitué une impressionnante banque de liens Internet classés par discipline. Allez d'abord dans *Liens intéressants*, choisissez *Sites départementaux* et ensuite *Département des sciences humaines de L'Assomption* pour finalement choisir *Liens utiles*.

www.collanaud.qc.ca/lassomption

Il faut en outre essayer d'éliminer les influences que les sujets sont suscep-tibles de subir. Tout d'abord, il ne faut pas que les sujets se fassent des sug-gestions entre eux. Il faut, par exemple, éviter qu'à la sortie du laboratoire des premiers sujets il y ait des contacts avec les suivants. Il faut donc faire en sorte que les sujets en attente ne s'agglutinent pas à la porte du labo-ratoire. De plus, si l'ordre dans lequel se déroule l'expérience peut laisser supposer qu'une phase peut avoir un effet sur une phase subséquente, en rendant la tâche plus aisée ou moins intéressante par exemple, il importe de varier l'ordre de présentation ou d'exécution entre les sujets. Cette façon de procéder permet de s'assurer que ce n'est pas l'ordre de présentation ou d'exécution de l'expérience qui les influence.

Pour que l'évaluation scientifique soit juste, il faut également empêcher que les sujets agissent en fonction de ce qu'ils croient attendu d'eux : en raison d'idées préconçues, ils pourraient se convaincre qu'ils doivent agir de telle ou telle façon. Ainsi, au cours d'une séance d'endurance, un sujet peut aller au-delà de ses limites habituelles parce qu'il se croit invité à le faire, se sachant dans un groupe expérimental. La **technique du simple aveugle** est employée pour éviter que se produise ce genre de phénomène psychologique. Les sujets ne savent alors pas s'ils sont dans un groupe expérimental ou dans un groupe de contrôle. Il arrive même parfois que les sujets ignorent qu'ils participent à une expérimentation, à une expérimentation sur le terrain par exemple. Ce-pendant, après qu'elle a eu lieu, il faut le leur dire et leur demander comment ils se sont sentis. Cette façon de contrôler les informations recueillies est de plus en plus utilisée non seulement en expérimentation, mais aussi dans les recherches qualitatives qui portent sur la signification que donnent les infor-mateurs à leurs actions.

Il reste encore les suggestions qu'un expérimentateur peut lui-même trans-mettre à son insu. Devant un groupe expérimental, par exemple, il peut mani-fester un intérêt tel qu'il amène les sujets à agir d'une manière sortant de l'ordinaire ou à aller dans le sens de ce qu'il veut qu'il se produise. Pour éviter cette influence possible de la part de l'expérimentateur, il convient d'employer la **technique du double aveugle**. Non seulement les sujets ne savent pas s'ils sont dans le groupe expérimental ou dans le groupe de contrôle, mais il est fait en sorte que l'expérimentateur lui-même l'ignore parce qu'il a confié à quelqu'un d'autre le soin de constituer les groupes. L'expérimentateur ne peut donc pas, même inconsciemment, agir différemment avec l'un ou l'autre groupe. Pour certaines expériences, le recours à l'ordinateur aura le même effet; il est possible, par exemple, d'envoyer des stimulus sans intervention humaine directe et de réduire ainsi au minimum l'influence consciente ou inconsciente de l'expérimentateur sur le sujet.

Savoir utiliser des catégories d'analyse

Quand une analyste prélève des données dans des documents en fonction de catégories d'analyse, elle doit s'astreindre à vérifier si elle les prélève toujours de la même manière, et, dans un travail d'équipe, s'il en est de même entre chaque codeur. Ces contrôles ne sont pas superflus car ils assurent une objecti-vité essentielle au travail scientifique. La technique de l'analyse de contenu exige par ailleurs de la souplesse dans son application; cette souplesse permet de tenir compte de découvertes qui ne correspondent pas nécessairement à

TECHNIQUE DU SIMPLE AVEUGLE
Moyen pris pour que les sujets d'une expérience ne sachent pas à quel groupe ils appartiennent.

TECHNIQUE DU DOUBLE AVEUGLE
Moyen pris pour que les sujets d'une expérience et l'expérimentateur ne sachent pas quel groupe est le groupe expérimental et lequel est le groupe de contrôle.

celles qui avaient été prévues. En outre, il peut s'avérer nécessaire, dans certains cas, de tester la crédibilité de sa source d'information.

La constance dans le prélèvement des données

Le prélèvement d'unités de signification à partir des catégories d'analyse implique de bien examiner les contenus, de garder en tête le même sens pour chaque catégorie afin de toujours prélever et classer ces unités de la même façon tout au long du travail. Pour s'assurer de cette constance dans le jugement, il faut utiliser un moyen de contrôle. Il s'agit, **après un certain temps**, de reprendre un document dont les unités ont déjà été prélevées et de refaire le prélèvement pour voir si la codification sera la même que la première fois. Si l'écart est minime, il y a **constance intracodeur**. S'il apparaît des différences importantes pouvant avoir des effets non négligeables sur les résultats de l'ensemble du travail, il faut découvrir la cause du manque de constance et revoir les catégories d'analyse si nécessaire. Si le problème relève de l'inattention ou de la fatigue, il se corrige assez facilement en ayant une plus grande vigilance. Si le problème résulte d'une ambiguïté dans la catégorisation, il ne sert à rien de poursuivre avant d'avoir clarifié la catégorie concernée. Si l'inconstance est due à une catégorie non exclusive ou à certaines unités de la documentation qui peuvent être classées dans plus d'une catégorie, il faut ou revoir la catégorisation ou admettre que certaines unités peuvent être classées sous deux catégories, comme certaines questions d'un questionnaire peuvent exceptionnellement admettre plus d'une réponse de l'informateur.

Lorsque plusieurs personnes dépouillent la documentation, il faut s'assurer de la **constance intercodeur**. Il s'agit de s'assurer que chaque codeur prélève et classe les unités de signification de la même manière en ayant la même compréhension des catégories d'analyse de la documentation. Pour ce faire, au début de la collecte, tous les codeurs prélèvent les unités dans le même document, puis il faut évaluer s'ils l'ont tous fait pareillement. Ce procédé permet aussi de vérifier si les catégories sont bien construites et si les définitions sont claires et précises pour tout le monde. Advenant un manque de constance intercodeur, il vaut mieux reprendre le prélèvement après avoir clarifié ce qui ne l'était pas car le précédent n'a plus de valeur.

La souplesse

Comme la recherche qualitative se caractérise par un va-et-vient entre prélèvement et analyse, la souplesse est donc inhérente à un travail attentif et en profondeur. Les catégories d'analyse de la documentation ne changeront pas, pour l'essentiel, si elles ont été soigneusement élaborées. Cependant, il peut arriver qu'à l'analyse des documents l'une d'elles se révèle non pertinente. Il faut alors pouvoir faire les modifications qui s'imposent, faute de quoi le prélèvement sera inadéquat. La nécessité de modifier une catégorie peut aussi être liée à la découverte, dans le matériel, d'autres éléments significatifs par rapport à la définition du problème de recherche. De telles modifications sont cependant de l'ordre de l'exception puisque l'essentiel du processus de catégorisation a déjà été accompli. Toutefois, ne pas tenir compte d'éléments nouveaux appauvrirait l'analyse. Un espace à cet effet devrait avoir été laissé sur la feuille de codage, sinon il faut la modifier avant de poursuivre. Si la notation des unités prélevées se fait sur fiches, il faut les réviser et les reclasser au besoin, et peut-être même en rédiger de nouvelles après la relecture de certains documents plus complexes ou plus denses.

Tenez une réunion d'équipe pour que chaque membre exprime ses incertitudes sur la façon de prélever les données afin de favoriser une compréhension commune de la procédure de prélèvement. Faites ensemble des exercices de codification.

CONSTANCE INTRACODEUR Qualité d'un codeur qui prélève les unités toujours de la même manière.

CONSTANCE INTERCODEUR Qualité présentée par deux codeurs ou plus qui prélèvent les unités de la même manière.

La recherche qualitative se caractérise par un va-et-vient entre prélèvement et analyse.

La corroboration

En examinant des documents, en particulier en recherche historique, se pose parfois la question du crédit à accorder à certains passages relatant un évènement dont l'analyste entend parler pour la première fois. Il faut alors faire preuve de prudence et essayer d'établir le bien-fondé de l'information. Le procédé qui permet de faire cette vérification est la **corroboration**. Pour corroborer un fait, il ne s'agit pas seulement de vérifier si la source décrit un évènement dont elle a elle-même été témoin ou qui lui a été rapporté par d'autres, ou encore si elle ne se contredit pas dans d'autres parties du document, mais aussi de vérifier si d'autres sources confirment ce que relate cette source initiale. Cela permet d'avoir plus de confiance en la véracité de ce qui est rapporté.

À propos...

de la corroboration

Jésus a-t-il vraiment existé? De nombreux scientifiques de diverses disciplines ont tenté de répondre à cette question. «Suffisamment de témoignages attestent de l'historicité du personnage» (Patrick 2000 : 50), affirme quant à lui C. Mimouni, historien à l'École pratique des hautes études, en France. Parmi ces témoignages se trouvent les vingt-sept livres du Nouveau Testament. Il y a bien eu un homme nommé Jésus au début du premier siècle qui vivait aux alentours de Jérusalem.

JEAN-BAPTISTE PATRICK (2000). «Il y a 2004 ans, un juif nommé Jésus Ecce Homo». *Sciences et avenir*, n° 635 (janvier).

Savoir recueillir les séries chiffrées

Le prélèvement des séries chiffrées dans des documents statistiques consiste à interpréter correctement le sens des données examinées et à les recueillir sous forme unitaire dans la mesure du possible.

Une bonne lecture des statistiques

Analyser correctement des données quantitatives, c'est bien lire les chiffres et leur valeur, mais aussi comprendre la façon dont ces données sont classées et saisir le sens de leur classement. Par exemple, les données sont-elles exprimées en milliers ou en millions? Font-elles référence à l'année du calendrier, à l'année scolaire ou à l'année financière? Couvrent-elles une même période de temps? Que signifient les catégories sous lesquelles elles sont regroupées? En d'autres mots, les chiffres ne parlent pas d'eux-mêmes, c'est leur agencement et les définitions des catégories sous lesquelles ils apparaissent qui donnent tout leur sens aux documents à l'étude.

Si des points demeurent obscurs ou si des interrogations subsistent sur la façon dont les données ont été recueillies et les statistiques produites, il y a lieu de se renseigner auprès de l'organisme dont elles émanent; il sera habituellement possible d'en recevoir toute l'aide nécessaire à la compréhension complète de la valeur de ces statistiques. La connaissance précise du contexte de production des données statistiques disponibles est un garant de la pertinence de leur utilisation et du bien-fondé du traitement qu'elles subiront lorsqu'elles seront reformulées sous l'angle de l'hypothèse à vérifier.

Un prélèvement de données unitaires

Au moment de la collecte, l'analyste recueille, dans la mesure du possible, des données unitaires, c'est-à-dire non regroupées, pour permettre toutes les modifications ultérieures que la définition du problème exige. Par exemple, il existe des données sur le nombre de bénéficiaires de l'aide financière gouvernementale accordée aux étudiants pour chaque année et sur les sommes versées par les divers ordres de gouvernement. Dans une recherche sur cette aide sur une période de cinquante ans, il vaut mieux ne pas regrouper immédiatement les années par période, car la possibilité de procéder à une analyse ultérieure plus fine et plus complète serait perdue, telle une comparaison de l'aide financière et de la fluctuation du coût de la vie chaque année. Il est donc recommandé d'attendre jusqu'à l'étape de la préparation des données recueillies pour les regrouper.

PLANIFIER ET FAIRE LA COLLECTE

Pour que la collecte se fasse dans des délais raisonnables, il faut la planifier en établissant un calendrier des moments de collecte. Avant d'aller recueillir quelque donnée que ce soit, il faut fixer l'échéancier en tenant compte des disponibilités des personnes à contacter ou des heures d'ouverture des centres de consultation de la documentation, s'il y a lieu. Dans un travail d'équipe, chaque membre a une copie de l'échéancier et sait ainsi où, quand et combien de fois il intervient et ce qu'il a à faire. Il faut s'entendre sur le déroulement des diverses étapes et envisager des solutions de remplacement au cas où les choses ne se passeraient pas comme prévu. Enfin, il faut s'assurer d'équilibrer le travail entre les membres de l'équipe.

Ce n'est pas l'étendue du calendrier qui importe, puisqu'elle est liée au nombre de déplacements ou de moments de consultation nécessaires et que ceux-ci peuvent varier grandement selon la nature de la recherche, mais sa précision quant aux moments de collecte pour respecter les délais fixés. Il vaut mieux prévoir plus de temps et en avoir en réserve, car il arrive presque toujours qu'un moment de la collecte prenne plus de temps que prévu ou qu'il se produise certains problèmes qui désorganisent le déroulement de la collecte. Grâce à l'échéancier, des éléments essentiels ne risquent pas d'être oubliés.

L'utilisation correcte d'un instrument de collecte est indispensable au prélèvement de données utilisables pour la dernière étape de la recherche, l'analyse et l'interprétation. Un maniement inadéquat ou insouciant va produire des données discutables, voire invalides pour répondre au problème de recherche. Le travail subséquent pourrait en être discrédité en tout ou en partie. Aussi, pour avoir tout le temps requis pour réaliser cette dernière étape de la démarche, il faut établir un calendrier de collecte qui permettra de respecter les délais prévus. Les données recueillies devront ensuite être préparées en vue de leur analyse, objet du chapitre suivant.

À propos...

de données unitaires informatisées

Les données provenant d'un fichier informatisé, appelées parfois *microdonnées*, apparaissent habituellement sous une forme unitaire. Il est préférable de les garder ainsi, le temps de se familiariser avec le logiciel y donnant accès pour connaître toutes les possibilités de transformation que ce dernier permet. En outre, comme le prévoyaient Gauthier et Turgeon (1992 : 479), la technique informatique de fusion des données (liaison de deux banques de données ou plus) se raffine constamment; il est en effet de plus en plus aisé de relier deux bases de données ou plus, ce qui offre de nouvelles possibilités inédites de prélèvement.

Résumé

Utiliser un instrument de collecte de données, c'est prendre certaines précautions pour la réussir. Il faut prendre toutes les dispositions préalables nécessaires pour contacter des informateurs et signer un protocole d'engagement à les respecter. Il importe d'établir un climat de confiance avec eux et de les soumettre à des conditions environnementales similaires. S'il s'agit de travailler sur des documents, il faut les avoir tous en mains, ou savoir où et quand les consulter et, lorsque le travail se fait en équipe, il faut avoir une compréhension commune du prélèvement à effectuer.

Ainsi, pour manier adéquatement un cadre d'observation, il faut faire preuve de qualités diverses pour se faire accepter du groupe tout en gardant une certaine distance pour ne pas en perdre l'originalité, se connaître soi-même et s'engager totalement tout en ne prenant pas position. Il est en outre essentiel d'entretenir de bonnes relations avec les **informateurs clés** du milieu pour réduire le plus possible les obstacles à sa présence dans le groupe. Les notes, consignées dans une grille d'observation ou un cahier

MOTS CLÉS

▸ **Informateur clé**

▸ **Constance d'un instrument de collecte**

▸ **Technique du simple aveugle**

▸ **Technique du double aveugle**

▸ **Constance intracodeur**

▸ **Constance intercodeur**

▸ **Corroboration**

de bord, sont prises sur place si cela est indispensable ou faisable, sinon elles sont rédigées le plus tôt possible après l'observation pour ne pas en perdre la richesse.

Pour faire une bonne entrevue de recherche, il faut soigner le premier contact avec la personne sollicitée car il donnera le ton à la rencontre future et en assurera en bonne partie le succès. Certaines aptitudes sont nécessaires, telles l'aptitude à inspirer confiance, l'ouverture à l'autre, la maîtrise de ses réactions et l'empathie. La maîtrise du schéma d'entrevue est essentielle parce qu'elle permet d'être plus attentif aux propos de l'interviewé et à son langage non verbal.

Pour administrer correctement un questionnaire-interview, il faut connaître les qualités nécessaires pour mener une entrevue tout en s'en tenant strictement au libellé des questions et des réponses proposées, et noter mot à mot les réponses aux questions ouvertes, s'il y a lieu. S'il s'agit d'un questionnaire autoadministré, il faut s'assurer que sa présentation orale est claire, qu'elle correspond à celle du formulaire, que les directives nécessaires sont données et bien comprises des informateurs et que les membres d'une même équipe agissent de la même façon, ce qui garantit la **constance d'un instrument de collecte**.

Pour réussir une expérimentation, il faut d'abord convaincre des volontaires de s'y prêter en suscitant leur intérêt tout en dissipant leur appréhension. Puis, il faut maintenir des conditions similaires tout au long du déroulement de l'expérience : même environnement sans intrus ni objets superflus, constance du matériel, rapprochement entre les divers moments de l'expérimentation. De plus, il faut changer l'ordre de présentation de l'expérience d'un sujet à l'autre si cet ordre risque d'influencer les attitudes des sujets. Enfin, il faut éliminer certaines influences : l'autosuggestion, qui peut amener les sujets à réagir de façon inhabituelle, et l'influence de l'expérimentatrice qui pourrait involontairement agir différemment avec le groupe expérimental. Ces situations peuvent être évitées en utilisant la **technique du simple aveugle** ou la **technique du double aveugle**.

Savoir utiliser des catégories d'analyse de contenu, c'est être constant dans le prélèvement des unités de signification. Il y a **constance intracodeur** lorsque le même codeur classe les unités de signification d'un même document sous les mêmes catégories à deux moments différents. Il y a **constance intercodeur** lorsque les unités de signification d'un même document sont classées sous les mêmes catégories par tous les codeurs. Il faut également faire preuve de souplesse dans l'utilisation des catégories, en laissant la place à l'ajout d'une catégorie ou à la modification de l'une d'entre elles si nécessaire. L'analyse peut ainsi être enrichie par la prise en compte d'éléments nouveaux, lesquels se révèlent parfois déterminants. Enfin, si un évènement est relaté pour la première fois, il faut s'assurer que la **corroboration** soit faite par d'autres sources avant de lui accorder crédit.

Recueillir avec précision des séries chiffrées, c'est bien lire le sens des statistiques examinées et leur classement. Il importe, de plus, de prélever dans la mesure du possible des données unitaires, c'est-à-dire non regroupées.

La collecte sera d'autant plus réussie qu'elle aura été soigneusement planifiée au moyen d'un calendrier qui aidera à respecter l'échéancier fixé.

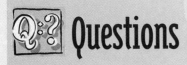 # Questions

1. À quoi faut-il accorder principalement de l'importance lors du contact avec des informateurs?

2. À quoi faut-il principalement accorder de l'importance lors du prélèvement de données dans des documents?

3. De quoi faut-il s'assurer pour faire une bonne observation en situation? Donnez trois précisions.

4. Quelles sont les qualités d'un bon intervieweur ou d'une bonne intervieweuse?

5. À quoi faut-il plus particulièrement faire attention dans l'administration d'un questionnaire-interview et d'un questionnaire autoadministré?

6. Qu'est-ce qui importe pour réaliser correctement une expérimentation?

7. Comment la constance dans le prélèvement des données dans des documents non chiffrés est-elle assurée?

8. Quel genre de données est-il préférable de prélever, dans la mesure du possible, dans des documents chiffrés? Pour quelle raison?

9. Comment la collecte des données est-elle planifiée et pourquoi cette planification est-elle importante?

QUESTIONS D'APPLICATION

10. Une observatrice raconte ce qu'elle a observé à quelqu'un d'extérieur à sa recherche. Est-ce une bonne idée? Expliquez pourquoi.

11. Un intervieweur n'hésite pas à passer tout de suite à la question suivante quand l'informateur arrête de parler. Fait-il bien? Expliquez pourquoi.

12. Une enquêteuse a le choix, pour distribuer son questionnaire autoadministré, de rencontrer ses informateurs un à un ou de les trouver rassemblés dans un lieu au même moment. Qu'est-ce qui est préférable? Expliquez pourquoi.

13. Il y a du va-et-vient dans le laboratoire pendant une expérience. Est-ce un élément négligeable? Expliquez pourquoi.

14. Un chercheur ne note sur sa feuille de codage que ce qui entre dans ses catégories prédéterminées. Fait-il bien? Expliquez pourquoi.

15. Une chercheuse trouve sur un site Internet des données chiffrées qui lui semblent se rapporter à sa recherche. Elle n'y trouve cependant pas de définitions des catégories utilisées. Est-ce grave? Pourrait-elle remédier à ce manque d'information? Si oui, comment?

16. Si les circonstances ne permettent pas de recueillir une partie des données de recherche à l'endroit et à l'heure prévus, la recherche est-elle compromise? Expliquez pourquoi.

QUESTION D'INTÉGRATION

17. Vous êtes considéré comme un expert ou une experte dans l'utilisation des méthodes et techniques de recherche en sciences humaines. Ainsi, il vous est demandé régulièrement conseil pour savoir, selon le cas, comment bien observer, interviewer, questionner, expérimenter, utiliser des catégories d'analyse de contenu ou prélever des séries chiffrées. Donnez au moins deux conseils qui vous semblent indispensables dans le maniement de chacune de ces six méthodes ou techniques. Votre réponse doit être relativement développée.

L'ANALYSE ET L'INTERPRÉTATION

Chapitre 7
Préparer des données

Objectifs

Après la lecture de ce chapitre, vous devriez pouvoir :
- contrôler la qualité des données recueillies ;
- finaliser la catégorisation ;
- coder les données ;
- transférer les données recueillies sur un support informatique adéquat ;
- traiter et mettre en forme des données qualitatives ;
- traiter et mettre en forme des données quantitatives.

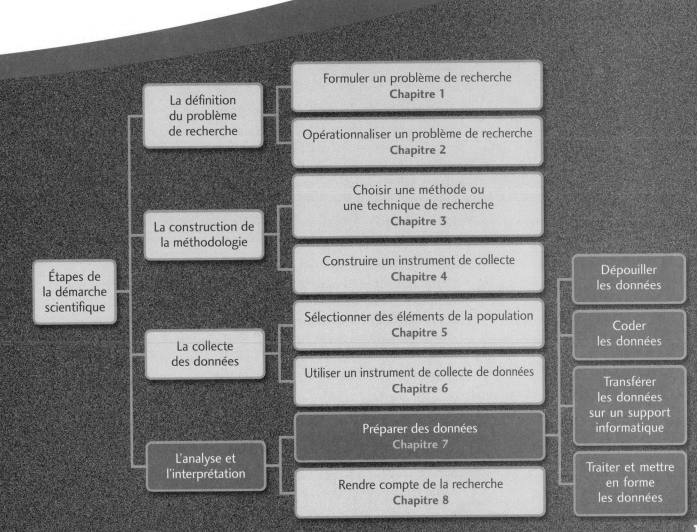

DONNÉE BRUTE Information recueillie dans la réalité étudiée et non transformée.

Astuce

Prenez grand soin de bien conserver vos données brutes dans un lieu sûr. Dans la mesure du possible, gardez aussi, dans un autre endroit, une copie de tout ce que vous avez accumulé depuis le début de la recherche et de tout ce que vous produirez d'ici la fin. Des cassettes d'entrevues, des questionnaires remplis, des cédéroms de données, par exemple, rien n'est à l'abri des impondérables (feu, vol, bris, etc.). Vous devez prendre de telles précautions afin de ne pas compromettre la suite de votre travail.

Vous arrivez maintenant à la dernière étape de votre recherche, l'analyse des données et l'interprétation des résultats ; cette étape se divise en deux phases. Dans ce chapitre, vous en réaliserez la première phase, la préparation des données, laquelle permet d'extraire toute la richesse possible des données recueillies et s'effectue en trois temps. Il faut d'abord dépouiller l'amas d'informations recueillies, qui sont des **données brutes** ; ces données brutes sont constituées de notes d'observation, d'enregistrements d'entrevues, de formulaires de questions remplis, de résultats d'expériences, d'unités de signification ou de statistiques. Puis, il est nécessaire de coder et de transférer ces données sur un support informatique afin de pouvoir les transformer par la suite. Enfin, il s'agit de les traiter et de les mettre en forme pour en permettre l'analyse subséquente.

Il faut manipuler soigneusement les données brutes, en ayant toujours en tête le problème de recherche, afin de s'assurer que le dépouillement, le transfert et le traitement sont réalisés correctement. En fait, cette phase est si importante que les analyses les plus fines ou les plus originales seraient inutiles et non valides si les données sur lesquelles elles se basent étaient mal préparées.

DÉPOUILLER LES DONNÉES

Les données brutes doivent être dépouillées pour pouvoir ensuite être transférées et traitées sans anicroche. Le dépouillement commence par un contrôle de la qualité de ces données car il ne faut conserver que celles qui sont utilisables. Il restera ensuite à finaliser la catégorisation de certaines données.

Le contrôle de la qualité des données

Il faut débuter la préparation des données, autant qualitatives que quantitatives, par un examen des données brutes en portant attention aux failles possibles. Il importe de les repérer avant que le processus de transfert sur support informatique ne se mette en branle car ces failles rendraient le traitement subséquent difficile. Elles peuvent être décelées à l'aide des sept questions ci-après sur les informations recueillies. Il s'agira ensuite de décider quelles données il sera possible de conserver ou d'éliminer.

- **Certaines données sont-elles fantaisistes ?**
  Certains instruments de collecte, comme un formulaire de questions rempli, peuvent apporter une information qui n'a rien à voir avec ce qui était recherché. Par exemple, un informateur a pu répondre aux questions d'un formulaire de façon farfelue. Il est nécessaire, dès sa découverte, d'éliminer les données provenant de cet élément de l'échantillon car elles nuiraient à la compilation des autres données.

- **Certaines données sont-elles non équivalentes ?**
  Chaque information chiffrée est utile et manipulable pour autant qu'elle est sur une même base de calcul que les autres informations se rapportant à la même variable. Ainsi, si certaines données sur le revenu sont sur une base annuelle et d'autres, sur une base mensuelle, il faut les ramener toutes à une seule unité temporelle.

- **Certaines données sont-elles non discriminantes ?**

Quand toutes les informations recueillies par rapport à un indicateur donné se situent à peu près toutes dans la même catégorie (par exemple, toutes les personnes interrogées ou presque ont répondu « catholique » à une question sur leur appartenance religieuse), cette dernière ne peut pas être utilisée par la suite puisqu'elle ne permet pas de faire de distinction entre les éléments de la population. Il peut toujours en être fait mention dans le rapport, mais il est inutile de la garder, par exemple pour la mettre en relation avec une autre variable, les éléments n'étant pas discriminés.

- **Certaines données sont-elles absentes ?**

Les données absentes, dans le cas d'un questionnaire par exemple, sont les questions restées sans réponse, celles auxquelles l'informateur a répondu « Ne sais pas » ou celles auxquelles il n'avait pas à répondre. Selon l'importance que ces absences de réponses peuvent avoir pour la suite de l'analyse, ou selon la pertinence d'en garder trace, elles seront ignorées ou non.

- **Certaines données sont-elles incompréhensibles ?**

Certaines données peuvent être incompréhensibles parce que, par exemple, le sens d'une notation sur une feuille de codage n'est pas clair. Si la consultation d'un autre membre de l'équipe ou d'un expert ne permet pas une même interprétation, il faut écarter cette donnée obscure.

- **Certaines informations sont-elles incohérentes ?**

Si certaines informations sont incohérentes, dans un extrait d'entrevue, par exemple, où la personne interviewée se contredit sans qu'il soit possible de déterminer le sens véritable de ses propos, il est préférable de ne pas retenir cet extrait pour l'analyse et même de rejeter toute l'entrevue si cette incohérence a un effet sur la totalité du discours.

- **Certaines données sont-elles non pertinentes ?**

Certaines données peuvent ne pas être liées aux informations recherchées ou avoir été mal catégorisées. Ce cas se produit lorsque les observateurs, les intervieweurs ou les codeurs n'ont pas travaillé avec une même compréhension des faits à retenir. Ce peut être, par exemple, un observateur qui a noté la sorte de vêtements portés par les informateurs et non la couleur de ceux-ci tel que prévu, ou encore une codeuse qui, malgré des séances de pratique pour assurer la constance intercodeur, a noté une information sous une catégorie d'analyse différente des autres codeurs. Il faut alors reprendre la collecte avec une compréhension commune, faute de quoi l'analyse subséquente pourrait ne pas être valide. Si une donnée demeure impossible à uniformiser parce que son interprétation ne fait pas consensus entre les évaluateurs, elle ne pourra pas servir à la recherche à moins de privilégier un jugement plutôt qu'un autre, il faudra alors l'expliquer dans le rapport.

Il faut repérer les failles dans les données brutes avant de les transférer sur un support informatique.

La finalisation de la catégorisation

Une fois la qualité des données brutes contrôlée, il faut finaliser la catégorisation. Si votre formulaire de questions contenait des questions laissant libre la formulation de la réponse ou incluant, dans la liste des réponses proposées, le choix « Autre (préciser) », il faut maintenant catégoriser les réponses reçues. Pour ce faire, trois règles sont à suivre. Elles peuvent également être utiles pour finaliser la catégorisation de données obtenues au moyen d'un autre instrument, comme les catégories d'analyse de contenu.

Le choix de quelques questionnaires

La première règle à suivre consiste à choisir, au hasard, un certain nombre de questionnaires pour avoir un éventail de réponses. Muchielli (1970) suggère de retenir le tiers des réponses pour quarante à soixante questionnaires et le quart pour une centaine.

La catégorisation des réponses

La deuxième règle consiste à établir des catégories en comparant les réponses les unes avec les autres par rapport au but de la question posée. Il s'agit de voir si elles y traduisent une, deux, trois, etc., réactions différentes, toujours en les resituant, en les combinant, en les distinguant, etc., en essayant de les synthétiser, de les ramener à quelques réactions élémentaires puisque «certains thèmes apparaissent sous des formules différentes ou même souvent avec des mots identiques» (Muchielli 1970 : 24).

Par exemple, il est possible de dégager les cinq idées maîtresses ci-après de trois réponses d'un groupe d'étudiants qui ont répondu à la question suivante : «Pourquoi vous êtes-vous inscrit en techniques policières?»

- «J'avais des amis du secondaire qui s'en allaient là-dedans et je connaissais déjà des policiers.» Deux idées maîtresses sont énoncées ici : 1) maintien de ses relations amicales; 2) connaissance de gens dans le métier.

- «L'orienteur du secondaire m'a dit que j'étais fait pour ça, et je ne savais pas au juste quoi prendre d'autre.» Deux nouvelles idées maîtresses sont énoncées : 3) conseils d'un spécialiste; 4) ignorance des autres choix.

- «J'ai déjà été dans les cadets et j'ai l'expérience de camps militaires.» Une seule autre idée maîtresse est ici énoncée : 5) expérience antérieure pertinente (subjectivement).

Il ne reste qu'à regrouper les cinq idées maîtresses en quelques réactions élémentaires en revenant à l'indicateur de la question ou, plus généralement, au schéma conceptuel de la définition du problème. Par exemple, si la recherche vise à savoir quelles personnes ont influencé l'étudiant, trois catégories pourraient être dégagées et retenues des cinq idées maîtresses :

- personnes de l'entourage (catégorie 1);

- personnes étrangères ou extérieures à l'entourage, par exemple, l'orienteur professionnel (catégorie 2);

- aucune personne en particulier (catégorie 3).

Si la recherche visait plutôt à identifier la nature de l'influence sur le choix du programme d'études, deux catégories seulement pourraient être retenues dans lesquelles les cinq idées maîtresses peuvent être incluses :

- influence liée à des personnes (catégorie 1);

- influence liée à la nature du travail (catégorie 2).

Le classement de toutes les réponses

La troisième règle à suivre pour finaliser la catégorisation consiste à classer toutes les réponses reçues par catégories. Si certaines réponses n'entrent pas dans les catégories déjà définies, il faut juger s'il y a lieu de revoir la catégorisation ou d'ajouter encore une nouvelle catégorie, au cas où ce nouveau genre de réponse se répèterait.

Tout au long de ce processus, la principale préoccupation doit être de garder intactes les significations données par les informateurs à leurs réponses, tout en classant ces dernières dans des catégories pertinentes et liées à la définition du problème.

CODER LES DONNÉES

Le **codage** va rendre possibles le transfert et le traitement des données brutes. Cette opération permet de rattacher un symbole à un ensemble de données ou à une donnée recueillie. Le codage a débuté lors de la collecte s'il était prévu dans l'instrument de collecte; il s'agit maintenant de le compléter, s'il y a lieu. Le codage est généralement effectué à l'aide d'une **numérotation**, qui se fait habituellement en trois phases.

CODAGE Attribution d'un code aux données recueillies.

NUMÉROTATION Assignation d'un numéro à chaque élément de la population ou de l'échantillon, à chaque angle sous lequel il est examiné et à chaque position qu'il prend sous cet angle.

- Il s'agit d'abord de numéroter les éléments de la population ou de l'échantillon. Plus précisément, un numéro est attribué à chaque formulaire de questions, chaque entrevue, chaque feuille de codage, chaque fiche documentaire, chaque personne observée (ou l'équivalent) ou chaque sujet d'expérimentation.

- Ensuite, chaque caractéristique ou angle sous lequel chaque élément de la population a été examiné est numéroté. Plus précisément, un numéro est attribué à chaque question du formulaire ou du schéma d'entrevue, à chaque catégorie d'analyse, à chaque rubrique d'une grille d'observation, à chaque série chiffrée ou à chaque variable considérée.

- Enfin, la position prise par chaque élément de la population sous l'un des angles étudiés est numérotée. Plus précisément, un numéro est attribué à chaque choix de réponse à une question, ou à une sous-question, à chaque comportement possible des personnes observées, à chaque unité de signification ou à chaque réaction d'un sujet au stimulus d'une variable.

Les indications suivantes peuvent contribuer à donner une cohérence et une certaine logique à la **signification des codes numériques**.

- Pour une variable d'intensité, comme la satisfaction ou le degré de préoccupation, la numérotation va du moins intense au plus intense, en partant du nombre 1 jusqu'au nombre nécessaire.

- Quand il n'y a que deux catégories pour une variable et que celles-ci se répètent à plusieurs reprises, la numérotation doit rester la même, en utilisant le chiffre 1 pour la présence ou l'affirmation et le chiffre 2 pour l'absence ou la négation.

- Lorsque les catégories n'ont pas de logique particulière les unes par rapport aux autres, comme l'appartenance ethnique ou les préférences musicales, les numéros peuvent être distribués indifféremment.

- Enfin, certaines variables renvoient déjà à des réponses en chiffres; la numérotation est ainsi donnée par la nature des informations demandées, comme la fréquence de tel phénomène, l'âge, le revenu, etc.

Ces procédures de codage vont éventuellement permettre de commander à un logiciel des regroupements et des mises en relation des données. Ainsi, dans une recherche sur l'éducation au collégial, la comparaison des réponses d'étudiants de différents programmes à des questions qui leur ont été posées sera rendue plus facile grâce au codage de l'ensemble des informations qui les concerne. Il sera de même plus facile de retrouver l'origine d'extraits provenant de dix entrevues.

Au fur et à mesure du processus de codage, il faut conserver par écrit les codes utilisés, avec leurs significations et leurs justifications dans un **manuel de codage**. Ce manuel sert d'aide-mémoire quant aux décisions qui ont été prises concernant les catégorisations retenues et réunit toutes les notations qui permettraient à un tiers d'en reconstruire la logique. Si l'instrument est un formulaire de questions, les réponses sont habituellement déjà codées sauf pour le choix « Autres (préciser) » et les questions ouvertes. Il n'y a qu'à inclure une copie vierge de ce formulaire dans le manuel, ou à en faire la base du manuel de codage, avec des codes supplémentaires pour les ajouts de catégories. Il en est de même pour les autres instruments de collecte dont les données sont déjà codées.

Le manuel de codage facilitera de plus l'opération suivante, le transfert des données sur un support informatique.

TRANSFÉRER LES DONNÉES SUR UN SUPPORT INFORMATIQUE

Une fois les données brutes contrôlées et le codage terminé, il faut procéder au **transfert des données** quantitatives ou qualitatives sur un support qui en permettra la compilation. Puis, il importe de faire une **révision du transfert des données** pour s'assurer que des erreurs ne se sont pas glissées lors de cette opération. Les procédures de transfert vont varier selon qu'il s'agit de données qualitatives ou de données quantitatives.

Le transfert des données qualitatives

Les données qualitatives peuvent être constituées de propos enregistrés, de notes d'observation consignées dans un cahier de bord ou d'extraits de documents sur fiches. Dans ces deux derniers cas, l'ordinateur a déjà pu servir à les conserver. Les propos enregistrés ont toujours été dactylographiés dans le passé, ils sont maintenant saisis à l'aide d'un logiciel de traitement de texte ou d'un logiciel permettant d'en faire le traitement par la suite. La révision du transfert des données qualitatives consistera à tout relire pour s'assurer que la transcription est conforme.

Un logiciel a même déjà pu être utilisé comme instrument de collecte pour procéder à une analyse de contenu. Dans ce cas, le transfert des données est déjà accompli. Sinon, si les unités de signification sont bien classées et codées, il reste à les entrer avec leur code sur un logiciel approprié pour pouvoir réaliser toutes sortes de regroupements par la suite lors du traitement. L'important est que ce transfert permette de retrouver les unités de significations sans avoir à les relire toutes. La révision consistera ensuite à relire l'ensemble de ce qui a été transféré, à modifier certaines expressions ou abréviations s'il y a lieu pour plus de clarté, à ajouter des compléments d'informations pour la même raison, à insérer des remarques si cela assure une plus grande intelligibilité en vue du traitement subséquent. Toutes ces précisions s'appliquent aussi grosso modo au transfert des données du cahier de bord d'une observation en situation avec ses rubriques préalablement codées.

La conduite éthique

La protection de l'anonymat des sujets

N'oubliez jamais qu'ayant promis la confidentialité aux sujets de recherche vous devez vous assurer qu'elle ne sera pas rompue. L'usage de numéros permet d'une certaine façon de l'assurer, mais pas toujours. Assurer la confidentialité peut demander davantage dans certains cas, par exemple si votre recherche inclut un groupe facilement identifiable, comme les sages-femmes du Québec. Il ne suffit pas de numéroter ou de regrouper les participantes, car elles sont encore reconnaissables. Il faut peut-être les fondre dans une plus grande catégorie.

◀◀◀◀◀◀◀◀◀◀◀

Pour l'entrevue de recherche, le transfert consiste à transcrire littéralement l'enregistrement. De plus, pour que chaque extrait soit repérable facilement avec l'informateur qui en est l'auteur, le codage déjà fait de chaque informateur et la numérotation de chaque question et sous-question doivent être transférés par la même occasion pour le traitement subséquent. Cette transcription écrite facilite l'analyse des propos d'une personne interviewée, car cela permet un va-et-vient aisé, une réflexion sur des propos et une comparaison entre extraits. La transcription doit rendre compte le plus fidèlement possible de l'entretien qui doit être transcrit mot à mot. Il n'est cependant pas nécessaire de rendre compte de la prononciation : ainsi, il y a lieu d'écrire « tu sais » même si l'informateur a dit « t'sé », non seulement pour éviter d'avoir à apprendre un code de transcription phonétique, mais surtout pour rendre le texte facilement compréhensible. La transcription se fait donc en français écrit standard, à moins que l'informateur ait employé un mot inexistant dans le dictionnaire. Il peut cependant être pertinent de mentionner le langage particulier qui a pu être utilisé par l'informateur ou encore d'en fournir un extrait écrit.

De plus, la transcription de l'entrevue doit contenir des précisions sur le langage non verbal de la personne interviewée (mimiques, impressions dégagées, etc.), lequel donne des indications très éclairantes lorsqu'il est mis en rapport avec certains propos tenus. Par exemple, si à tel moment il y a eu des rires, il faut l'indiquer ; s'il y a eu une hésitation significative, il faut le noter aussi, de même pour les moments de colère, de gêne, les changements brusques de ton, etc. De façon plus générale, il est important de s'en tenir à un même mode de transcription des propos. Vincent (1989) propose les codes suivants :

- les parenthèses avec contenu indiquent un commentaire de la personne qui transcrit l'entrevue ;
- les parenthèses vides indiquent qu'un élément est incompréhensible ;
- les chevrons font état de paroles prononcées en même temps que celles de la personne interviewée ;
- les points de suspension servent à marquer les hésitations de la personne interviewée.

Voici un exemple de l'usage de ces codes dans la transcription de propos : « Oh non ! (rires) ( ) Je pense que <oui> c'était sans doute… mieux comme ça. »

La **révision** de la transcription implique de tout relire intégralement et attentivement pour déceler des erreurs possibles. Il peut s'agir :

- de portions de texte manquantes ;
- de notations bizarres ou qui ne rappellent rien.

En se remémorant la source de l'information ou en écoutant l'enregistrement de nouveau, selon le cas, il sera possible de découvrir s'il y a eu mauvaise transcription ou mauvaise saisie du contexte des propos. Il s'agit ensuite de corriger la transcription en conséquence ou d'ajouter des remarques, telles que « son inaudible à cet endroit », « observation incomplète ou voilée », « ambiguïté des propos », et ainsi de suite, en fonction de la clarification qu'il importe d'apporter. De plus, si une notation apparaît après coup aberrante ou surprenante, il faut l'évaluer en relation avec le contexte dans lequel elle s'est présentée avant d'en disposer d'une manière ou d'une autre.

Astuce

Il y a intérêt à saisir les données qualitatives sur traitement de texte. Si cela va de soi pour des propos d'entrevues, cela est fort utile aussi pour des fiches. En effet, dès qu'elles s'accumulent, elles deviennent encombrantes et incommodes à utiliser. L'ordinateur permet non seulement de stocker une grande quantité de données, mais aussi de les repérer facilement et de relever de façon systématique les erreurs.

Le transfert des données quantitatives

Il existe divers logiciels statistiques pour transférer des données quantitatives en vue d'un traitement ultérieur, tels que StatView, SPSS, Sphynx et Excel. Il s'agit d'en choisir un disponible dans son milieu et d'entrer directement les données codées. Ainsi, chaque variable (une question d'un formulaire, une mesure dans une expérimentation ou une catégorie d'analyse) est enregistrée avec son code et son nom (par exemple : *1- sexe*) et les valeurs numériques qu'elle peut prendre, et chaque élément de l'échantillon y est représenté par un numéro suivi des codes de ses réponses.

Le transfert des données brutes, sur quelque logiciel que ce soit, se fait dans une matrice ressemblant pour l'essentiel à celle qui est présentée dans la figure 7.1. Selon le logiciel, la numérotation peut être suivie ou remplacée par des lettres ou des mots. Il s'agit en fait d'un modèle réduit du croisement entre indicateurs (questions ou l'équivalent) et informateurs.

Figure 7.1   Une matrice

Question nº :	1	2	3	4	5	6	7	8
Informateur nº : 001	2	18	1	4	100	1	12	85
002	3	17	1	1	150	1	40	70
003	1	16	2	3	90	1	30	65
004	2	17	1	5	200	2	10	75
005	2	17	2	5	178	1	15	80
006	1	17	1	4	80	2	3	67

Une fois la matrice remplie, la **révision** permet de s'assurer que des erreurs ne se sont pas glissées. Certains logiciels peuvent détecter les erreurs et les signaler. S'il y en a, il s'agit de retourner à l'instrument en cause (le questionnaire nº 36, par exemple, si le signalement était à la ligne 36 de la matrice) et d'examiner la question correspondant à la colonne où une erreur a été signalée. L'erreur peut s'être produite au moment du transfert des données. S'il s'agit d'une simple faute de frappe, il n'y a qu'à corriger la numérotation dans la matrice à l'endroit approprié. Une autre façon de procéder est de commander un tableau de compilation pour chaque colonne de la matrice et d'en étudier la distribution. S'il y a des résultats aberrants, comme trois catégories pour une question dichotomique, cela indique qu'il y a une correction à effectuer. Un tableau de compilation est en même temps un exemple de traitement et de mise en forme des données.

TRAITER ET METTRE EN FORME LES DONNÉES QUALITATIVES

Une fois dépouillées, codées et transférées, les données doivent être traitées et mises en forme pour être analysées. Le traitement et la **mise en forme des données** à effectuer sont décidés en fonction du problème de recherche

MISE EN FORME DES DONNÉES
Moyens pris pour représenter les données recueillies.

puisqu'il faudra vérifier le bien-fondé de l'hypothèse ou de l'objectif de recherche. Le traitement et la mise en forme des données qualitatives sont réalisés au moyen de divers procédés de regroupement et de représentations visuelles. Le regroupement des données qualitatives peut être fait par dimension, par cas ou encore par thème (Huberman et Miles 1991).

Le regroupement par dimension

Les dimensions du schéma conceptuel peuvent servir de base aux regroupements des données en vue de l'analyse. Il s'agit de réunir toutes les informations obtenues des divers éléments de l'échantillon sur une même dimension. Ce regroupement rend possible une comparaison entre ces éléments sur des points précis. Pourraient être ainsi réunies, par exemple, toutes les observations sur la tenue vestimentaire, toutes les réponses des interviewés sur l'un des sujets de l'entrevue, toutes les interactions entre les personnes observées selon la fonction exercée ou encore toutes les appréciations d'un même évènement à travers divers documents. Ce regroupement par dimension revient à mettre en parallèle ou côte à côte des éléments de l'échantillon pour obtenir leur position par rapport à une composante du problème, d'où l'expression de **condensation horizontale** utilisée pour caractériser cette façon de regrouper des données en vue de l'analyse.

CONDENSATION HORIZONTALE Processus de mise en comparaison des données qualitatives par dimension du schéma conceptuel.

Le regroupement par cas

Lorsque l'échantillon ne comporte que quelques éléments, ou lorsqu'un élément ou quelques-uns parmi un certain nombre d'entre eux semblent particulièrement importants à analyser, il y a avantage à les prendre un à un avec toutes les données les concernant. Il s'agit de **condensation verticale**, laquelle va permettre d'examiner le contenu d'un ou de quelques éléments de l'échantillon par rapport au problème de recherche. Pour l'observation, ce peut être de décrire ce qui s'est passé sur chaque site ou, s'il n'y en a qu'un, ce qui s'est passé selon les divers moments considérés ou les divers informateurs observés, par exemple. Pour l'entrevue, ce peut être de faire le portrait de chaque personne interviewée à partir des propos qu'elle a tenus. Pour l'analyse de contenu, ce peut être la signification de chaque document étudié. Le regroupement par cas fournit un premier regard plus pénétrant sur le sens des données recueillies.

CONDENSATION VERTICALE Processus de regroupement de données qualitatives axé sur un ou quelques éléments de l'échantillon.

Le regroupement par thème

Le regroupement par thème ne se fait pas à l'aide des dimensions du schéma conceptuel ou de cas retenus parmi les éléments de l'échantillon. Il part de ce qui a été observé de frappant, d'inusité ou de surprenant lors de la collecte des données. Par exemple, durant une observation dans un service d'une entreprise, il peut s'être produit des évènements qui amènent à penser qu'il serait pertinent, au regard du problème à l'étude, de rassembler les données sous des thèmes tels que conflit, division du travail ou style de leadership, qui n'étaient pas prévus dans le schéma conceptuel. Ces thèmes deviennent alors des fils conducteurs pour rassembler les données qualitatives recueillies. Il n'y a pas de règles établies pour découvrir de tels thèmes : il faut recourir à l'intuition. Une réflexion approfondie permet ensuite d'en confirmer l'intérêt par rapport au problème de recherche.

Une équipe de criminologues de l'Université de Montréal a réalisé une étude comparative dans huit pays portant sur vingt-quatre prisons pour femmes. Par la condensation verticale, les chercheuses ont dressé un portrait de chacune des prisons. Par la condensation horizontale, elles ont dégagé des dimensions communes, comme les programmes de formation de travail, les relations entre prisonnières, les contacts mères-enfants, etc. Voici un extrait de l'analyse qui a pu être faite grâce au travail préalable de regroupement par cas et par dimension des données de cette recherche.

Les contacts mères-enfants

« À la différence de ce que nous verrons dans les prisons fermées en Allemagne, en Angleterre et en Finlande, les contacts entre les mères et leurs enfants sont rares et régis de façon souvent arbitraire dans les prisons pour femmes au Canada et, souvent, aux États-Unis. Aucune des prisons étudiées, y compris Shakopee, n'autorise les séjours de longue durée de jeunes enfants auprès de leur mère sur les lieux de détention : nous n'avons vu qu'une enfant dans l'unité prélibératoire de Burnaby. Dans les prisons canadiennes, avant d'être autorisées à recevoir leurs enfants pour des visites prolongées, les mères sont tenues de suivre des cours ou des programmes sur les soins aux tout-petits, sur les attitudes parentales, sur la violence domestique. Or, les occasions pour ces mères de vivre des heures intimes avec leurs enfants et de le faire en présence de témoins qui pourraient suivre leur progrès sont inexistantes. »

MARIE-ANDRÉE BERTRAND et coll. (1998). *Prisons pour femmes* (p. 91). Montréal, Éditions du Méridien.

CONDENSATION THÉMATIQUE Processus de regroupement de données qualitatives axé sur la découverte de thèmes signifiants pour le problème de recherche.

Ces thèmes doivent d'abord faire l'objet d'une évaluation rigoureuse au regard des données recueillies et être discutés avant d'être retenus dans le cas d'un travail en équipe. S'ils passent le test de la fiabilité, la **condensation thématique** peut devenir un nouvel outil de regroupement des données pouvant conduire à de nouvelles perspectives de compréhension du phénomène à l'étude. La recherche qualitative permet ainsi de retravailler la définition du problème parce qu'elle utilise abondamment l'**itération**, un processus fait de répétitions, de révisions, d'approximations et de remodelage, dont il peut être fait usage tout au long de la recherche.

Le regroupement thématique des données peut aussi être fait par type. Par exemple, des données relevées sur la façon dont dix individus ont réagi à une agression apparaîtront plus significatives si elles sont regroupées en trois réactions typiques plutôt que décrites chacune séparément. La **typologie** sert ainsi à représenter plus clairement une situation. Chaque type est habituellement une abstraction par rapport à la réalité, c'est-à-dire qu'aucun des cas qui a servi à l'élaborer n'en est la copie conforme. Cependant, grâce à cette construction, chaque cas concret peut être compris à la lumière de sa plus ou moins grande proximité avec l'un ou l'autre des types. La typologie est souvent utilisée en sciences humaines pour classer les gens ou pour présenter des portraits contrastants de phénomènes dans le temps ou selon les sociétés.

Le comptage des données qualitatives

En recherche qualitative, même si habituellement l'échantillon ne se compose que de une à quelques dizaines d'éléments, le comptage n'est pas pour autant à exclure. Regrouper, par exemple, en trois réactions types les réponses d'une vingtaine d'informateurs à une question d'entrevue suppose la prise en compte de fréquences d'apparition de ces réactions. S'appuyer sur un minimum de comptage peut ainsi aider soit à dégager rapidement des tendances, soit à classer plus facilement un grand ensemble de données, soit encore à vérifier une intuition ou une hypothèse reformulée par itération. Même si cela peut paraître paradoxal de prime abord, le processus de comptage n'est donc pas à négliger en recherche qualitative bien qu'il ne s'agisse pas de traitement statistique comme il en sera fait état dans la section suivante sur le traitement des données quantitatives. Une erreur d'analyse peut parfois être évitée grâce à un simple comptage, ce dernier permettant de constater qu'un cas unique n'est pas une tendance qui se dessine.

Les représentations visuelles des données qualitatives

Il peut s'avérer avantageux de représenter visuellement des données qualitatives en vue de leur analyse. Cela permet de fournir quelques vues synthétiques de ces données et d'offrir une perception simultanée de plusieurs éléments. Les formes de présentation peuvent varier selon la richesse de l'imagination (Huberman et Miles 1991) ; il existe cependant deux formes principales de représentation visuelle pour les données qualitatives : le tableau et la figure.

Les tableaux

Un tableau est essentiellement un croisement de lignes verticales et horizontales produisant l'apparition d'un certain nombre de cases. Les règles de construction d'un tableau seront précisées plus loin car il est d'abord le propre de la représentation de données quantitatives. Lorsqu'il s'agit de représenter des données qualitatives, il est possible d'inscrire dans ces cases des chiffres mais plus souvent un **court texte**, une **brève citation**, une **abréviation**, un **symbole** pour donner un sens à cette représentation. Diverses sortes d'indicateurs peuvent être croisées dans un tableau. Le tableau illustré dans la figure 7.2 permet de mettre en rapport un indicateur chronologique placé par convention à la verticale (le temps a été réparti en semaines) et un indicateur d'ordre thématique (des opinions politiques). C'est un exemple de cases constituées de courts textes.

Figure 7.2 Un tableau de croisement d'indicateurs

Tableau X.X Évènements clés lors d'un référendum constitutionnel

INTERVENANTS	PÉRIODE RÉFÉRENDAIRE		
	PREMIÈRE SEMAINE	DEUXIÈME SEMAINE	TROISIÈME SEMAINE
Le camp du oui	Fait ressortir les impasses de la situation actuelle.	Apostrophe les tenants du non.	Annonce un avenir meilleur.
Le camp du non	S'attaque aux idées du camp du oui.	Annonce un avenir catastrophique si le oui l'emporte.	Apostrophe les tenants du oui.
Autres interventions	Un expert affirme le moment mal choisi.	Divers sondages présentent les camps à égalité.	On appelle à la réconciliation quelle que soit l'issue du référendum.

Un tableau représentant des données qualitatives occupe parfois plus d'espace que le tableau de données quantitatives lorsqu'il s'agit, par exemple, de donner un aperçu des réactions de tous les éléments de l'échantillon observés, interviewés ou relevés. Le tableau donné en exemple dans la figure 7.3 illustre la réaction de dix interviewés à une dimension de l'entrevue, la perception de leur avenir sur le marché du travail. Les éléments de l'échantillon apparaissent dans la première colonne. Leurs attitudes et des extraits de leurs propos sont présentés dans les deux colonnes suivantes. Ce tableau a été établi à partir d'entrevues réalisées en 1994 auprès de *baby-boomers* de la première vague, soit des personnes nées entre 1942 et 1952 et ayant vécu leurs vingt premières années de vie au Québec.

Figure 7.3   Un tableau de données sur plusieurs éléments de l'échantillon

Tableau X.X   Attitudes face à l'avenir de 10 interviewés et nature des raisons données

INTERVIEWÉS	ATTITUDES	NATURE DES RAISONS DONNÉES
1	O	E : « […] le marché de l'emploi était plus ouvert qu'aujourd'hui. »
2	O	I : « […] j'apprendrais beaucoup de choses dans la vraie vie. »
3	O	I : « […] j'ai jamais manqué de travail et j'aimais ce que je faisais. »
4	O	E : « On vivait dans une époque où il y avait de l'abondance et finir des études et avoir un emploi, c'était presque garanti. »
5	O	E : « Si tu étudiais, tu étais certain d'avoir un emploi. »
6	P	E : « Je n'avais pas beaucoup de diplômes, donc je savais que je ne pouvais pas avoir un travail très intéressant. »
7	O	I : « J'avais un certain talent, je savais que j'étais capable de faire des choses. »
8	O	E : « À cause de l'économie au Québec à cette époque-là qui était en expansion, de l'industrialisation, de la nationalisation… »
9	O	E : « Parce que, dans ce temps-là, on n'avait pas besoin de faire de grosses études pour avoir un travail. »
10	O	I et E : « Il y avait beaucoup de travail pour ceux qui étaient travaillants. »

Légende

O : Optimiste par rapport à son avenir sur le marché du travail
P : Pessimiste par rapport à son avenir sur le marché du travail
E : Raisons extrinsèques
I : Raisons intrinsèques

Source : MAURICE ANGERS (1994).

Les figures

La figure peut également servir à présenter quelques caractéristiques pertinentes permettant de situer ou d'identifier la nature de certains comportements ou d'illustrer un concept ou des dimensions de celui-ci. Par exemple, la figure présentée dans la figure 7.4 illustre de façon commode et claire une classification en quatre catégories de tous les comportements familiaux observés.

Figure 7.4   Une figure illustrant des caractéristiques

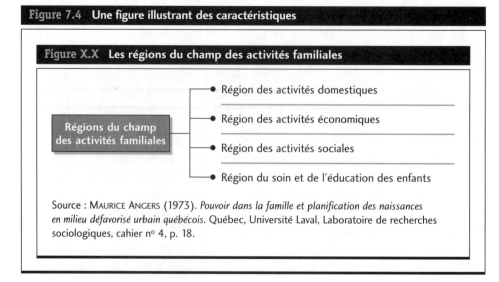

Figure X.X   Les régions du champ des activités familiales

Régions du champ des activités familiales
- Région des activités domestiques
- Région des activités économiques
- Région des activités sociales
- Région du soin et de l'éducation des enfants

Source : MAURICE ANGERS (1973). *Pouvoir dans la famille et planification des naissances en milieu défavorisé urbain québécois*. Québec, Université Laval, Laboratoire de recherches sociologiques, cahier nº 4, p. 18.

Figure 7.5   Un organigramme

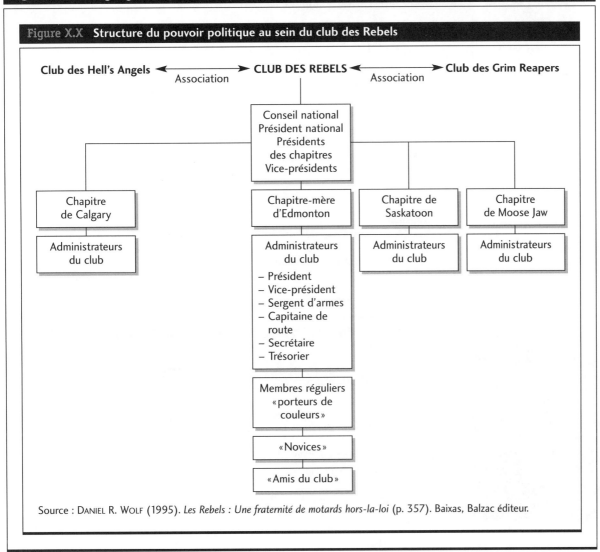

Figure X.X   Structure du pouvoir politique au sein du club des Rebels

Club des Hell's Angels ← Association → **CLUB DES REBELS** ← Association → **Club des Grim Reapers**

Conseil national
Président national
Présidents
des chapitres
Vice-présidents

Chapitre
de Calgary

Administrateurs
du club

Chapitre-mère
d'Edmonton

Administrateurs
du club
– Président
– Vice-président
– Sergent d'armes
– Capitaine de
  route
– Secrétaire
– Trésorier

Membres réguliers
«porteurs de
couleurs»

«Novices»

«Amis du club»

Chapitre de
Saskatoon

Administrateurs
du club

Chapitre
de Moose Jaw

Administrateurs
du club

Source : Daniel R. Wolf (1995). *Les Rebels : Une fraternité de motards hors-la-loi* (p. 357). Baixas, Balzac éditeur.

De la même manière, il pourrait s'agir de représenter les réseaux d'influence dans une communauté ou la ligne d'autorité dans un milieu de travail pour mieux expliquer ses observations subséquentes. La figure 7.5 comporte un exemple de la façon de représenter les lignes d'autorité dans un milieu de motards hors-la-loi canadiens à l'aide d'un **organigramme**. Chaque rectangle représente une fonction dont dépendent les fonctions au-dessous de celle-ci, reliées par une ou des lignes. Un autre genre de ligne pourrait être ajouté à cet organigramme pour illustrer les rapports informels qui s'établissent entre des membres du club des Rebels au-delà ou à côté des rapports hiérarchiques obligés. Cette ligne, qui aurait pu être tracée en parallèle avec la ligne d'autorité apparaissant sur la figure, renseignerait sur le réseau d'influence.

Un exemple de **diagramme contextuel** représentant la communication à propos de l'achat d'un ordinateur dans une famille reconstituée est donné dans la figure 7.6. Ce diagramme indique le contexte des observations, qui est la précision des rôles dans la famille. Le contexte, dans une autre recherche, pourrait désigner d'autres caractéristiques (âge, sexe, fonction, etc.) ou d'autres réalités comme le temps, la place occupée dans l'espace, et ainsi de suite.

Figure 7.6   Un diagramme contextuel

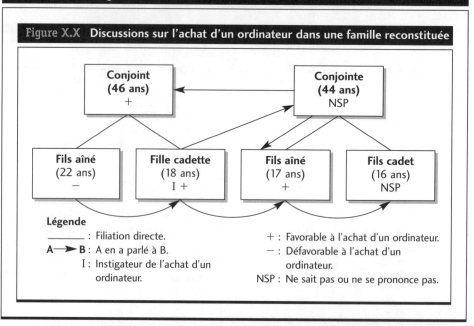

Figure X.X   Discussions sur l'achat d'un ordinateur dans une famille reconstituée

Légende

——————— : Filiation directe.
A ——▶ B : A en a parlé à B.
I : Instigateur de l'achat d'un ordinateur.

\+ : Favorable à l'achat d'un ordinateur.
\− : Défavorable à l'achat d'un ordinateur.
NSP : Ne sait pas ou ne se prononce pas.

Apprenti historien

Le site *Apprenti historien* regroupe près de 1 500 liens en **histoire**. De l'Antiquité à l'histoire de l'informatique, il ne manque rien.

www.chez.com/christiangagnon

Figure 7.7   Des icônes dans une figure

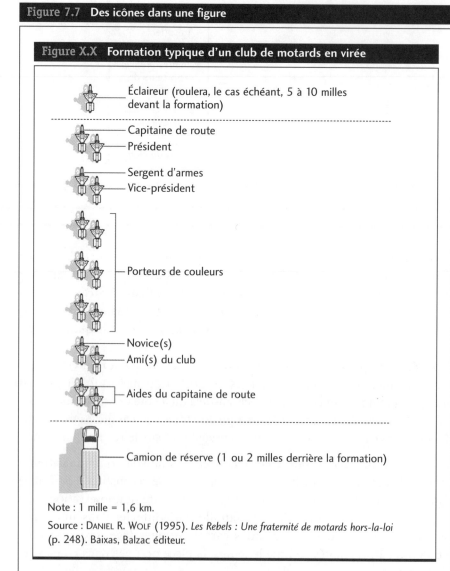

Figure X.X   Formation typique d'un club de motards en virée

Éclaireur (roulera, le cas échéant, 5 à 10 milles devant la formation)

Capitaine de route
Président

Sergent d'armes
Vice-président

Porteurs de couleurs

Novice(s)
Ami(s) du club

Aides du capitaine de route

Camion de réserve (1 ou 2 milles derrière la formation)

Note : 1 mille = 1,6 km.

Source : DANIEL R. WOLF (1995). *Les Rebels : Une fraternité de motards hors-la-loi* (p. 248). Baixas, Balzac éditeur.

Une figure peut donc être composée de rectangles, de lignes droites ou obliques, continues ou discontinues. Des dessins peuvent aussi y être inclus s'ils s'avèrent éclairants. Ainsi, les icônes de la figure 7.7 aident à comprendre la formation typique d'un club de motards en virée. Les figures peuvent ainsi permettre de présenter des relations entre des personnes ou le rapport avec des éléments de leur environnement, sous la forme d'axes, par exemple.

La **carte**, enfin, qu'elle soit géographique ou de toute autre nature, peut être d'une utilité certaine pour faire ressortir la signification de données qualitatives, pour autant qu'elle place des objets de tout ordre dans un espace physique ou symbolique. Dans l'observation en situation, le recours à la carte est d'ailleurs nécessaire pour faire connaître les déplacements et les contraintes du terrain.

Quelle que soit la forme retenue pour représenter les données qualitatives, la présentation n'est valable que si elle répond aux exigences suivantes :
- elle éclaire le problème de recherche au lieu de l'obscurcir ;
- elle ne néglige pas des données importantes du problème de recherche ;
- elle a été choisie après itérations et a fait l'objet de critiques.

TRAITER ET METTRE EN FORME LES DONNÉES QUANTITATIVES

Le questionnaire ou le sondage de même que l'expérimentation et l'analyse de statistiques ont été conçus expressément pour que les données recueillies subissent un traitement quantitatif. De même, une observation en situation menée avec une grille d'observation ou encore une analyse de contenu réalisée à l'aide d'une feuille de codage contenant des unités de numération visent également un traitement quantitatif. Ce traitement quantitatif peut prendre diverses formes. Il existe, en effet, divers moyens pour résumer, tester ou modifier des données quantitatives. Il s'agit principalement de mesures descriptives, de tests statistiques, de construction d'indices et de simplification de variables. À noter qu'une variable, telle qu'elle a été définie dans le chapitre 2, renvoie à toute caractéristique d'un concept ou d'un indicateur pouvant prendre différentes valeurs ; ce sont ces valeurs qui seront traitées statistiquement. Les données quantitatives sont par ailleurs mises en forme au moyen de représentations visuelles.

Les mesures descriptives

Les **mesures descriptives** permettent un premier traitement des données chiffrées. Les plus fréquemment utilisées sont les mesures proportionnelles, les mesures de tendance centrale, les mesures de dispersion et les mesures de position. **Les formules de calcul à effectuer pour obtenir ces mesures se trouvent dans la plupart des manuels d'introduction aux méthodes quantitatives en sciences humaines, dont celui de Parent (2003).**

Les mesures proportionnelles

Le problème de recherche peut commander de mesurer la répartition de certaines variables dans l'échantillon. Pour que cette mesure soit quelque peu significative, il est nécessaire de calculer le pourcentage, ou la fréquence relative de chaque catégorie de la variable concernée. Il est plus significatif de savoir, par exemple, que l'échantillon compte 5 % de personnes de 16 ans, 46 % de 17 ans, et ainsi de suite, que de savoir que 23 personnes avaient

Les têtes chercheuses

Thérèse Bouffard (1949-) est professeure au département de psychologie de l'Université du Québec à Montréal. Elle assume aussi la fonction de chercheuse et s'intéresse au développement de la personne. Ses plus récentes recherches, réalisées avec différentes équipes, portent sur la motivation et la réussite scolaire des jeunes des écoles primaires au Québec.

MESURES DESCRIPTIVES Grandeurs numériques servant à caractériser et à décrire un ensemble de données.

Plusieurs logiciels aident à traiter et à mettre en forme les données quantitatives.

16 ans, 207, 17 ans, etc. En fait, la fréquence absolue ne renseigne pas sur l'importance de la présence d'une caractéristique par rapport à l'ensemble, alors que la fréquence relative est établie à partir du nombre total de données pour cette variable (Parent : 107).

Les mesures de tendance centrale

Il peut être utile d'avoir un portrait unique pour une variable donnée, l'âge ou le revenu, par exemple, portrait qui peut être obtenu à l'aide d'une mesure de tendance centrale. Cette mesure indique les valeurs autour desquelles se retrouvent les données et renseigne donc sur leur ordre de grandeur. Les trois mesures de ce type sont le mode, la médiane et la moyenne. Le **mode** précise la catégorie de la variable ayant la plus haute fréquence ; la **médiane** renseigne sur la catégorie qui divise les données en deux parties égales ; la **moyenne** fournit une sorte de résumé de toutes les données. Ainsi, pour les résultats d'un groupe à un test sur 10 points, il est possible d'obtenir 8 pour le mode parce que cette note a été la plus souvent obtenue, 7 pour la médiane puisque la moitié des personnes se situe au-dessous de cette note et l'autre moitié au-dessus et, enfin, 6,6 pour la moyenne, qui est le résultat de la somme des notes obtenues divisée par le nombre de personnes.

La moyenne est la mesure de tendance centrale la plus utilisée pour rendre compte d'une série de chiffres comparables. Cependant, la moyenne étant calculée à partir de toutes les données de la série, elle est influencée par les données extrêmes et peut décrire deux types de distribution différents. Ainsi, une moyenne de 6,6/10 peut signifier que les personnes ont à peu près toutes obtenu cette note ou se sont situées autour de ce chiffre ; elle peut aussi signifier qu'aucune ne se situe à cet endroit, mais que toutes les personnes se situent vers les extrêmes, certaines ayant été très fortes et d'autres, très faibles. Les deux situations sont différentes, et pourtant la moyenne est la même. C'est pourquoi la moyenne arithmétique est souvent accompagnée d'une ou de plusieurs mesures de dispersion.

Les mesures de dispersion

Les mesures de dispersion renseignent sur le plus ou moins grand éparpillement de la distribution des résultats et précise la signification de la moyenne, par exemple. Une mesure de dispersion très utilisée est l'**écart type** car sa valeur permet de mieux évaluer l'étalement des données de la variable par rapport à la moyenne. Par exemple, si la moyenne des résultats à un test est la même dans trois groupes, soit 6,6/10, l'écart type peut être différent : groupe A, 1,43 ; groupe B, 2,11 ; groupe C, 2,48. Cette mesure permet d'observer que, avec une même moyenne dans chaque groupe, le groupe A se situe assez près de la moyenne, le groupe B s'en distance passablement et le groupe C présente encore plus d'écart, en plus et en moins, par rapport à la moyenne. À peu près personne dans ce dernier groupe ne doit se situer près de la moyenne. Cet exemple montre donc que, tout en utilisant une mesure de tendance centrale telle que la moyenne pour décrire un ensemble de données, il est souvent important de la compléter par une mesure de dispersion comme l'écart type. L'analyse subséquente en sera d'autant plus pénétrante. Si deux groupes sont comparés, le **coefficient de variation** peut aussi servir pour l'étude de la dispersion (Parent 2003 : 236). Par ailleurs, dans une expérimentation, ces mesures peuvent servir au test de comparaison entre groupes expérimentaux et groupes de contrôle.

Les mesures de position

Les mesures de position permettent de découvrir la place relative d'un certain nombre d'éléments d'une population ou d'un échantillon. Par exemple, en mettant des données de recensement en relation avec le revenu de la population, il sera possible de connaître quelle partie du revenu national va au quart, au cinquième ou au dixième des gens les plus riches du pays. Des **quantiles** (quartiles, quintiles, déciles ou centiles) sont ainsi établis, lesquels permettent de constater la position des gens dans la population par rapport à leur revenu ou par rapport à toute autre variable. La répartition par quintiles est notamment souvent utilisée par les gouvernements pour présenter la distribution de la richesse dans le pays selon la répartition des revenus entre les citoyens. D'autres mesures de position peuvent être utiles selon ce qu'il y a à faire ressortir pour l'analyse du problème de recherche, telles que le **rang brut**, la **cote standard** ou cote Z (Parent 2003 : 238).

La construction d'indices

Un **indice** est une nouvelle variable créée en regroupant un certain nombre de variables existantes pour en faire une mesure unique. Par exemple, un certain nombre de questions d'un formulaire de questions ou d'un test expérimental peuvent être réunies en une seule mesure. Avec l'analyse de contenu, ce sont des catégories qui sont ainsi associées. Initialement, ces questions ou catégories ont été construites à partir des indicateurs du schéma conceptuel. Ces questions ou catégories peuvent être regroupées pour former un indice pour autant qu'elles sont de même nature. L'indice est, en effet, construit en attribuant des points à chaque réponse d'un certain nombre de questions d'un formulaire ou à chaque propriété d'un certain nombre de catégories d'analyse pour en arriver à une mesure unique qui vise à faire une sorte de résumé quantifié de ces réponses ou propriétés.

INDICE Mesure quantitative combinant un ensemble d'indicateurs de même nature.

Souvent, en examinant le schéma conceptuel, tous les indicateurs d'une dimension, voire tous les indicateurs sous un même concept, peuvent être ainsi rassemblés, ce qui permet de donner un portrait d'ensemble des manifestations concrètes de cette dimension ou de ce concept. Par exemple, tous les indicateurs sous le concept de satisfaction au travail pourraient être regroupés et former l'indice du degré de satisfaction au travail de chaque informateur en donnant un score à chacune de leurs réponses touchant ce concept et en caractérisant le résultat d'ensemble. Tous les indicateurs ne se prêtent pas nécessairement à une telle réunion, soit parce qu'ils ne sont pas de même nature, soit parce qu'ils se mesurent difficilement. Des indicateurs tels que l'âge et le lieu de naissance des parents, ou l'appartenance à un organisme et la scolarité ne peuvent pas être regroupés, car ils ne sont pas de même nature. **Les indices sont donc des mesures composées. Ils se constituent par le regroupement de plusieurs indicateurs en une seule unité de mesure.** Établir un indice, c'est créer une nouvelle variable pour enrichir l'analyse subséquente.

La figure 7.8 illustre comment construire un indice à partir de questions d'un formulaire. Chaque informateur pourra être catégorisé suivant cet indice ou cette variable (la préoccupation politique), et un chiffre correspondant (1, 2 ou 3) sera ajouté dans le fichier au numéro de cette nouvelle variable pour chaque informateur. En commandant au logiciel de recodifier les choix de réponses selon les points accordés, les opérations de calcul seront ainsi automatiquement exécutées.

Indicateurs provenant d'un même univers de sens → **1** Il faut choisir des questions. Trois questions qui portent sur le degré de préoccupation politique des informateurs sont retenues dans cet exemple (c'est un minimum, il pourrait y en avoir plus). Voici ces questions.

QUESTION 18 : Prenez-vous la peine d'aller voter quand il y a des élections ?

❑₁ Certainement.
❑₂ Parfois.
❑₃ Pas du tout.

QUESTION 19 : Dans les médias de masse (radio, télévision, journaux), vous arrêtez-vous quand il s'agit de politique ?

❑₁ Jamais.
❑₂ Ça m'arrive quelquefois.
❑₃ Assez souvent.
❑₄ Régulièrement.

QUESTION 20 : Parlez-vous de politique avec certaines personnes que vous rencontrez quotidiennement ?

❑₁ Jamais.
❑₂ Ça m'arrive quelquefois.
❑₃ Assez souvent.
❑₄ Régulièrement.

Des valeurs comparables → **2** Les questions retenues ou choisies doivent avoir des choix de réponses identiques ou comparables.

Pondération selon une certaine logique → **3** Il s'agit de donner un poids ou une valeur numérique à chaque choix de réponse ; dans ce cas-ci, ce sera selon le degré de préoccupation des informateurs, soit du moins préoccupé (0 point) au plus préoccupé (3 points).

QUESTIONS	RÉPONSES	POINTS
18	1	3
	2	2
	3	0
19 et 20	1	0
	2	1
	3	2
	4	3

4 Le nombre minimal et maximal de points pouvant être obtenus est calculé, ce qui donne, comme résultats, dans ce cas-ci, de 0 à 9 points.

Prise en compte du schéma conceptuel → **5** Il faut décider, après réflexion sur diverses possibilités, en combien de segments couper l'axe des résultats. Dans ce cas-ci, il a été décidé de le diviser en trois segments (intervalle de 3, sauf le dernier) :

```
|_____|_____|_____|
0        3        6        9  Points
```

Inscription, avec la procédure complète, dans le manuel de codage → **6** Il reste à nommer la nouvelle variable ainsi créée, de même que ses catégories, en précisant les pointages qui lui sont associés.

Nom : Indice du degré de préoccupation politique des enquêtés
Catégories

1. Les moins préoccupés : 0 à 2 points.
2. Les moyennement préoccupés : 3 à 5 points.
3. Les plus préoccupés : 6 à 9 points.

Un exemple d'échelle

L'échelle la plus connue en sciences humaines est celle de Bogardus. Elle a d'abord été utilisée pour étudier la distance entre groupes ethniques et a servi ensuite pour l'étude de différences de classes sociales et de groupes religieux.

Les informateurs étaient interrogés sur le genre de relations qu'ils seraient prêts à avoir avec des gens de différents groupes ethniques afin de connaître leur ouverture d'esprit par rapport à ces groupes. Il leur était demandé de réagir spontanément, en inscrivant un *X* ou en s'abstenant de répondre, à une liste de sept items ou situations de contact interethnique. L'informateur devait dire s'il consentirait à ce qu'un membre de tel groupe ethnique soit :

1. un proche parent par mariage ;
2. un ami personnel à son club ;
3. un voisin dans sa rue ;
4. un proche compagnon de travail ;
5. un citoyen de son pays ;
6. un touriste seulement dans son pays ;
7. et, enfin, s'il l'exclurait de son pays.

L'échelle de Bogardus permet de situer chaque informateur selon son degré d'ouverture d'esprit quant aux groupes ethniques énumérés : anglais, italien, chinois, et ainsi de suite. Contrairement à d'autres échelles, celle-ci n'accorde pas le même poids à tous les items mais les hiérarchise. Elle suppose qu'une personne qui accepterait un membre d'un groupe ethnique donné comme proche parent accepterait aussi les situations 2 à 6. La personne qui admettrait la situation 4 accepterait les situations 5 et 6, mais pas nécessairement les situations 1 à 3. Il est ainsi possible de prédire certaines réponses en connaissant l'une d'entre elles. La plus simple est de présumer que l'informateur qui se situerait à l'item 7 se sera abstenu de répondre aux six items précédents. Il est donc possible d'établir, dans le cas d'une échelle hiérarchique, ou cumulative, une structure d'emboîtement très précise.

Les échelles ne sont pas des formules magiques. Il est toujours nécessaire d'examiner leur pertinence pour la recherche envisagée, car elles ne sont pas exemptes de présuppositions et d'arbitraire. Ainsi, les sept items mentionnés auraient pu être autres, et la distance entre chacun n'est pas nécessairement la même. De plus, il est supposé que chaque informateur sait ce que signifie l'appartenance à un club et qu'il a eu à travailler étroitement avec d'autres personnes. C'est le schéma conceptuel qui doit déterminer la pertinence de l'utilisation d'une échelle.

Un autre genre d'indice est également utilisé dans plusieurs recherches en sciences humaines, l'**échelle** ; cet indice sert à classer des individus ou des ensembles d'individus selon leurs réponses à des questions construites à partir d'indicateurs choisis et mis dans un ordre donné. Il est possible de construire d'autres sortes d'indices à partir de différents indicateurs ou éléments de notre environnement. Ainsi, il existe des indices de pollution de divers types : air, eau, sol, etc. Dans le domaine social, il y a l'indice bien connu du coût de la vie ou des prix à la consommation ; celui-ci est construit à partir d'indicateurs qui sont des objets de consommation courante dont la variation des prix est vérifiée régulièrement afin d'en faire un calcul global et détaillé. L'indice du marché boursier est lui aussi un résumé des indicateurs que sont les transactions à telle ou telle Bourse durant une journée, un mois ou une année. Il s'agit, dans ces cas, d'indices officiels, contrairement à ceux qui sont construits pour les besoins d'une recherche particulière.

ÉCHELLE Technique pour assigner un score à des individus en vue d'un classement.

La simplification de variables

La **variable simplifiée** est une variable comportant au moins quatre catégories qu'il apparaît nécessaire de réduire — à deux quand il y en a déjà quatre, à quelques-unes dans les autres cas — pour en faciliter l'analyse ultérieure. Cela ressemble à la réduction en classes vue précédemment, mais ici les valeurs de la variable ne sont pas numériques. Cette nouvelle variable ainsi construite peut s'avérer plus déterminante lorsqu'elle est mise en rapport avec d'autres variables de la recherche. Ce sont les questions à choix multiple, ou l'équivalent avec d'autres instruments que le questionnaire, qui gagnent à être réduites à quelques choix seulement, même à deux quand cela est possible. En effet, d'une part, la réduction permet de mieux faire ressortir les orientations des informateurs sur une question donnée, d'autre part, elle favorise la mise en relation de cette question avec d'autres. Le nombre

VARIABLE SIMPLIFIÉE Variable au nombre de catégories réduit.

de cases des tableaux à deux entrées s'en trouve ainsi diminué, ce qui donne plus d'assurance lors de l'application de tests statistiques. Pour ces raisons, il y a lieu de procéder à ces réductions de catégories, en particulier pour toute question d'évaluation ou d'intensité. Ce genre de questions permet en effet de diviser les réponses en deux tendances : par exemple, les informateurs favorables (très ou assez) d'un côté et les informateurs défavorables (très ou assez) de l'autre, ou les informateurs satisfaits (très ou assez) de l'un et les insatisfaits (très ou assez) de l'autre, et ainsi de suite. De nouvelles colonnes avec des données recodifiées sont ainsi ajoutées à la matrice de données. Il faut conserver cependant la colonne initiale, dont les catégories peuvent demeurer fécondes pour une autre partie de l'analyse.

Les représentations visuelles des données quantitatives

Pour préparer des données quantitatives en vue de leur analyse, il faut habituellement leur donner une forme visuelle. Les deux principales représentations visuelles de données chiffrées sont le tableau (à une entrée ou à deux entrées) et le graphique (diagramme en rectangles, histogramme, chronogramme, etc.). De façon générale, les tableaux offrent une représentation plus précise et plus détaillée que les graphiques. Cependant, pour illustrer plus rapidement et plus globalement les tendances et l'évolution d'une série de données ou les prédominances d'une variable, le graphique, sous l'une ou l'autre de ses formes, se révèle un outil précieux.

Les tableaux

La forme de représentation visuelle de données quantitatives la plus répandue et la plus simple est le tableau. Quand il ne contient qu'une variable, il s'agit d'un **tableau à une entrée**, aussi appelé *tableau de distribution* ou *de répartition de fréquences* ; les données y sont habituellement présentées en nombre absolu et en pourcentage. La figure 7.9 contient un exemple de tableau à une entrée pour la variable *sexe des informateurs*.

Les principaux points à retenir pour la **construction d'un tableau** sont les suivants.

- L'entête du tableau comprend le numéro et le titre du tableau. Le numéro ne sera définitif qu'une fois le tableau inséré dans un rapport de recherche. Suit

TABLEAU À UNE ENTRÉE Tableau présentant un regroupement de données qui se rapportent à une seule variable.

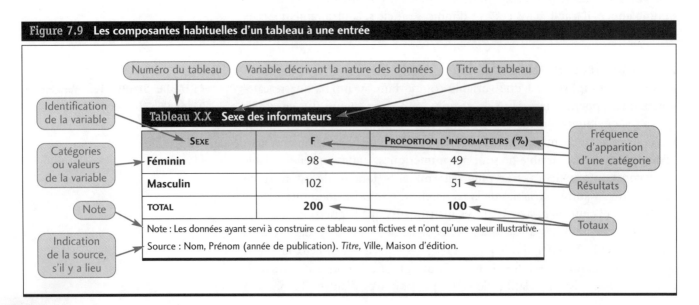

Figure 7.9 Les composantes habituelles d'un tableau à une entrée

Numéro du tableau	Variable décrivant la nature des données	Titre du tableau

Tableau X.X Sexe des informateurs

SEXE	F	PROPORTION D'INFORMATEURS (%)
Féminin	98	49
Masculin	102	51
TOTAL	**200**	**100**

Note : Les données ayant servi à construire ce tableau sont fictives et n'ont qu'une valeur illustrative.

Source : Nom, Prénom (année de publication). *Titre*, Ville, Maison d'édition.

Identification de la variable

Catégories ou valeurs de la variable

Note

Indication de la source, s'il y a lieu

Fréquence d'apparition d'une catégorie

Résultats

Totaux

un titre bref mais significatif. Pour les techniques d'analyse de contenu et de statistiques utilisant des données recueillies auprès de différentes sources et à différentes époques, il faut ajouter au titre le lieu de la collecte et l'année.

- Le corps du tableau contient les catégories de la variable et les résultats correspondants. Sur la première ligne de la première colonne se trouve le nom de la variable et, sur les autres lignes de la même colonne, ses diverses catégories jusqu'à « Total ». La deuxième colonne comporte l'indication de la quantité d'individus ou d'éléments correspondant à l'une ou l'autre catégorie en nombre absolu (N) ou selon leur fréquence (F). La valeur relative de chaque catégorie calculée sur l'ensemble des éléments du tableau apparaît dans la troisième colonne.

- Au besoin, des explications nécessaires à la compréhension du tableau en vue de son insertion dans le rapport de recherche sont ajoutées à la fin du tableau. Ces explications peuvent porter autant sur le titre que sur les informations contenues dans le tableau. Il peut s'agir d'explications de certains termes du titre, de justifications du nombre total d'éléments du tableau s'il diffère du nombre total d'éléments des autres tableaux de la recherche, de références aux sources consultées s'il y a lieu, etc. La signification des symboles ou des abréviations est donnée si nécessaire dans une légende.

- Le tableau peut être délimité par un encadrement, par deux lignes rapprochées ou une ligne plus épaisse au-dessus et l'autre au-dessous.

Il est possible de construire un tableau pour chaque variable, comme pour chaque question d'un formulaire ou chaque catégorie de prélèvement quantitatif d'une autre technique.

Le tableau donné en exemple dans la figure 7.9 représente une variable ne comprenant que deux catégories : masculin et féminin. Or une variable peut contenir de nombreuses catégories ou valeurs ; ainsi en est-il de l'âge, du revenu ou de la durée, notamment. Inscrire les multiples données de certaines variables les unes à la suite des autres dans un tableau l'allongerait indûment ; de plus, chaque valeur pourrait ainsi comprendre un nombre insignifiant de cas et elle ne se prêterait plus à l'analyse. C'est pourquoi il est préférable de ne pas avoir plus de dix catégories ou valeurs dans un tableau ; il est nécessaire donc, pour simplifier et pour faire ressortir l'essentiel, de regrouper les catégories et de les réduire à quelques-unes tout en maintenant le sens de la variable. Il s'agit de rassembler un certain nombre de données de la variable considérée en une unité, la **classe**, pour réduire à quelques catégories simples l'ensemble complexe des observations faites. Le **tableau en classes** en est la représentation. La figure 7.10 en contient un exemple avec la variable *âge*, laquelle peut prendre un grand nombre de valeurs.

Voici les principales remarques concernant la **détermination des classes**.

- Il faut d'abord considérer les **limites inférieures et supérieures** de la distribution **des valeurs de la variable**. Dans le tableau de la figure 7.10, les âges se répartissaient entre 20 et 59 ans.

- Il faut ensuite décider de l'**intervalle de classe** et, par conséquent, du **nombre de classes** à constituer. L'intervalle de classe est l'étendue donnée à chaque classe. Il doit être choisi en tenant compte de la définition du problème quant à la variable considérée et de l'étendue des données. Il doit y avoir suffisamment de données dans chaque classe pour la rendre

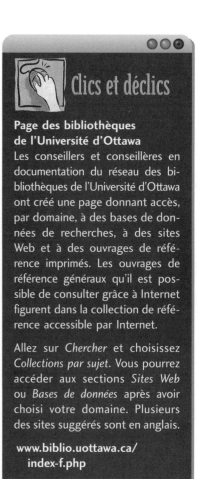

TABLEAU EN CLASSES Tableau présentant les données regroupées en catégories réduites par rapport à toutes les catégories de la variable.

Figure 7.10 Un tableau en classes

Tableau X.X Âge des candidats à des postes de soutien administratif		
ÂGE	F	PROPORTION (%)
29 et moins	12	11
30 – 39	27	24
40 – 49	43	39
50 et plus	29	26
TOTAL	111	100
Source : MAURICE ANGERS (1969). *Promotion et bilinguisme* (p. 26). Ottawa, Ministère des Postes.		

signifiante. Dans le tableau de la figure 7.10, l'intervalle est de 10 ans. Étant donné la répartition des âges, il y a donc quatre classes. Cette étendue est d'égale amplitude pour chacune des classes afin de permettre, si besoin est, l'application de mesures de tendance centrale et de dispersion. Les signes mathématiques *moins* et *plus* à l'une et l'autre extrémité font en sorte qu'aucun élément n'est oublié. Si un nombre significatif de personnes a moins de 20 ans ou plus de 59 ans, il faut ajouter, selon le cas, une classe supplémentaire, la classe *moins de 20 ans* suivie de la classe *20 - 29* au début ou la classe *60 et plus* précédée de la classe *50 - 59* à la fin.

• Les limites de chaque classe ne peuvent en aucun cas chevaucher les limites d'une autre classe sous peine de créer une ambigüité. Par conséquent, une classe commençant par le chiffre 40 ne doit pas être précédée d'une classe se terminant par le même chiffre, mais plutôt par 39, ou 39,99, faute de quoi il y aurait confusion dans le classement.

Les tableaux qui viennent d'être décrits sont des tableaux à une entrée : ils illustrent une seule variable par rapport à ses valeurs prises, parce que l'hypothèse était simple dans sa formulation, c'est-à-dire centrée sur une variable pour en prédire la variation. Cependant, une hypothèse est souvent plus complexe et suppose un rapport entre au moins deux concepts ou variables. Pour pouvoir la vérifier, il est nécessaire de mettre en relation ces deux variables dans un **tableau à deux entrées**. Par exemple, le tableau représenté dans la figure 7.11 est un tableau à deux entrées qui met en relation les variables *âge du mari* et *sa conception de l'autorité* de l'hypothèse : *Les jeunes maris québécois ont une conception moins autoritaire de leur rôle d'époux que les plus vieux.* La question rendant compte de la variable concernant l'autorité demandait au mari s'il acquiesçait ou non à l'affirmation que l'homme a autorité sur sa femme. Le tableau à deux entrées facilite la vérification de l'hypothèse bivariée.

Les règles de base de construction d'un tableau à deux entrées sont les mêmes que celles du tableau à une entrée. Quelques règles particulières s'y appliquent toutefois.

• Le titre doit comprendre les deux variables mises en relation.

• Le corps du tableau commence par la précision, au centre, de la variable dont les valeurs apparaissent en colonnes ; les noms des catégories de cette

TABLEAU À DEUX ENTRÉES Tableau présentant un regroupement de données et indiquant la répartition de celles-ci selon deux variables, généralement en vue d'établir une relation entre ces variables.

Figure 7.11 Un tableau à deux entrées

Tableau X.X Âge du mari et sa conception de l'autorité en pourcentage

L'HOMME A AUTORITÉ SUR SA FEMME	ÂGE DU MARI			
	MOINS DE 29 ANS	30 À 39 ANS	40 ANS ET PLUS	TOTAL
Oui	42	63	60	57
Non	58	37	40	43
TOTAL (%)	100	100	100	100
TOTAL (F)	(45)	(83)	(47)	(175)

Note : Test du khi carré (χ^2) : 5,197 pour 2 degrés de liberté (significatif à 0,10). Coefficient de contingence (C) : 0,170.

Source : MAURICE ANGERS (1973). *Pouvoir dans la famille et planification des naissances en milieu défavorisé urbain québécois.* Québec, Université Laval, Laboratoire de recherches sociologiques, cahier n° 4, p. 75.

variable sont inscrits sous le nom de la variable. Dans le tableau de la figure 7.11, cette variable est *âge du mari*. À l'extrême gauche de cette ligne est précisée l'autre variable, dont les valeurs apparaissent à l'horizontale avec, en dessous, les noms des catégories de cette seconde variable. Dans le tableau de la figure 7.11, c'est la variable *autorité de l'homme sur sa femme* avec les catégories *oui* ou *non*, selon ce que l'homme avait répondu à cette proposition.

- Pour que les données soient comparables, elles sont exprimées en pourcentage ; cependant, il est nécessaire de préciser le nombre d'individus que ces chiffres représentent, car 60 % de 5 ne représente que 3 personnes alors que 60 % de 47 en représente 28. L'éventail d'individus, dans ce dernier cas, est assez large pour que les 60 % ne soient pas imputés seulement à quelques excentriques, alors que cela pourrait être le cas avec trois personnes. Dans le cas où il y a seulement quelques informateurs, il faudra faire preuve de prudence au moment de l'analyse. C'est pour ces raisons qu'est ajouté à la dernière ligne, entre parenthèses, le nombre d'individus représentés dans chaque colonne. Le dernier chiffre de la dernière ligne fournit, quant à lui, le nombre total d'individus de l'échantillon ou de la population. Certains logiciels calculent automatiquement le nombre absolu et le pourcentage pour chaque case.

Il faut s'assurer, enfin, de commander au logiciel utilisé pour mettre en forme des tableaux à deux entrées, s'il ne le fait pas automatiquement, les résultats à un ou des tests statistiques ou à une ou des mesures d'association. Ces résultats sont placés habituellement en-dessous des données, comme dans le tableau de la figure 7.11. Ces choix de calculs seront faits en rapport avec le type de données recueillies et les exigences liées à l'hypothèse à vérifier. La façon d'analyser les tableaux à deux entrées à partir des résultats à ces tests et mesures sera présentée au chapitre suivant.

Les graphiques

Le **graphique** rend compte par une représentation imagée de l'ordre de grandeur d'un ensemble de données (Parent 2003 : 110). Cette représentation imagée peut prendre différentes formes. Il s'agit de choisir celle qui illustre le mieux, selon le cas, les caractéristiques de la variable ou des variables en

GRAPHIQUE Représentation imagée de l'ordre de grandeur d'un ensemble de données ou des relations entre ces données.

Figure 7.12 Un diagramme à rectangles

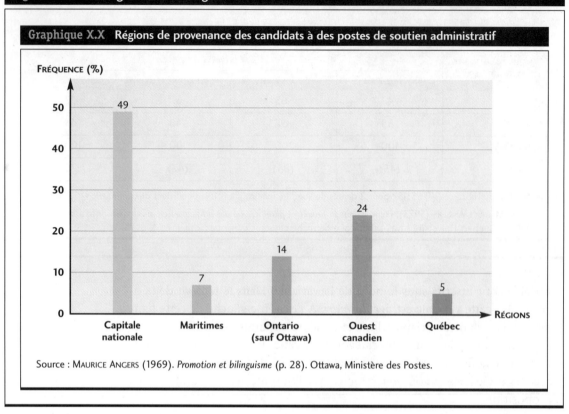

Graphique X.X Régions de provenance des candidats à des postes de soutien administratif

Source : Maurice Angers (1969). *Promotion et bilinguisme* (p. 28). Ottawa, Ministère des Postes.

Figure 7.13 Un histogramme

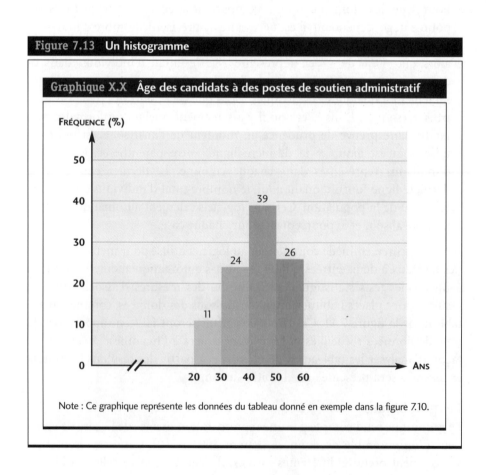

Graphique X.X Âge des candidats à des postes de soutien administratif

Note : Ce graphique représente les données du tableau donné en exemple dans la figure 7.10.

Figure 7.14   Un polygone de fréquences

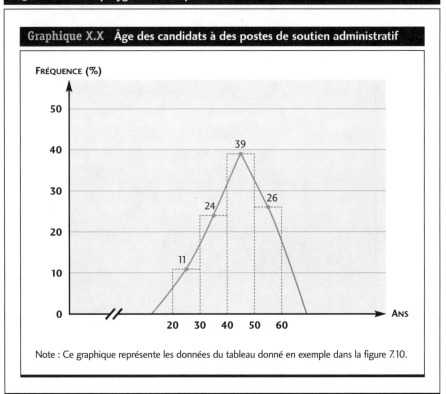

Graphique X.X   Âge des candidats à des postes de soutien administratif

FRÉQUENCE (%)

Note : Ce graphique représente les données du tableau donné en exemple dans la figure 7.10.

cause, eu égard aux données concernées. Les principaux types de graphiques sont le diagramme à rectangles, l'histogramme, le polygone de fréquences, la courbe de fréquences, le diagramme circulaire et le chronogramme. **Les règles de construction des tableaux s'appliquent également aux graphiques, seul change le corps des graphiques selon le type de dessin retenu.**

Le **diagramme à rectangles** est formé de bandes, horizontales ou verticales, représentant chacune une catégorie de la variable. La hauteur des bandes est en rapport avec la fréquence de la catégorie. Le graphique donné en exemple dans la figure 7.12 en est une illustration. Le diagramme à rectangles permet de visualiser immédiatement si une catégorie domine les autres et si une autre catégorie est minime dans la distribution.

L'**histogramme** est formé de rectangles placés côte à côte. C'est une trans-formation du diagramme à rectangles obtenue quand les données sont groupées en classes ; les colonnes sont alors juxtaposées comme des tuyaux d'orgue. C'est ce qu'illustre le graphique de la figure 7.13. La base de chaque rectangle correspond à l'intervalle de la classe et la hauteur de chacun corres-pond à la fréquence enregistrée.

Dérivant de l'histogramme, le **polygone de fréquences** est une autre façon de représenter une même réalité qui fait ressortir les points de comparaison entre chaque classe. Il s'agit de relier entre eux, par des lignes droites, les points milieux du sommet de chaque rectangle de l'histogramme, comme l'illustre le graphique de la figure 7.14.

Figure 7.15 Une courbe de fréquences

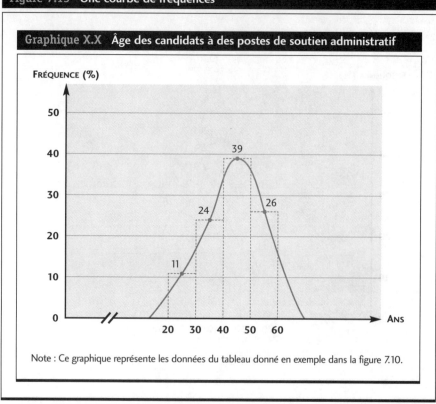

Graphique X.X   Âge des candidats à des postes de soutien administratif

Note : Ce graphique représente les données du tableau donné en exemple dans la figure 7.10.

Figure 7.16 Un diagramme circulaire

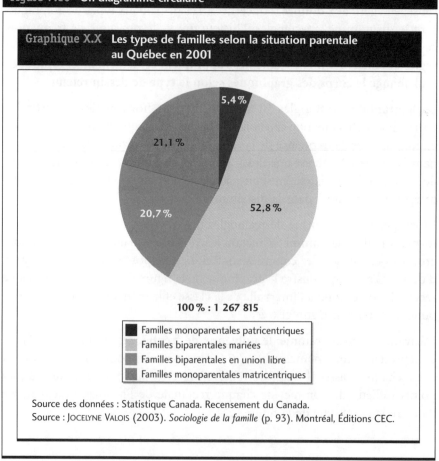

Graphique X.X   Les types de familles selon la situation parentale au Québec en 2001

100 % : 1 267 815

- ■ Familles monoparentales patricentriques
- ☐ Familles biparentales mariées
- ▨ Familles biparentales en union libre
- ▨ Familles monoparentales matricentriques

Source des données : Statistique Canada. Recensement du Canada.
Source : Jocelyne Valois (2003). *Sociologie de la famille* (p. 93). Montréal, Éditions CEC.

En adoucissant ou en arrondissant le polygone de fréquences, une **courbe de fréquences** apparaît, une représentation graphique très souvent utilisée à cause de son élégance. La ligne courbe est utilisée entre chaque point du polygone au lieu de la ligne droite comme dans le graphique de la figure 7.15.

Il y a aussi le **diagramme circulaire** ou **à secteurs**, qui ressemble à une tarte découpée en pointes. La surface de chaque pointe est proportionnelle à l'importance de chaque catégorie de la variable, soit en effectifs, soit en fréquences relatives. Pour plus de précision, le pourcentage de chaque catégorie est inscrit dans la pointe ou vis-à-vis du secteur qui lui correspond, comme dans le graphique de la figure 7.16. Le diagramme circulaire met en évidence un ensemble de données et permet de mieux voir si un secteur a plus d'importance qu'un autre.

Le **chronogramme** illustre les variables dont les catégories sont temporelles ou chronologiques, que les valeurs s'échelonnent sur des secondes, des mois ou des années. Les données y sont organisées selon leur ordre temporel, comme dans le graphique de la figure 7.17. Le chronogramme permet de constater d'un seul coup d'oeil l'évolution d'un phénomène et fait ressortir les moments de changements importants.

Ressources en science politique sur le Net

Le site *Political Resources on the Net* donne une liste de sites internationaux, en anglais, relatifs à la **science politique**. Ceux-ci sont classés par pays et fournissent des liens vers les différents partis et organisations politiques, de même que vers les gouvernements et les médias. De plus, hebdomadairement, un site politique est proposé.

www.politicalresources.net

Figure 7.17   Un chronogramme

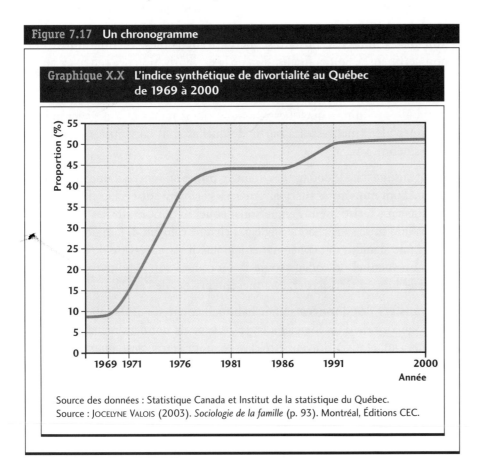

Graphique X.X   L'indice synthétique de divortialité au Québec de 1969 à 2000

Source des données : Statistique Canada et Institut de la statistique du Québec.
Source : JOCELYNE VALOIS (2003). *Sociologie de la famille* (p. 93). Montréal, Éditions CEC.

Préparer les données brutes est une phase transitoire très délicate et très importante entre la collecte proprement dite et l'analyse de ces mêmes données. Mieux le contrôle de la qualité des données, la catégorisation et le codage auront été faits, plus le transfert des données sur un support informatique sera facilité. Lors de ce transfert, il faut en profiter pour vous familiariser suffisamment avec le logiciel statistique employé afin de bien entrer vos données dans un premier temps et de connaître, dans un deuxième temps, toutes les possibilités qu'il peut offrir en matière de mise en forme des données. Parallèlement, il faut avoir déterminé précisément le traitement et la mise en forme nécessaires pour répondre à votre problème de recherche. Il ne faut pas non plus faire l'erreur de commander tout ce que le logiciel pourrait générer de tableaux ou de résultats à partir de vos données car vous risqueriez d'en être inondés et de ne plus vous y retrouver. Par exemple, si vous pensez faire votre analyse à partir de tableaux, il ne faut commander que ceux qui sont nécessaires pour étudier le bien-fondé de votre hypothèse de départ ou pour répondre à votre objectif de recherche. La façon d'analyser ces tableaux, de les interpréter et de rédiger le rapport qui en rendra compte est expliquée dans le chapitre suivant.

Résumé

Les informations recueillies au moment de la collecte sont des **données brutes** qu'il faut préparer en vue de l'analyse. Pour ce faire, elles doivent être dépouillées en faisant un contrôle de leur qualité afin de résoudre certains problèmes liés à des informations fantaisistes, non équivalentes, non discriminantes, absentes, incompréhensibles, incohérentes ou non pertinentes. Suit la finalisation de la catégorisation des réponses aux questions ouvertes et avec le choix « Autres (préciser) ». La procédure consiste à prendre un certain nombre de réponses au hasard, à les comparer, à les réduire à quelques réactions élémentaires et à dégager ainsi certaines idées maîtresses à partir desquelles sont constituées les catégories définitives.

Il faut ensuite faire le **codage** des données brutes au moyen d'une **numérotation**. Sont numérotés successivement les éléments de l'échantillon, puis chaque caractéristique ou angle sous lequel ils sont examinés et, enfin, la position prise sous chaque angle par chaque élément. Il faut donner aux codes une signification cohérente et logique. Il est nécessaire de conserver dans un **manuel de codage** toute la procédure suivie pour pouvoir s'y reporter lors du transfert et, éventuellement, lors de l'analyse.

Le **transfert des données** se fait habituellement sur un support informatique à l'aide d'un logiciel adapté au type de données recueillies. Les données qualitatives doivent être classées pour le transfert, quand il s'agit de notes d'observation, et transcrites littéralement, avec toutes les remarques contextuelles pertinentes, quand il s'agit d'entrevues, avec le codage prévu pour pouvoir effectuer plus facilement diverses opérations de regroupement. Il faut ensuite faire une **révision du transfert des données** pour corriger, s'il y a lieu, des portions manquantes, des notations bizarres ou qui ne rappellent rien. Il s'agit de rendre les données analysables sans les déformer et d'éliminer ce qui fausserait l'analyse. Quant aux données quantitatives, elles sont saisies dans la matrice de données du logiciel statistique choisi ; il s'agit de les entrer correctement et de les réviser pour déceler et éliminer les données erronées.

MOTS CLÉS

- **Donnée brute**
- **Codage**
- **Numérotation**
- **Manuel de codage**
- **Transfert des données**
- **Révision du transfert des données**
- **Traitement des données**
- **Mise en forme**
- **Condensation horizontale**
- **Condensation verticale**
- **Condensation thématique**
- **Mesures descriptives**
- **Indice**
- **Échelle**
- **Variable simplifiée**
- **Tableau à une entrée**
- **Tableau en classes**
- **Tableau à deux entrées**
- **Graphique**

Une fois les données dépouillées, codées et transférées, il faut en faire le **traitement** et la **mise en forme** afin d'en rendre possible l'analyse. Les données qualitatives peuvent être regroupées par dimension (condensation horizontale), par cas (condensation verticale) et par thème (condensation thématique). La **condensation horizontale** consiste à comparer les données recueillies par rapport à une dimension du schéma conceptuel. La **condensation verticale** consiste à examiner plus particulièrement quelques éléments de l'échantillon. La **condensation thématique** consiste à regrouper les données à partir de ce qui a été observé de frappant, d'inusité ou de surprenant lors de la collecte des données pouvant servir de fil conducteur à l'analyse.

Les données qualitatives peuvent être représentées sous forme de tableaux et de figures. Les cases du tableau peuvent contenir de courts textes, de brèves citations, des abréviations ou des symboles divers. La figure, pour sa part, peut fournir un classement, un agencement, ou établir des liens entre des éléments étudiés, par exemple. Elle est faite de rectangles, de lignes, voire d'icônes.

Le traitement des données quantitatives peut être fait à l'aide de **mesures descriptives** de tendance centrale (par exemple, la moyenne), de dispersion (par exemple, l'écart type) ou de position (par exemple, les quantiles). L'**indice** est une autre façon de traiter des données quantitatives. Il réunit un ensemble d'indicateurs ou de variables pour en faire une mesure unique. Un indice peut être construit à condition que les propriétés des catégories d'analyse ou les choix de réponses à des questions d'un formulaire, par exemple, soient identiques ou comparables. Un score différent est attribué à chaque choix, et en additionnant le tout une nouvelle mesure, soit un indice, en résulte. L'**échelle** est un indice particulier qui permet de classer les individus dans un ordre de grandeur. À l'inverse, la **variable simplifiée** est construite en réduisant, par exemple, les choix de réponses à une question, ce qui facilite sa mise en relation avec d'autres variables de la recherche.

Les données quantitatives peuvent être représentées à l'aide de tableaux et de graphiques. Le **tableau à une entrée** représente la distribution d'une seule variable. Le **tableau en classes** représente les valeurs numériques de la variable qui sont regroupées pour en faciliter la lecture. Ces tableaux à une entrée donnent la fréquence de chaque catégorie de la variable en nombre absolu et en pourcentage. Quant au **tableau à deux entrées**, il sert à mettre en relation deux variables et à permettre l'étude de cette relation. Le **graphique**, avec ses différents types (diagramme à rectangles, histogramme, courbe de fréquences, diagramme circulaire et chronogramme), permet quant à lui de visualiser l'ordre de grandeur d'un ensemble de données.

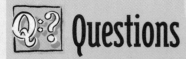 **Questions**

1. Au moment du contrôle de la qualité des données recueillies, qu'est-ce qui peut amener à en éliminer ou à en corriger certaines? Expliquez brièvement.

2. Dans un formulaire de questions, quelle est la procédure pour catégoriser des réponses à une question ouverte, ou le choix de réponse « Autre (préciser) » dans une question fermée?

3. Choisissez une des six méthodes ou techniques de recherche et précisez-en les trois temps du codage par numérotation des données.

4. À quoi sert un manuel de codage?

5. Que signifient transférer et réviser des données, qu'elles soient quantitatives ou qualitatives?

6. Comment les regroupements de données qualitatives peuvent-ils être faits? Décrivez ces regroupements.

7. Quelles sont les deux principales formes de représentations visuelles des données qualitatives et que contient principalement chaque forme?

8. De quelles manières les données quantitatives peuvent-elles être traitées?

9. Quelles sont les deux principales formes de représentations visuelles des données quantitatives et quels sont les avantages de l'une par rapport à l'autre?

10. Une personne affirme qu'elle a d'abord codifié ses données, puis qu'elle les a révisées, ensuite qu'elle les a transférées et, enfin, qu'elle en a contrôlé la qualité. A-t-elle procédé dans le bon ordre? Justifiez votre réponse en donnant le bon ordre, s'il y a lieu, et en précisant brièvement la nature de chacune de ces opérations.

11. Supposez que votre matrice de données quantitatives contient une colonne dont la variable se nomme *satisfaction* pour le concept degré de satisfaction par rapport au travail en équipe; les quatre choix de réponses sont « Très », « Assez », « Peu » et « Pas du tout ». En partant de cette variable, pouvez-vous en créer une nouvelle, une fois votre matrice remplie? Si oui, quelle serait sa nature et comment vous y prendriez-vous pour la construire?

12. Quelqu'un vous apporte des données brutes en partie quantitatives et en partie qualitatives. Cette personne vous demande conseil sur la façon de dépouiller ses données, puis de les traiter et, enfin, de les mettre en forme. Énumérez-lui les opérations essentielles à effectuer, en tenant compte du type de prélèvement effectué, et décrivez-les-lui brièvement.

Rendre compte de la recherche

 **Objectifs**

Après la lecture de ce chapitre, vous devriez pouvoir :

- analyser des données ;
- interpréter des résultats ;
- décrire les éléments essentiels que doit contenir un rapport de recherche scientifique ;
- établir un plan de rapport de recherche ;
- appliquer le style d'une rédaction scientifique ;
- appliquer les règles de présentation d'un rapport ;
- tenir compte des critères généraux à partir desquels un rapport est évalué.

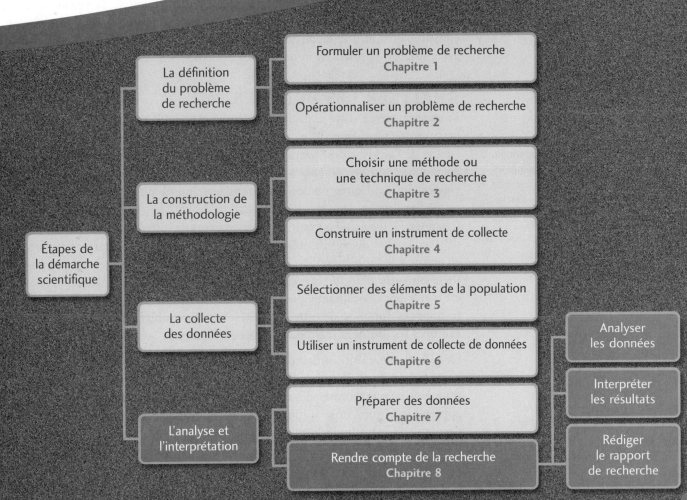

Étapes de la démarche scientifique

- La définition du problème de recherche
  - Formuler un problème de recherche — Chapitre 1
  - Opérationnaliser un problème de recherche — Chapitre 2
- La construction de la méthodologie
  - Choisir une méthode ou une technique de recherche — Chapitre 3
  - Construire un instrument de collecte — Chapitre 4
- La collecte des données
  - Sélectionner des éléments de la population — Chapitre 5
  - Utiliser un instrument de collecte de données — Chapitre 6
- L'analyse et l'interprétation
  - Préparer des données — Chapitre 7
  - Rendre compte de la recherche — Chapitre 8
    - Analyser les données
    - Interpréter les résultats
    - Rédiger le rapport de recherche

Une fois les données préparées, il vous faut encore, pour achever le travail de recherche, mener une action en trois temps : analyser les données, interpréter les résultats et rédiger le rapport de recherche qui permettra principalement d'en rendre compte. L'analyse des données consiste à les examiner pour en dégager des observations au regard de l'hypothèse ou de l'objectif de recherche. C'est à ce moment que l'hypothèse va être confirmée, en totalité ou en partie, ou infirmée. Pour un objectif de recherche, c'est le moment de vérifier s'il a été atteint, en totalité ou en partie, ou pas du tout. Les données qualitatives ont été traitées pour une large part différemment des données quantitatives, et il faut en tenir compte dans l'analyse. L'interprétation des résultats vise ensuite à aller plus loin, c'est-à-dire à dégager de l'analyse des considérations plus générales sur le sens à donner aux constatations faites en cours d'analyse. Différents types d'erreur sont d'ailleurs à éviter au cours de ce processus. L'analyse et l'interprétation sont des opérations délicates. Vous arrivez au terme de votre recherche, vous avez l'impression, habituellement fondée, d'avoir accompli un travail immense et vous pensez que les données préparées vont parler d'elles-mêmes. Or c'est plutôt le moment où la réflexion doit être la plus intense, car les données préparées, malgré la qualité de leur traitement et de leur mise en forme, ne parlent pas d'elles-mêmes.

Lorsque vous aurez terminé ce travail d'analyse et d'interprétation, il vous restera à rédiger le rapport de recherche. Il faut d'abord en déterminer le contenu pour concevoir un plan de rédaction comprenant tous les éléments essentiels de la recherche : l'introduction, la problématique, l'état de la question, la méthodologie utilisée, l'analyse des données et l'interprétation des résultats, la conclusion. Il faut s'arrêter ensuite au style de rédaction à adopter et à la présentation matérielle du rapport. Le rapport de recherche constitue en outre la façon de soumettre à l'évaluation des pairs le travail accompli. Une présentation orale peut également en être faite.

ANALYSER LES DONNÉES

Vous avez exercé votre capacité d'analyse en formulant et en opérationnalisant votre problème de recherche ainsi qu'en préparant vos données. À l'étape de l'analyse des données, il s'agit toujours de décomposer la réalité en rendant compte de chacune de vos constatations, pour les **décrire**, les **classer**, les **expliquer** ou les **comprendre** selon la ou les visées de votre recherche déterminées lors de la précision de votre problème de recherche (chapitre 1). Il s'agit, en examinant les données de différentes manières, d'en dégager le plus de significations possible en faisant des constats pertinents en lien avec le problème de recherche, ce qui permettra de vérifier votre hypothèse ou votre objectif de recherche. L'hypothèse ou l'objectif de recherche est la référence dominante, pour ne pas dire unique, de toute l'analyse. **C'est toujours en fonction de cette hypothèse ou de cet objectif que doivent être évaluées les données traitées et mises en forme.**

Que l'hypothèse soit confirmée ou infirmée par les résultats de l'analyse, elle a une valeur de révélation. C'est pourquoi il serait contraire à l'esprit scientifique de ne pas accepter des résultats contredisant l'hypothèse. Toute étude apprend quelque chose d'important sur la réalité examinée. De grandes découvertes scientifiques résultent même de résultats d'analyse qui ne correspondaient pas aux prédictions faites. Il faut se rappeler, enfin, le caractère provisoire des découvertes scientifiques, qui sont continuellement remises

ANALYSE DES DONNÉES Opération intellectuelle consistant à examiner les données pour en dégager des constats par rapport au problème de recherche.

en question; de plus, les phénomènes humains se modifient dans le temps. C'est pourquoi une hypothèse est plutôt confirmée, en tout ou en partie, ou infirmée selon que l'expérience menée ou l'observation faite vérifie ou non la prédiction de départ, qu'il s'agisse de données quantitatives ou qualitatives.

L'analyse des données quantitatives

Le traitement des données quantitatives a produit, selon ce qui a été commandé au logiciel statistique utilisé, des résultats de mesures descriptives et des résultats à des tests statistiques et à des mesures d'association, résultats qui ont été représentés sous forme de tableaux ou de graphiques. L'analyse consiste à examiner attentivement ces résultats à la lumière de l'hypothèse ou de l'objectif de recherche. Si l'hypothèse ou l'objectif ne reste pas toujours au premier plan des réflexions, il est facile de se diriger vers des considérations secondaires et de perdre ainsi le sens à donner à l'analyse.

Ainsi, en analysant des résultats de mesures descriptives, représentés dans des tableaux à une entrée ou par des graphiques à une seule variable, il faut en dégager uniquement les quelques constatations principales, celles qui dévoilent quelque chose sur le problème à l'étude. Il ne s'agit donc pas de s'arrêter sur tous les résultats, mais au contraire d'examiner uniquement le ou les chiffres (les pourcentages, habituellement) qui disent quelque chose par rapport à l'hypothèse ou à l'objectif de recherche.

En outre, il faut d'abord examiner les résultats des tests statistiques ou des mesures d'association auxquels les variables croisées, représentées dans des tableaux à deux entrées, ont été soumises. Ces résultats permettront en effet de savoir s'il y a une relation ou un lien possible entre ces variables. L'important dans l'examen d'un test d'hypothèse ou d'une mesure d'association est de bien en connaître la signification pour juger des limites de ce qu'il est possible de lui faire dire. Les manuels sur les méthodes quantitatives en sciences humaines, comme celui de Parent (2003), fournissent tout ce qu'il faut savoir à ce sujet. Voici cependant l'essentiel à retenir pour l'analyse.

Les tests d'hypothèse

Le terme *hypothèse* dans *tests d'hypothèse* renvoie à l'**hypothèse statistique** et non à l'hypothèse formulée lors de la définition du problème de recherche. L'hypothèse statistique sert à vérifier l'hypothèse de recherche en permettant de constater si la variable X influence ou n'influence pas la variable Y. Par exemple, s'il s'agit de vérifier si l'âge du mari influence sa conception de l'autorité (voir le tableau de la figure 7.11, page 157), l'hypothèse d'indépendance entre les variables, appelée *hypothèse nulle* en statistique, prédit qu'il n'y a pas de relation entre les deux variables. Elle laisse entendre, par exemple, que, si 57 % des maris de l'échantillon affirment que l'homme a autorité sur sa femme, ce même pourcentage doit théoriquement se retrouver pour toutes les classes d'âge considérées. En d'autres mots, que les hommes aient moins de 29 ans, 30 à 39 ans ou 40 ans et plus, 57 % d'entre eux, et ce, pour chaque classe d'âge, devraient avoir répondu que, oui, l'homme a autorité sur sa femme, ce qui démontrerait qu'il n'y a pas de différence dans les conceptions, peu importe la classe d'âge. Il en est de même pour la catégorie *non* par rapport à son total (43 %) et, si la variable *conception de l'autorité* avait eu d'autres catégories que *oui* et *non*, il en aurait été de même pour chacune d'elles.

La conduite éthique

Rien que la vérité

L'honnêteté scientifique exige que vous ne camoufliez d'aucune façon des données pertinentes, même si celles-ci ne vont pas dans le sens de votre hypothèse de recherche ou de vos intérêts. Qu'il s'agisse de données quantitatives ou qualitatives, vous devez toujours dévoiler ce que vous avez recueilli. Dans un même ordre d'idées, s'il manque certaines données, il faut en faire le constat franchement, et ne jamais rien inventer pour les remplacer…

◄◄◄◄◄◄◄◄◄◄

SEUIL DE SIGNIFICATION Seuil au-dessous duquel une relation significative entre deux variables est admise.

Dans les faits, un échantillon ne pouvant jamais être la réplique exacte d'une population, il y a toujours des différences constatées entre les proportions de chaque catégorie par rapport au total. Mais ces **différences** sont-elles **non significatives**, comme le suppose l'hypothèse nulle, à savoir que celles-ci ne seraient dues qu'à l'écart inévitable entre population et échantillon, lui-même dû au hasard de la détermination de l'échantillon? Ou bien ces **différences** sont-elles **significatives**, allant à l'encontre de l'hypothèse nulle, c'est-à-dire qu'elles sont probablement causées par l'existence d'une relation entre les deux variables?

Les tests d'hypothèse statistique permettent de répondre à cette question fondamentale et de vérifier, par exemple, s'il y a un rapport de dépendance entre deux variables qui peut aller, après une analyse logique de l'association statistique, jusqu'à l'affirmation d'un lien de cause à effet si les effets des variables intermédiaires ont pu être contrés. Dans le tableau de la figure 7.11 (page 157), cette vérification a été faite à l'aide du test du **khi carré** (χ^2), largement utilisé en sciences humaines; il se calcule à partir du nombre absolu et non à partir des pourcentages. D'autres tests peuvent aussi être utilisés, comme le test *t* **de Student**, le test *F* **de Fisher** (Parent 2003). Dans le choix du test d'hypothèse, il faut tenir compte de la nature des variables en cause et de la relation recherchée. L'hypothèse statistique permet de confirmer ou d'infirmer l'hypothèse de recherche.

Tous les tests d'hypothèse n'ont par ailleurs de sens que si les données de la recherche ont été recueillies auprès d'un échantillon de type probabiliste, qui offre des garanties quant à sa représentativité par rapport à la population dont il est extrait (voir le chapitre 5). Mais, comme un échantillon n'est jamais la réplique exacte de la population dont il provient, une marge d'erreur est inévitable dans les différences constatées par les tests statistiques. C'est pourquoi il est question, à propos de ces tests, d'un **seuil de signification**, c'est-à-dire d'un niveau de confiance acceptable pour pouvoir ensuite affirmer que la différence observée est significative ou non. Ce seuil se situe au-dessous de 0,05 ou 5%, seuil qui permet d'affirmer qu'il y a une probabilité de 95% que la différence constatée ne soit pas due au hasard du prélèvement de l'échantillon, mais à une relation significative entre les deux variables en cause. Dans certains cas, il peut être admis qu'il y a relation significative jusqu'à un seuil de 10%, comme dans le tableau de la figure 7.11 (page 157). Dans ce dernier cas, pour plus de sûreté, une mesure d'association a aussi été calculée.

Les mesures d'association

Les mesures d'association ou de corrélation visent à évaluer l'intensité du lien entre deux variables. Chaque mesure d'association a son étendue de variation qu'il faut d'abord connaître pour ensuite en évaluer le sens. La plus connue est sans doute celle du **coefficient de contingence** (*C*), qui renseigne sur le degré d'association entre variables; il s'établit à partir du khi carré et de la taille de l'échantillon. Le coefficient de contingence varie entre 0 et 1 ou un peu moins (Parent 2003 : 277); plus sa valeur se rapproche de 1, plus le lien est fort entre les variables. Dans l'exemple qui apparaît dans le tableau de la figure 7.11 (page 157), sa valeur est de 0,170, ce qui traduit un lien faible entre les deux variables.

Les tests d'hypothèse et les mesures d'association ne sont évidemment pas nécessaires si les données ont été obtenues auprès de toute la population : une différence constatée est alors nécessairement une différence significative puisqu'elle concerne toute la population. Ces tests et mesures ne sont donc utiles que pour des données recueillies auprès d'un échantillon de la population.

L'analyse des données qualitatives

Le traitement des données qualitatives a produit des résultats tels que des regroupements par dimension, par cas, par thème ou par type, un comptage, résultats qui ont aussi pu être représentés dans des tableaux et des figures. L'analyse consiste à examiner attentivement ces résultats afin de découvrir les observations qui renseignent plus précisément sur l'hypothèse ou l'objectif de recherche, qu'il faut garder au premier plan des réflexions pour éviter de se diriger vers des considérations secondaires et de perdre ainsi la direction à suivre.

Il s'agit de dégager uniquement les quelques constatations principales, celles qui dévoilent quelque chose sur le problème à l'étude. Il ne s'agit donc pas de s'arrêter sur tous les résultats, mais sur ceux qui disent quelque chose par rapport à l'hypothèse ou à l'objectif de recherche. Selon la technique de recherche retenue, l'analyse consiste donc à retracer quelques spécimens d'observations, de propos enregistrés ou de notations exemplaires, qui vont enrichir la problématique de départ et permettre de faire une analyse fine. C'est ainsi que l'hypothèse ou l'objectif de recherche sera analysé ou mis en perspective à l'aide d'observations signifiantes provenant, selon la technique, du terrain d'observation, d'extraits particulièrement révélateurs des propos enregistrés ou encore de notations marquantes de documents analysés.

L'analyse consiste à examiner attentivement les résultats du traitement des données afin de découvrir les observations qui renseignent plus précisément sur l'hypothèse ou l'objectif de recherche.

INTERPRÉTER LES RÉSULTATS

L'**interprétation des résultats** n'est pas toujours facilement dissociable de l'analyse, car elle porte elle aussi sur les données. D'aucuns pourraient prétendre qu'il s'agit tout simplement d'une analyse plus fine, qui ne viserait qu'à dépasser les simples constatations. Pourtant, l'interprétation des résultats est plus que cela, c'est une réflexion qui cherche à aller plus loin.

L'interprétation part de constatations faites sur un phénomène grâce à l'analyse et porte à des considérations plus générales sur les liens entre les éléments analysés. Dire, par exemple, que les femmes ont une espérance de vie plus longue que les hommes au Canada, fait constaté au cours de l'analyse de données de recensement, amène à réfléchir sur le sens de cette observation, sur sa portée, ses conséquences théoriques ou sociales, ses limites étant donné la population interrogée, sa **généralisation** possible à d'autres contextes, et soulève de nouvelles questions. L'interprétation apparaît donc comme une opération mentale distincte de l'analyse tout en y étant reliée. Voilà pourquoi l'interprétation des résultats suit habituellement l'analyse puisqu'elle pousse plus loin en lui donnant un sens. En **recherche expérimentale**, une section du rapport de recherche sera réservée à l'interprétation, tout de suite après celle portant sur l'analyse des données. Dans les autres types de recherche, c'est au fur et à mesure qu'une constatation est faite à

INTERPRÉTATION DES RÉSULTATS Raisonnement visant à donner un sens, une signification à l'analyse des données.

GÉNÉRALISATION Raisonnement par lequel les résultats obtenus auprès d'un échantillon ou d'un groupe peuvent être étendus à toute la population ou à un groupe semblable.

La conduite éthique

**L'erreur scientifique n'est
pas une fraude scientifique**
Tout au long d'une recherche, il
est possible que des erreurs se
produisent. Elles peuvent être négligeables ou catastrophiques;
vous pouvez les déceler ou bien
ne jamais les voir. Le processus
scientifique est semé d'essais et
d'erreurs. Toutefois, si vous cons-
tatez une erreur, tentez de la corriger. Si cela s'avère impossible,
avouez-la franchement et expliquez
ses effets dans votre analyse des
résultats. Une erreur scientifique
n'est pas une fraude, mais il arrive
que des fraudes scientifiques ont
comme point de départ des erreurs
camouflées.

partir de l'analyse des résultats qu'il y a lieu de la faire suivre d'une interprétation, pour autant qu'il apparaît pertinent de le faire à ce moment-là en
évitant les répétitions.

L'interprétation, qui est une argumentation logique à partir des constatations
faites, mène soit à réviser la prédiction initiale, voire la théorie dans laquelle
elle s'inscrit, si l'hypothèse s'est révélée plutôt non fondée, soit à enrichir le
problème à l'étude de nouvelles considérations théoriques ou pratiques si
l'hypothèse s'est révélée plutôt fondée.

Des erreurs peuvent se produire au cours de l'analyse et de l'interprétation,
ou ont pu se produire à des étapes précédentes. Les erreurs potentielles sont
de quatre types : l'erreur de fait, l'erreur relative, l'erreur d'interprétation et
l'erreur de compte rendu, cette dernière pouvant conduire à des généralisations abusives. Une **erreur de fait** provient d'une donnée inexacte qui n'a
pas pu être contrôlée lors de la préparation des données. Ce peut être un
mauvais renseignement fourni par un informateur, de mauvaises conditions
de déroulement, un test mal appliqué ou toute autre irrégularité. Il faut
corriger l'erreur si c'est possible ou faire preuve, pour le moins, de retenue
dans l'analyse. L'**erreur relative** provient d'une donnée qui n'a pas été replacée
dans son contexte ou dans sa durée. Il peut s'agir d'une différence de réactions
entre entrevue individuelle et entrevue de groupe, d'intention et de vote réel,
etc. Une fois l'erreur détectée, il faut recontextualiser la donnée. L'**erreur d'interprétation** résulte du fait qu'une donnée a été biaisée. Elle peut être faite
pour forcer la confirmation de l'hypothèse même si les données ne sont pas
probantes ou pour l'amplifier quand les constatations vont dans un même
sens. Pour éviter ce biais, il faut se rappeler que la réalité est toujours plus
complexe que toute théorie. L'**erreur de compte rendu** vient de ce qu'une
donnée n'est pas reliée aux caractéristiques particulières des informateurs ou
aux circonstances de la recherche. C'est oublier, par exemple, que des volontaires ne reflètent pas nécessairement la population, que des informateurs
ont pu avoir des raisons de ne pas tout dévoiler, etc. Il ne faut donc pas, là
encore, faire de généralisations abusives.

RÉDIGER LE RAPPORT DE RECHERCHE

Dès que la préparation des données est terminée, il est tentant de commencer
immédiatement la rédaction sur telle ou telle observation déjà mise en forme.
Toutes sortes d'idées peuvent surgir à la vue des données préparées. Or en
précipitant la rédaction, il est facile de s'embourber et ne plus savoir comment
poursuivre. C'est pourquoi, avant d'entreprendre la rédaction, il est nécessaire de déterminer le contenu du rapport et d'en faire le plan. Il faudra aussi
tenir compte du public auquel il s'adresse et l'écrire dans un style propre aux
écrits scientifiques. De même, il ne faudra négliger ni la présentation matérielle, ni les autres composantes du rapport telles que les pages liminaires,
les pages finales et le résumé. Il faut également rédiger ce rapport en ayant
en tête les critères principaux servant habituellement à évaluer un rapport
scientifique. Enfin, il est très possible qu'il vous soit demandé de faire un
exposé oral de votre recherche.

Le contenu essentiel du rapport

Le contenu essentiel d'un rapport de recherche scientifique est constitué d'un certain nombre d'éléments indispensables qui le caractérisent. Il doit comprendre une introduction, la problématique, la méthodologie employée, l'analyse et l'interprétation des résultats ainsi qu'une conclusion.

L'introduction

L'introduction est souvent rédigée lorsque la rédaction des composantes principales du rapport de recherche est terminée, ce qui peut sembler surprenant étant donné que l'introduction apparaît au début du rapport. C'est qu'elle est plus facile à rédiger une fois la rédaction du reste du rapport terminée, lorsque son contenu est définitif de même que sa répartition. L'introduction comprend trois éléments essentiels : la présentation du sujet de recherche, son intérêt et la présentation du contenu du rapport. Il s'agit d'une courte présentation du sujet ou du problème traité visant à en montrer la nature, suivie d'une brève démonstration de son intérêt, c'est-à-dire pourquoi ce sujet est important ou fascinant et pourquoi il est utile ou urgent de s'y attarder, et enfin de la présentation de la répartition du contenu du rapport dans les chapitres de même que de la justification de cette répartition. S'il est décidé d'inclure la problématique et la méthodologie dans l'introduction, elles doivent apparaître avant la présentation et la justification de la répartition du contenu.

La problématique

La problématique fait partie des éléments essentiels du rapport de recherche. Pour faire comprendre l'ensemble des préoccupations qui ont orienté le choix du sujet de recherche et le sens de la démarche, il est indispensable de faire part de la façon dont le problème de recherche a été cerné. La problématique comprend les éléments suivants :

- l'explicitation du problème, c'est-à-dire sa formulation détaillée ;

- l'état de la question, c'est-à-dire les connaissances existantes sur le sujet recensées lors de l'exploration de la documentation ; **ces connaissances ont pu contribuer à faire émerger une question de recherche, une nouvelle hypothèse ou un nouvel objectif de recherche sur le sujet choisi** ;

- la question de recherche, ou ce sur quoi l'étude a porté ;

- l'hypothèse ou l'objectif de recherche, soit la réponse présumée ou les renseignements recherchés découlant de la question de recherche ; cela inclut la définition des principaux concepts et d'autres éléments d'information, s'il y a lieu, pour bien faire comprendre ce qui a été observé dans la réalité ;

- l'intention de la recherche, autrement dit en quoi la recherche est fondamentale ou appliquée ;

- la visée fixée (décrire, classer, expliquer ou comprendre).

Si une théorie a servi à l'élaboration de la problématique, par exemple en fournissant la définition de concepts ou en alimentant la formulation de l'hypothèse ou de l'objectif de recherche, il faut également en faire mention.

À propos...

de diffusion de la recherche

En rédigeant un rapport de recherche, il faut prendre en considération le mode de diffusion.

Dans le cadre d'un travail scolaire, il importe d'indiquer en quoi les étapes prescrites ont été respectées et d'inclure l'instrument de collecte, les données préparées, l'analyse et l'interprétation.

Le journal étudiant peut être une tribune intéressante pour faire connaître les résultats d'une recherche et susciter un débat. Il s'agit dans ce cas de faire une synthèse du rapport ou de présenter dans un article les principaux résultats.

Dans le cas de la revue scientifique, il est nécessaire de développer la problématique même si le nombre de pages accordé est souvent limité. Il faut pratiquer l'art de la synthèse et de la concision.

Dans un livre, le public étant plus large, il est recommandé, tout en fournissant les indications méthodologiques nécessaires, de mettre davantage l'accent sur les résultats en simplifiant au besoin les constats faits.

CHAPITRE 8 ■ Rendre compte de la recherche **171**

La méthodologie employée

Il importe de donner une bonne description de la méthodologie utilisée. Cette description comprend :

- les caractéristiques de la population et de l'échantillon ;

- des précisions sur la méthode ou technique de recherche retenue et l'instrument de collecte construit ;

- des précisions sur le déroulement de la collecte des données ;

- les règles d'éthique observées, s'il y a lieu.

L'exposé de l'analyse et de l'interprétation des résultats

Le rapport de recherche sert surtout à faire part des découvertes réalisées à partir de l'analyse et de l'interprétation des résultats. Il s'agit d'abord de rendre compte des principales constatations qu'il a été possible de tirer de l'observation des données. Ces constatations visent avant tout à évaluer le bien-fondé de l'hypothèse ou l'atteinte de l'objectif de recherche. Ainsi il faudra dire, selon le cas, si **l'hypothèse est confirmée en totalité ou en partie ou encore infirmée, si l'objectif de recherche est atteint en totalité ou en partie ou ne l'est pas. Dans chaque cas, il faudra appuyer cette assertion sur les résultats de l'analyse.** L'interprétation suit, pour aller au-delà de l'analyse, en dégageant des conséquences des résultats obtenus. Il s'agit d'une discussion sur ces résultats, d'une tentative d'explication du fait que l'hypothèse est confirmée ici ou est infirmée là, en tenant compte de ce qu'il est plausible de supposer.

Pour rendre compte de l'analyse de données quantitatives, les preuves sont apportées en s'appuyant, selon le cas, sur le résultat d'une mesure descriptive, sur celui d'un test statistique ou d'une mesure d'association, dont il faut d'abord faire état. Il faut ensuite extraire seulement un ou quelques pourcentages significatifs, arrondis dans le texte pour en simplifier la lecture, des résultats obtenus. Il faut en effet éviter de présenter trop de chiffres dans le texte, car s'ils sont trop nombreux, ils embrouillent plus la lecture qu'ils ne permettent de la préciser. Les quelques chiffres ou pourcentages tirés d'un tableau, par exemple, doivent démontrer dans quel sens des variables sont reliées. Enfin, c'est le moment de décider si, à tel ou tel endroit dans le rapport, un graphique ou plus serait mieux approprié pour présenter et appuyer les propos qu'un tableau ou s'ils devraient se côtoyer.

Pour rendre compte de l'analyse de données qualitatives, les preuves sont apportées en s'appuyant, selon le cas, sur des comportements observés, sur des propos tenus ou sur des extraits de documents. Il ne faut pas en inonder le texte. Le contenu du texte doit plutôt refléter constamment un maintien du lien avec l'hypothèse ou l'objectif de recherche, tout en étant accompagné au moment opportun de descriptions d'observations, de citations d'entrevues ou de passages des documents analysés pour soutenir l'argumentation et vérifier le bien-fondé de l'hypothèse ou l'atteinte de l'objectif. Enfin, c'est le moment de décider si, à tel ou tel endroit dans le rapport, un tableau ou une figure devrait venir enrichir la démonstration.

Les tableaux, graphiques, figures, citations, extraits ou comportements observés sont des **appuis aux propos**, en ce sens qu'ils les soutiennent, mais ne peuvent les remplacer d'aucune façon. Par exemple, il peut être dégagé toutes sortes de constatations d'un tableau parce qu'il ne fournit pas lui-même la direction pour le lire. Il faut, à la lumière de l'hypothèse, indiquer ce qu'il y a lieu d'en retenir. Le tableau sert essentiellement de support à la démonstration. Une citation tirée d'une entrevue, une description d'un comportement observé, un extrait d'un document ou une définition statistique jouent le même rôle. **C'est donc l'analyse verbalisée qui doit primer dans un rapport de recherche en sciences humaines**, l'abondance de figures ou de tableaux n'est pas un signe en soi d'un travail plus scientifique.

La conclusion

La conclusion d'un rapport de recherche est d'abord une synthèse de la recherche effectuée et ensuite une présentation des nouvelles connaissances acquises. Elle contient enfin une ou des suggestions de prolongements possibles.

Pour faire la synthèse de l'analyse des données et de l'interprétation des résultats, il faut revoir les diverses constatations et significations qui en ont été tirées pour dégager l'essentiel à retenir de la recherche. Les principaux éléments sont réunis dans la conclusion d'une manière nouvelle et la plus éclairante possible afin de présenter l'évaluation définitive de l'hypothèse ou de l'objectif de recherche avec toutes les nuances qui apparaissent nécessaires. Il ne s'agit donc pas de répéter des extraits du rapport en collant, par exemple, l'une après l'autre, les conclusions des divers chapitres même si ces dernières sont précieuses pour en arriver à cette synthèse.

Il faut également faire ressortir dans la conclusion les **connaissances nouvelles** acquises sur le problème étudié grâce à la recherche effectuée et à la méthodologie employée. Une découverte inusitée peut ainsi être mentionnée, une

> **Astuce**
>
> Au moment de faire, pour la conclusion du rapport, la synthèse de votre recherche, relisez la conclusion de chacun de vos chapitres. Cette relecture vous sera d'une aide précieuse.

SYNTHÈSE Opération intellectuelle consistant à réunir les éléments essentiels en un tout structuré.

Un exemple de suggestions de pistes de recherche

Dans son mémoire de maîtrise en psychologie, Pierre Fortier compare les caractéristiques liées à la sexualité de jeunes adultes schizophrènes consommant des médicaments neuroleptiques atypiques et celles de jeunes adultes ne souffrant d'aucune psychopathologie. Il suggère à la fin de sa conclusion de nouvelles pistes de recherche qui permettraient de découvrir comment mieux comprendre les problèmes des schizophrènes et comment intervenir pour les régler.

«Dans le cadre d'une recherche intervention, il serait pertinent d'évaluer l'impact d'un programme d'éducation sexuelle auprès de jeunes schizophrènes qui porte sur l'augmentation de leurs connaissances en matière de sexualité, le fonctionnement sexuel, les tendances psychologiques liées à la sexualité, les méthodes contraceptives, la prévention des maladies transmissibles sexuellement et autres.

La schizophrénie est une maladie sévère et persistante qui, même lorsqu'elle est traitée avec des neuroleptiques atypiques (NA), menace sérieusement le fonctionnement sociosexuel et sexuel et la qualité de la vie des personnes qui en souffrent. Les programmes d'intervention devraient tenir compte de la dimension sexuelle des personnes afin de leur permettre d'avoir une vie sexuelle plus satisfaisante. De futures recherches devraient être aussi effectuées pour mieux comprendre l'influence des NA sur les mécanismes biologiques liés au fonctionnement sexuel.»

PIERRE FORTIER (1999). *Étude comparative des caractéristiques liées à la sexualité de jeunes adultes schizophrènes traités avec des neuroleptiques atypiques et de jeunes adultes sans psychopathologie* (p. 100). Mémoire de maîtrise (psychologie), UQAM.

façon de faire à modifier, un aspect nouveau à prendre en considération, une façon différente d'envisager la question de recherche ou toute autre réflexion apportant une pierre de plus à l'édification des connaissances.

Enfin, des **prolongements possibles** à cette recherche sont proposés dans un aperçu de ce qu'il faudrait faire pour explorer plus à fond le sujet et, par la même occasion, il est fait état des limites de sa propre recherche. Ces pistes de recherche peuvent inciter d'autres personnes à poursuivre la recherche sur le même sujet.

Bien que la conclusion n'exige pas un long développement, elle ne doit pas être prise à la légère. Elle permet de souligner les connaissances apportées par la recherche et d'ajouter des informations qui permettent d'en mieux comprendre la portée et la valeur. Cependant, la conclusion n'est pas un lieu d'épanchements sur ce qui a été aimé, apprécié ou détesté au cours de la recherche.

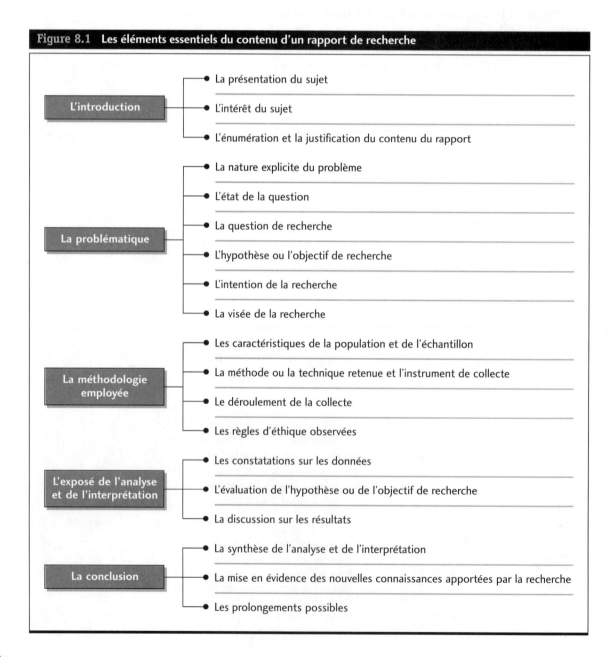

Figure 8.1 Les éléments essentiels du contenu d'un rapport de recherche

L'introduction
- La présentation du sujet
- L'intérêt du sujet
- L'énumération et la justification du contenu du rapport

La problématique
- La nature explicite du problème
- L'état de la question
- La question de recherche
- L'hypothèse ou l'objectif de recherche
- L'intention de la recherche
- La visée de la recherche

La méthodologie employée
- Les caractéristiques de la population et de l'échantillon
- La méthode ou la technique retenue et l'instrument de collecte
- Le déroulement de la collecte
- Les règles d'éthique observées

L'exposé de l'analyse et de l'interprétation
- Les constatations sur les données
- L'évaluation de l'hypothèse ou de l'objectif de recherche
- La discussion sur les résultats

La conclusion
- La synthèse de l'analyse et de l'interprétation
- La mise en évidence des nouvelles connaissances apportées par la recherche
- Les prolongements possibles

La figure 8.1 contient un résumé du contenu d'un rapport de recherche scientifique. Il faut cependant noter que chacun des éléments de contenu qui y sont énumérés ne forme pas nécessairement une section du rapport, ces éléments pouvant y être placés à divers endroits.

Le plan du rapport

Le **plan du rapport** de recherche ne correspond pas point par point à la table des matières qui apparaîtra dans le rapport de recherche, mais il servira certainement à la construire. Son contenu sera conventionnellement réparti entre une introduction, un développement et une conclusion. Les éléments d'information devant apparaître dans chacune de ces composantes fixent les grandes lignes de l'organisation de ces dernières. **C'est le plan détaillé du contenu du développement qu'il est important de dresser.** Il fera ressortir les principaux éléments qui composeront la démonstration dans l'ordre qui convient le mieux. Il faut préciser de quoi il sera question dans chaque chapitre ou section, ce qui permet de s'assurer, d'une part, que rien d'essentiel ne sera oublié et que, d'autre part, les répétitions seront évitées.

Le schéma conceptuel établi lors de l'opérationnalisation du problème de recherche est un guide extrêmement utile dans l'élaboration du plan du rapport. Ce schéma étant une traduction détaillée de l'hypothèse ou de l'objectif de recherche, les principales divisions et subdivisions des thèmes traités seront constituées soit des concepts ou, s'il y en a peu, des dimensions ou des variables. Selon l'ampleur de ce qu'il y a à rédiger, chacun des thèmes traités fera l'objet d'un chapitre ou constituera une section ou plus d'un chapitre.

Chaque chapitre du développement doit couvrir un aspect du problème ni plus, ni moins. Il faut lui donner en conséquence un titre provisoire qui reflète cet aspect. Le chapitre débute par un paragraphe d'introduction présentant cet aspect, les éléments qu'il touche et qui seront traités. Si ces derniers sont peu nombreux mais ont une certaine ampleur, il y a lieu de prévoir des sections dans le corps du chapitre. Chaque section se composera ainsi d'un ensemble de paragraphes traitant d'un point important de la démonstration, à préciser par un titre au début de la section. Le corps du chapitre en rend compte un à un, dans un ordre qui assure une démonstration progressive et convaincante. C'est ainsi que sont rapportées les constatations sur cet aspect du problème en relation avec l'hypothèse ou l'objectif de recherche. Le chapitre se termine par un paragraphe de conclusion qui résume l'essentiel à retenir. **Dans l'élaboration du plan, il est donc essentiel de détailler sous chaque chapitre les divers éléments qui y seront traités.**

Le plan doit contenir tous les éléments essentiels à traiter dans le rapport. L'ordre de présentation doit correspondre à la démonstration à faire. La personne qui lit le rapport doit sentir qu'elle progresse dans la compréhension du sujet et qu'elle est amenée ainsi, par des constatations, des raisonnements, à reconnaître le bien-fondé de ce qui est avancé.

Le style d'une rédaction scientifique

Le style d'un rapport de recherche doit refléter les qualités du langage scientifique qui ont été évoquées à propos des termes servant à définir une hypothèse ou un objectif de recherche (chapitre 2). À des termes univoques, précis, signifiants et neutres s'ajoutent ici des termes simples et clairs.

L'écriture spontanée est à déconseiller. Vous devez plutôt commencer par rédiger en équipe le plan de ce que vous voulez démontrer dans votre rapport, puis faire approuver ce plan par votre professeur.

PLAN DU RAPPORT Choix du contenu du rapport et de sa répartition détaillée.

À propos...

du public lecteur
Il faut se préoccuper du public auquel est destiné le rapport. Si vous vous adressez :

- à votre professeur, vous devrez tenir compte de ses exigences particulières et lui démontrer les connaissances que vous avez acquises ;

- à des scientifiques, vous devrez leur fournir tous les éléments nécessaires à la reproduction de la recherche ;

- à l'organisme qui a commandé la recherche, vous devrez répondre à la demande particulière qui a été formulée et suggérer des suites à donner en fonction des buts de l'organisme ;

- à des bailleurs de fonds, vous devrez répondre aux demandes pour lesquelles la recherche a été subventionnée ;

- à un public profane, vous devrez vous concentrer sur l'intérêt de la recherche et sur la diffusion des principaux résultats en évitant un langage trop spécialisé.

Des **termes neutres** assurent pour une bonne part l'objectivité des propos tenus dans le rapport. Il ne s'agit pas de présenter ses états d'âme ni de juger les observations faites, mais d'en rendre compte en gardant une certaine distance, en adoptant un rôle d'intermédiaire entre le public lecteur et les constatations. C'est pourquoi, à moins de circonstances exceptionnelles ou difficilement évitables, il n'y a pas lieu de se mettre en scène en parlant de l'expérimentateur, de l'observatrice ou de l'intervieweur qui a fait ceci ou cela.

Les propos doivent aussi être formulés dans des **termes simples**. Il ne s'agit pas de tenter de faire des effets visant à provoquer la surprise, l'indignation ou la compassion, par exemple, mais plutôt de présenter les faits de façon rigoureuse et sans fioritures. Des propos et des démonstrations simples feront sentir au public lecteur que ses propres réactions sont respectées.

Des **termes clairs** permettront en outre de s'assurer que le message sera bien reçu. Un effort doit être fait pour user de termes faciles à comprendre. Dans la mesure du possible, il y a lieu d'utiliser le terme le moins ambigu et, pour les termes nouveaux, polysémiques ou spécialisés, de prendre la peine de bien définir dans quel sens ils sont employés.

Les constats doivent être présentés dans des **termes précis**, avec exactitude et non de façon approximative. Pour assurer cette précision, il faut renvoyer tout au long aux données traitées, tant qualitatives que quantitatives, afin que le public lecteur puisse évaluer les limites et les contours de la réalité observée.

Voici un exemple fictif de propos qui vont à l'encontre des qualités du langage scientifique : « Je peux constater que les plus riches Canadiens ne s'étaient pas gênés pour accaparer 45 % de tous les revenus des Canadiens, laissant aux plus pauvres Canadiens la maigre part de 5 % de tous les revenus. »

Voici maintenant ces propos récrits dans un style plus scientifique, en faisant référence aux données qui apparaissent dans le tableau donné en exemple dans la figure 8.2, mais auxquelles aucun renvoi n'avait été fait dans la phrase citée : « Les données de Statistique Canada sur les revenus après impôt des familles canadiennes en 2002 montrent, d'après les données du tableau X.X [figure 8.2], que les 20 % des familles ayant les revenus les plus élevés (le quintile supérieur) reçoivent 45 % du revenu total. À l'autre extrême, les 20 % des familles ayant les revenus les moins élevés (le quintile inférieur) se partagent seulement 5 % du revenu total. Il apparaît donc que, proportionnellement au nombre, le quintile supérieur a neuf fois plus de revenus que le quintile inférieur (45 % par rapport à 5 %). »

Dans cette récriture, pour plus de neutralité, des expressions comme « ne s'étaient pas gênés » et le pronom « je » ont été supprimés dans la présentation des constatations. Ces changements n'interdisent pas pour autant de souligner la disproportion de revenu, comme cela est fait à la fin du texte. Le style de la récriture est simple, faisant à la fois preuve de retenue dans les propos et de rigueur dans l'utilisation des termes. En outre, pour être le plus clair possible, des renvois aux données du tableau sur lesquelles s'appuient les dires sont faits et des points de comparaison sont établis. La reformulation du constat est également plus précise : par exemple, l'année exacte du relevé est fournie ; et, de plus, il est question de familles et non de Canadiens en général.

La rédaction d'un rapport de recherche doit être guidée par deux principes directeurs : convaincre et intéresser le public lecteur. Il sera convaincu si le

Figure 8.2 Un tableau de données pour appuyer les propos

Tableau X.X La répartition par quintile du revenu après impôt des familles au Canada, 2002 (en %)	
RÉPARTITION	REVENU
Quintile inférieur	5
Deuxième quintile	10
Troisième quintile	16
Quatrième quintile	24
Quintile supérieur	45
REVENU TOTAL	**100**

Source : Statistique Canada (2004). *Le revenu au Canada 2002*. Catalogue n° 75-202, p. 110.

rapport contient une argumentation solide et bien structurée grâce à une progression dans la compréhension du sujet, amenée par des constatations, des preuves, des raisonnements pour faire reconnaître le bien-fondé de ce qui est avancé. Le public lecteur sera captivé par la manifestation de l'intérêt, voire de la passion, qu'a inspirés le sujet de recherche et par la maîtrise de la façon de dire les choses.

La présentation matérielle

Un rapport devant être facilement lisible, le texte est donc écrit **à double interligne**. Il peut y avoir d'autres exigences particulières quant à la disposition du texte selon l'établissement où s'effectue la recherche. Il est habituellement de mise d'utiliser du papier blanc de format de 22 cm sur 28 cm et d'établir des marges autour du texte, celle de gauche étant légèrement plus large que les trois autres (environ 3,5 cm par rapport à 2,5 cm) pour permettre la reliure.

La **pagination** du rapport depuis l'introduction jusqu'à la fin se fait en chiffres arabes (1, 2, 3, etc.). Toutes les pages sont comptées. Pour la **numérotation des divisions et subdivisions** du rapport, le **système décimal** fait maintenant consensus. Ce système assigne un chiffre à chaque chapitre du rapport (1, 2, 3, etc.) ; les divisions à l'intérieur de chaque chapitre portent un numéro, précédé d'un point et du numéro du chapitre. Ainsi, les divisions du chapitre 1 sont numérotées 1.1, 1.2, 1.3, et ainsi de suite. Les subdivisions à l'intérieur de chaque division, sont numérotées à l'aide d'autres chiffres, précédés d'un second point et du numéro de la division dans laquelle elles s'inscrivent (1.1.1, 1.1.2, 1.1.3, 2.2.1, 2.2.2, 2.2.3, etc.).

C'est maintenant le temps de revoir les tableaux, graphiques ou figures pour leur donner, s'il y a lieu, une présentation plus adéquate dans le rapport. Ils doivent être accompagnés d'un titre offrant une description simple et précise du contenu. De plus, ils doivent tous être numérotés selon leur ordre d'apparition dans le texte. Il est toujours possible de recommencer la numérotation à chaque chapitre, à la condition que le numéro du tableau soit précédé d'un point et du numéro du chapitre. Chaque tableau ou autre forme de représentation devra être insérée à la suite de sa mention dans le texte.

La conduite éthique

Dévoiler ses valeurs
C'est dans la démonstration de son intérêt pour le sujet de recherche que le chercheur ou la chercheuse intègre devrait divulguer les valeurs qui l'ont orienté(e).

Une fois toutes les composantes du rapport rassemblées, vérifiez scrupuleusement si toutes les pages suivent le bon ordre. En dernière étape, notez dans la table des matières les numéros de page correspondant au début des différents chapitres et sections du rapport. Il ne reste plus qu'à l'assembler !

Autres composantes du rapport

Il faut soigner, enfin, les pages qui précèdent l'introduction du rapport de même que les pages qui le ferment. Il peut être aussi utile, voire nécessaire, de rédiger un résumé du rapport si celui-ci est rendu public ou pour accompagner un article scientifique qui vous serait demandé.

Les pages liminaires

Les pages liminaires sont celles qui précèdent l'introduction du rapport. Il y a d'abord la **page-titre**, qui doit fournir, au minimum, le nom du ou des auteurs du rapport, son titre (significatif) et la date de sa publication ou de sa remise. Dans le cadre d'un cours, elle comprendra également le nom du professeur auquel est destiné le rapport, le titre du cours et le nom de l'établissement d'enseignement. Tous ces éléments gagnent à être disposés de façon aérée et équilibrée sur la page.

Suit la **table des matières**, disposée de la façon suivante : du côté gauche sont énumérés les titres des chapitres (il faut s'assurer qu'ils concordent bien avec ceux du contenu final des chapitres), ainsi que ceux de toutes les divisions et subdivisions du rapport. À l'extrémité droite de la feuille, vis-à-vis de chaque titre, figure le numéro de la page où il se situe dans le rapport. Peut être ajoutée à la table la liste des tableaux, figures, graphiques, encadrés, etc., avec les numéros de pages où ils apparaissent.

Toutes ces pages liminaires sont numérotées indépendamment, en chiffres romains habituellement (i, ii, iii, iv, etc.), pour bien les distinguer des autres pages. S'il y a lieu d'écrire des remerciements, ils apparaissent sur une page qui précède la table des matières.

Les pages finales

La conclusion du rapport est habituellement suivie d'autres composantes, dont l'une est indispensable, la **bibliographie** (voir, à titre d'exemple, celle de cet ouvrage). L'ensemble des ouvrages (livres, revues, documents audiovisuels, sites Internet) qui ont été consultés y sont indiqués puisqu'ils ont servi d'appui à la recherche et pour que d'autres personnes puissent en prendre connaissance. Des **annexes** ou des **appendices** peuvent aussi y être joints, identifiés par un chiffre ou une lettre, fournissant des compléments d'information qui alourdiraient le texte s'ils y étaient insérés. Il peut s'agir, par exemple, de l'ensemble des données d'une expérimentation, des données non présentées dans l'analyse et l'interprétation, de l'instrument de collecte, des procédures de codification, d'une liste des lieux visités, d'un plan du lieu de l'observation, de tableaux complémentaires, etc.

Le résumé

Dans un rapport de recherche, le résumé est placé au début, entre les remerciements et la table des matières. Dans un article scientifique, il s'agit d'un **sommaire** et il apparaît en retrait du texte principal, soit au tout début, soit à la toute fin de l'article, selon les politiques rédactionnelles. Dans l'un ou l'autre cas, le texte doit en être succinct. Il sert à indiquer à qui le lit si ce dont il est question correspond à ses préoccupations sans avoir à lire le texte en entier.

Un exemple de résumé

Voici un exemple du résumé d'une recherche réalisée par une équipe de cinq étudiantes. Leur rapport s'intitulait *Les intérêts des collégiens*. Les auteures en sont Malena Argumedes, Roxanne Désourdy, Dorothée Milliard, Stéphanie Paz-Lamarche et Alexandra Rocheleau.

Résumé

La recherche portait sur les intérêts des collégiens. L'hypothèse était à l'effet que les intérêts des collégiens ont majoritairement une connotation sexuelle et qu'ils varient selon le genre et l'origine ethnique du répondant. Nous avons choisi un échantillonnage non probabiliste, accidentel avec un tri orienté auprès de la population étudiante, de jour, à l'enseignement régulier du Collège de Maisonneuve. Il ressort de notre recherche qu'il existe une corrélation entre genre et intérêts. Les intérêts ne sont pas les mêmes pour films, émissions de télé-réalité, musique, style vestimentaire, importance de l'apparence, revues, fréquence de fréquentation de sex-shops et fréquence des relations sexuelles, l'intérêt des garçons surpassant celui des filles dans ces deux derniers exemples. De même, il y a une corrélation entre origine ethnique et certains intérêts : importance de l'apparence et fréquence des relations sexuelles, dans ce dernier cas, les étudiants nés en dehors du Canada sont moins actifs sexuellement. Plus généralement, l'hypothèse est infirmée quant à la connotation sexuelle des lectures favorites, de l'emploi envisagé et des idoles. La suite à donner à cette recherche pourrait être sur la violence contenue dans les médias, en distinguant le genre des personnes présentées.

La présentation orale du rapport de recherche

Une équipe peut être appelée, dans le cadre d'un cours ou d'un colloque, à présenter la recherche réalisée. Pour ceux qui se sentent mal à l'aise à l'idée de se trouver devant un public, il y a lieu de se rassurer en se disant que l'équipe est la seule à connaître sa matière et la mieux placée pour la divulguer. Dans un exposé oral, il importe de tenir compte des quatre éléments principaux suivants : le contenu, les tâches, l'auditoire et l'animation. Voici brièvement quelques conseils à ce sujet.

Le contenu de l'exposé, à l'instar du rapport écrit, doit être composé des éléments de base de tout rapport : introduction, problématique, méthodologie, analyse et interprétation, conclusion. L'essentiel de l'exposé oral doit cependant porter sur l'analyse et l'interprétation, préalablement précédé de la présentation claire mais succincte de la problématique et de la méthodologie. Il est nécessaire de noter sur fiches les idées principales à faire ressortir. Vous pouvez toujours apporter le rapport au cas où vous auriez exceptionnellement à vous y reporter.

Les tâches à accomplir pour mener à bien la présentation orale sont diverses. Il faut naturellement se préparer à l'avance car il ne s'agit aucunement d'un exercice d'improvisation. Il est nécessaire de répéter seul, puis en groupe s'il s'agit d'une présentation en équipe. Ces répétitions vont notamment vous permettre d'assimiler la matière, de vous chronométrer et de vous assurer de bien articuler, surtout si vous vous enregistrez ou si vous demandez l'aide de quelqu'un. La répétition en équipe, pour sa part, assure d'en arriver à une répartition claire et équitable des parties à exposer, permet d'établir les enchaînements et, fait non négligeable pour une meilleure prestation d'ensemble, de souder l'équipe. S'il paraît nécessaire de vous servir d'accessoires tels le tableau, un document à distribuer, une grande carte ou une présentation audiovisuelle, ces accessoires ne doivent pas vous remplacer ; ils doivent par ailleurs être utilisés avec parcimonie et être accompagnés d'un commentaire bref et approprié.

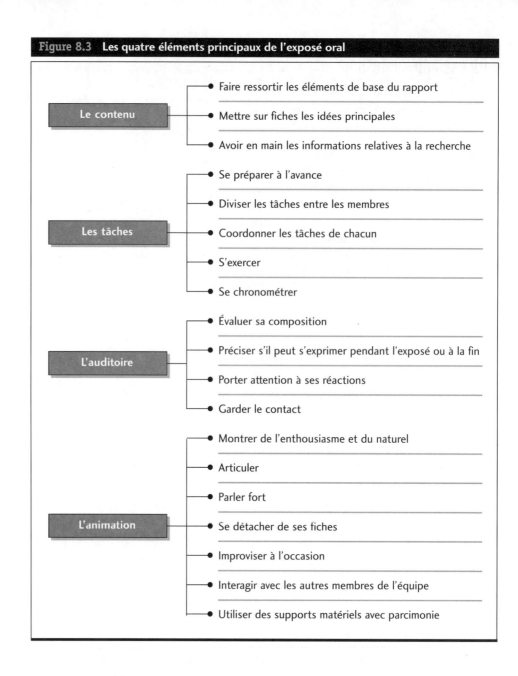

Figure 8.3 Les quatre éléments principaux de l'exposé oral

Le contenu
- Faire ressortir les éléments de base du rapport
- Mettre sur fiches les idées principales
- Avoir en main les informations relatives à la recherche

Les tâches
- Se préparer à l'avance
- Diviser les tâches entre les membres
- Coordonner les tâches de chacun
- S'exercer
- Se chronométrer

L'auditoire
- Évaluer sa composition
- Préciser s'il peut s'exprimer pendant l'exposé ou à la fin
- Porter attention à ses réactions
- Garder le contact

L'animation
- Montrer de l'enthousiasme et du naturel
- Articuler
- Parler fort
- Se détacher de ses fiches
- Improviser à l'occasion
- Interagir avec les autres membres de l'équipe
- Utiliser des supports matériels avec parcimonie

Vous devrez aussi tenir compte de la nature de l'auditoire pour réussir à maintenir son intérêt tout au long de l'exposé. Au préalable, il y a lieu de se poser quelques questions et d'y répondre avant d'arriver sur place : Quelles sont ses caractéristiques ? Faut-il lui laisser poser des questions durant l'exposé ? Comment le captiver ? Une chose est certaine, si l'auditoire sent que vous lui portez constamment attention, vous l'aurez largement gagné à votre cause.

Comme pour toute représentation, enfin, l'animation est importante pour que la présentation de votre exposé soit réussie. Plus précisément, il faut montrer de l'enthousiasme et du naturel, bien articuler, se faire voir de partout, élever la voix pour être entendu de tous, se détacher de ses fiches, improviser à l'occasion si cela permet de mieux capter l'attention, interagir avec souplesse avec les autres membres de l'équipe et, enfin, éviter que les accessoires deviennent un encombrement.

L'évaluation du rapport

De façon générale, un rapport est évalué à partir de quatre critères assez simples : la clarté, la cohérence, la rigueur et l'exhaustivité.

Une vérification est d'abord faite de la **clarté** du rapport. Est-ce que le ou les auteurs du rapport ont eu la préoccupation constante de se faire comprendre et sont-ils intelligibles ? Il est certain que maîtriser son sujet et avoir un style soigné concourt à rendre le texte clair.

Parallèlement, l'attention va se porter sur la **cohérence** du rapport. Celle-ci se manifeste par l'absence de contradictions (affirmations dans des sens contraires), par le caractère ordonné et logique des idées exprimées, qui vont d'un point à un autre et qui s'enchaînent bien les unes aux autres. Aussi, le ou les auteurs s'en sont tenus au sujet à traiter, c'est-à-dire qu'ils ne s'éloignent pas de la question, pas plus qu'ils ne se perdent dans des détails inutiles ou encombrants.

Puis l'examen se centre sur la **rigueur** du texte. Les propos doivent coller aux constatations. Il ne faut pas faire dire n'importe quoi aux observations rapportées, encore moins lors de l'interprétation des résultats. Il faut de l'exactitude, faire des démonstrations solides et être honnête en ne cherchant pas à faire dire aux données plus que ce qu'elles reflètent. Dans le même sens, l'emprunt de données, d'idées ou d'explications à d'autres auteurs doit être accompagné de leur mention précise et claire.

Enfin, la vérification porte sur l'**exhaustivité** du rapport. Tous les éléments pertinents ou nécessaires à la démonstration et à la présentation du rapport doivent y figurer.

En bref, si le rapport est clair, cohérent, rigoureux et exhaustif, il sera bien accueilli. Il va de soi que de tels objectifs ne peuvent pas être atteints dès la première ébauche. Un texte doit être lu et relu, et subir des modifications avant d'atteindre sa version finale.

Il y a lieu d'être modeste sur ses réalisations dans la rédaction du rapport de recherche même si, au terme de cette recherche, le ou la novice qui a entrepris pour la première fois une recherche empirique d'une certaine envergure ressent une grande satisfaction. Il est certes normal d'éprouver une satisfaction certaine après avoir réussi à bâtir, étape par étape, un tel travail, d'autant plus que les fruits de ces efforts ont pu en être constatés au fur et à mesure de l'avancement des travaux. Vous avez, en effet, approfondi le matériel recueilli et en avez dégagé toute la richesse. C'est ainsi que peuvent se révéler des aspects novateurs, des découvertes inusitées, des remises en question de connaissances ou de façons de faire tenues pour acquises ; en un mot, c'est là que se trouve l'intérêt de la recherche menée. Remettez donc avec fierté votre rapport de recherche.

Il faut respecter le droit d'auteur et ne pas reproduire des extraits d'un document sauf exception qui se résume, selon la Loi, à l'utilisation équitable d'une oeuvre à des fins d'étude privée ou de recherche, de critique et de compte rendu.

Résumé

L'**analyse des données** recueillies se fait en les examinant de différentes manières, avec comme préoccupation constante de les évaluer en fonction de l'hypothèse ou de l'objectif de recherche. L'analyse des données quantitatives ne doit faire ressortir que les quelques pourcentages appuyant les constats, tenant compte des mesures descriptives prises et du **seuil de signification** retenu pour l'étude du rapport entre variables. De même, l'analyse des données qualitatives à partir de regroupements divers doit se concentrer seulement sur les spécimens éclairant la problématique de départ. Tout au long de l'analyse, des erreurs sont à éviter : l'erreur de fait en évaluant l'exactitude des données, l'erreur relative en tenant compte du contexte ou du temps écoulé, l'erreur d'interprétation en ne faisant pas dire aux données plus qu'elles ne le peuvent, l'erreur de compte rendu en prenant en considération les caractéristiques des sujets et les circonstances de la recherche afin d'éviter de faire une **généralisation** hâtive. Quant à l'**interprétation des résultats**, elle consiste à dégager des considérations plus générales sur les constatations faites.

Avant la rédaction proprement dite du compte rendu de la recherche, il importe de déterminer le contenu et d'élaborer le **plan du rapport**, c'est-à-dire choisir le contenu qui devra y apparaître et sa répartition. Chaque chapitre du plan, dont le contenu doit être détaillé, doit se rapporter à un aspect du problème. Le rapport de recherche scientifique se compose de certains éléments essentiels. L'introduction doit comprendre une présentation du sujet, son intérêt, de même qu'une énumération et qu'une justification du contenu que le public lecteur trouvera dans le rapport. Suit la problématique comprenant l'explicitation du problème, l'état de la question, la question de recherche, l'hypothèse ou l'objectif de recherche, l'intention et la visée de la recherche. Ensuite, l'analyse et l'interprétation des résultats sont exposées en dégageant les constatations principales à la lumière de l'hypothèse ou de l'objectif poursuivi et en discutant des résultats. Enfin, la conclusion est une **synthèse** de l'analyse et de l'interprétation ; elle permet de mettre aussi en évidence les nouvelles connaissances apportées par la recherche et d'en souligner les prolongements possibles.

Le style du rapport doit être neutre, simple, clair et précis. Il est aussi nécessaire de s'enquérir des règles de présentation matérielle en usage dans l'établissement. Il ne faut pas négliger les autres composantes du rapport et en suivre les règles de présentation : les pages liminaires (page-titre, remerciements et table des matières), les pages finales (bibliographie et annexes) et le résumé, s'il y a lieu. Si un exposé oral du rapport de recherche est exigé, il faut mettre l'accent sur l'analyse et l'interprétation des résultats, s'exercer à l'avance, se préoccuper de l'auditoire et assurer une animation tout au long de la présentation. Enfin, il faut savoir que l'évaluation du rapport portera sur sa clarté, sa cohérence, sa rigueur et son exhaustivité.

MOTS CLÉS

▸ **Analyse des données**

▸ **Seuil de signification**

▸ **Généralisation**

▸ **Interprétation des résultats**

▸ **Plan du rapport**

▸ **Synthèse**

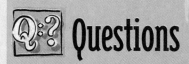

Questions

1. En quoi consiste, de façon générale, l'analyse des données d'une recherche ? Comment cette analyse s'exerce-t-elle avec des données quantitatives ? Avec des données qualitatives ?

2. Qu'est-ce que l'interprétation des résultats et en quoi est-elle plus personnelle que l'analyse ?

3. Quels sont les types d'erreurs à éviter lors de l'analyse des données et de l'interprétation des résultats ? Expliquer brièvement chacune.

4. Nommez les éléments essentiels du contenu d'un rapport de recherche. Est-ce que chacun doit faire l'objet d'un chapitre ou d'une composante distincte du rapport ? Justifiez votre réponse.

5. Que contient un plan de rapport de recherche ? Que faut-il y faire principalement ressortir ?

6. Qu'y a-t-il à savoir sur le style à adopter dans l'écriture d'un rapport de recherche scientifique ?

7. Nommez et décrivez brièvement les quatre éléments dont il faut tenir compte pour exposer oralement la recherche réalisée.

8. Nommez et décrivez brièvement les quatre critères d'évaluation d'un rapport de recherche.

QUESTIONS D'APPLICATION

9. Choisissez un problème de recherche et précisez comment vous pourriez en faire une analyse descriptive, classificatrice, explicative ou compréhensive.

10. Qu'est-ce qui distingue le plan du rapport de recherche de sa table des matières ?

11. Donnez un conseil à une personne qui rédige un rapport de recherche pour que son texte reflète :

   a) de l'objectivité ;

   b) de la simplicité ;

   c) de la précision.

12. Indiquez, pour chacun des éléments ci-dessous, s'il fait partie de l'introduction du rapport, de la problématique, de la méthodologie employée, de l'exposé de l'analyse, de l'exposé de l'interprétation ou de la conclusion. À chaque réponse, précisez ce que signifie cet élément de base d'un rapport :

   a) la présentation de la répartition du contenu du rapport dans les différents chapitres ;

   b) les caractéristiques de la population étudiée ;

   c) l'intention quant au sujet de la recherche ;

   d) la discussion des résultats ;

   e) la synthèse de l'analyse des données et de l'interprétation des résultats.

13. Votre professeur s'attend à un rapport de recherche clair, cohérent, rigoureux et exhaustif. Donnez un exemple concret de la façon d'appliquer chacun de ces critères à votre rapport en disant ce qu'il faut faire ou ne pas faire.

QUESTION D'INTÉGRATION

14. Une recherche sur les loisirs des jeunes posait comme hypothèse que les jeunes hommes recherchent des loisirs où ils expriment leurs émotions dans l'action tandis que les jeunes filles recherchent des loisirs où elles expriment leurs émotions dans les relations affectives avec les autres. L'un des tableaux compilés contenait les données suivantes.

Préférences filmiques selon le sexe en pourcentage			
SEXE	**GENRE DE FILMS**		**TOTAL**
	ACTION	**AMOUR**	
Masculin	83,2	16,8	100,0
Féminin	33,3	66,7	100,0
TOTAL (%)	55,0	45,0	100,0
TOTAL (N)	(120)	(80)	(200)

Note : Test du khi carré : 5,198 pour 1 degré de liberté (significatif à 0,0336).

Rédigez un paragraphe d'analyse et d'interprétation de ce tableau qui pourrait être inséré dans le rapport de recherche.

Conclusion

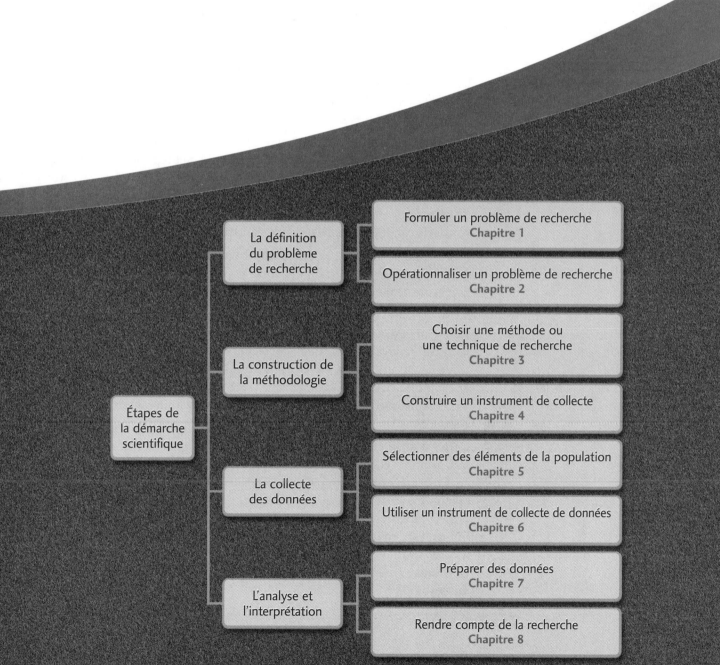

La réalisation d'une recherche permet de donner le meilleur de soi-même, tant sur le plan affectif, à cause de l'engagement que ce travail exige, que sur le plan intellectuel, à cause de toutes les opérations mentales qu'il a fallu mettre en branle. Pour conserver toute la richesse de la démarche que vous avez effectuée, il peut vous être profitable de faire un retour sur le chemin que vous avez parcouru pour en prendre conscience et consolider ainsi votre apprentissage. Cet apprentissage deviendra alors un acquis plus facilement transférable dans d'autres situations.

Vous avez en effet été invités à l'occasion de l'accomplissement de cette démarche scientifique à développer une foule d'habiletés à l'une ou l'autre des étapes de la recherche. À la première étape, votre esprit questionneur et raisonneur a été principalement sollicité, à la deuxième étape, votre esprit méthodique, à la troisième étape, votre esprit observateur. Votre objectivité et votre ouverture d'esprit, enfin, ont été mises à contribution lors de la réalisation de la quatrième étape.

Encore plus concrètement, au cours de la réalisation de la première étape de la recherche, il vous a fallu apprendre à faire consensus avec des coéquipiers et coéquipières, notamment sur le choix d'un sujet de recherche, à vous retrouver dans les outils de la recherche documentaire, à formuler correctement une question de recherche, puis une hypothèse ou un objectif de recherche et, enfin, à concrétiser cette formulation pour en rendre les éléments observables dans la réalité.

Lors de la réalisation de la deuxième étape de la recherche, il vous a fallu apprendre à reconnaître les principales méthodes et techniques de recherche en usage en sciences humaines, puis à en choisir une adaptée à votre recherche. Il vous a ensuite fallu apprendre comment construire l'instrument de collecte de données correspondant à la méthode ou à la technique que vous aviez adoptée et finalement le construire.

À la troisième étape de la recherche, il vous a fallu apprendre à établir un échantillon après avoir délimité votre population de recherche, puis à utiliser correctement l'instrument de collecte que vous aviez construit et, enfin, à planifier votre collecte de données.

Enfin, lors de la réalisation de la quatrième étape de la recherche, il vous a fallu apprendre à dépouiller correctement les données que vous aviez recueillies, à utiliser un logiciel pour transférer et traiter ces données, puis, une fois ces dernières mises en forme, à lire correctement les résultats obtenus pour les analyser et les interpréter, ainsi qu'à rédiger un rapport de recherche compréhensible respectant les règles d'usage.

Ce ne sont là que quelques-unes des habiletés que vous avez acquises en faisant une recherche scientifique en sciences humaines. En plus, par ricochet, vous avez développé d'autres savoirs, d'autres savoir-faire et d'autres savoir-être au cours de ce travail. Ainsi, vous avez acquis une connaissance plus approfondie d'un problème lié à votre champ d'études, les sciences humaines, une disposition à clarifier et à préciser vos démonstrations, une mise en pratique de valeurs importantes liées au respect de règles d'éthique et, si vous avez travaillé en équipe, le respect et l'appréciation à sa juste valeur du travail de collègues.

La réalisation de votre recherche, qu'elle ait été fondamentale ou appliquée, descriptive, classificatrice, explicative ou compréhensive, quantitative ou qualitative, qu'elle ait été effectuée sur le terrain, en laboratoire ou sur des documents, d'un point de vue local, régional, national, international, mondial ou comparatif, vous a permis de vous rendre compte qu'une recherche scientifique en sciences humaines touche à des aspects à la fois théoriques, méthodologiques et pratiques comme toute entreprise d'une certaine ampleur. Vous savez maintenant, si vous n'aviez pas eu une occasion de cette sorte dans le passé, que quiconque y mettant l'investissement nécessaire peut réussir à accomplir un projet d'envergure.

Faire de la recherche donne le goût... de faire de la recherche, d'approfondir le même sujet ou de se pencher sur d'autres problèmes. Quelquefois aussi, faire de la recherche stimule et incite à s'impliquer davantage dans la société. Ce cours vous a peut-être fait prendre conscience de certaines de vos possibilités, parfois insoupçonnées jusqu'ici, comme celle de mener à terme un ou des grands projets dans le domaine scientifique ou dans tout autre domaine. N'hésitez donc pas à vous construire un avenir à la mesure de vos rêves!

Bibliographie

ACFAS (1995). « L'intégrité en recherche ». *Interface*, vol. 16, nº1 (janvier-février), p. 42-53.

AKTOUF, OMAR (1987). *Méthodologie des sciences sociales et approche qualitative des organisations.* Sillery, Presses de l'Université du Québec/HEC Presses, 213 p.

ARCAND, RICHARD, BOURBEAU, NICOLE (1995). *La communication efficace.* Montréal, Centre éducatif et culturel, 426 p.

BABY, FRANÇOIS, CHÉNÉ, JOHANNE, DUGAS, HÉLÈNE (1992). *Les femmes dans les vidéoclips : Sexisme et violence.* Québec, Les publications du Québec, Conseil du statut de la femme, 50 p.

BACHELARD, GASTON (1967, 2e éd.). *La formation de l'esprit scientifique.* Paris, Librairie philosophique J. Vrin, 256 p.

BACHELOR, ALEXANDRA, PURUSHOTTAM, JOSHI (1986). *La méthode phénoménologique de recherche en psychologie : Guide pratique.* Québec, Presses de l'Université Laval, 123 p.

BAKER, THERESE L. (1988). *Doing social research.* Montréal, McGraw-Hill, 483 p.

BAUMOL, WILLIAM J., BLINDER, ALAN S., SCARTH, WILLIAM M. (1986). *L'économique : Principes et politiques.* Montréal, Éditions Études vivantes, 579 p.

BEAUREGARD, LOUISE, WILSON, LISE (1983). *Comment effectuer un travail de recherche.* Montréal, Collège de Maisonneuve, 22 p.

BELLEAU, PIERRE (1989). *La méthode historique.* Montréal, Collège de Maisonneuve, 10 p.

BERTHIAUME, FRANÇOIS, LAMOUREUX, ANDRÉE (1981). *Initiation à la recherche en psychologie.* Montréal, HRW, 152 p.

BLAIS, ANDRÉ (1987). « Le sondage ». Dans *Recherche sociale* (p. 317-357). Benoît Gauthier (dir.). Sillery, Presses de l'Université du Québec.

BLAIS, ANDRÉ (1987). « Les indicateurs ». Dans *Recherche sociale* (p. 153-173). Benoît Gauthier (dir.). Sillery, Presses de l'Université du Québec.

BLANCHET, ALAIN ET COLL. (1987). *Les techniques d'enquête en sciences sociales.* Paris, Bordas, 197 p.

BOURDIEU, PIERRE, CHAMBOREDON, JEAN-CLAUDE, PASSERON, JEAN-CLAUDE (1968). *Le métier de sociologue.* Paris, Mouton/Bordas, 430 p.

CHALMERS, ALAN F. (1991). *La fabrication de la science.* Paris, La Découverte, 166 p.

CHEVRIER, JACQUES (1992). « La spécification de la problématique ». Dans *Recherche sociale* (p. 49-77). Benoît Gauthier (dir.). Sillery, Presses de l'Université du Québec.

COHEN, YOLANDE (1985). « Une perplexité de mise : situation de la recherche 1962-1984 (II) ». *Recherches sociographiques*, vol. 26, nº 3, p. 521-525.

CRÊTE, JEAN (1992, 2e éd.). « L'éthique en recherche sociale ». Dans *Recherche sociale* (p. 227-247). Benoît Gauthier (dir.). Sillery, Presses de l'Université du Québec.

DAUNAIS, JEAN-PAUL (1987). « L'entretien non directif ». Dans *Recherche sociale* (p. 247-275). Benoît Gauthier (dir.). Sillery, Presses de l'Université du Québec.

DEMERS, BERNARD (1982, 2e éd.). *La méthode scientifique en psychologie.* Montréal, Décarie éditeur, 205 p.

DE PRACONTAL, MICHEL (1986). *L'imposture scientifique en dix leçons.* Paris, La Découverte, 255 p.

DESCARTES, RENÉ (1966). *Discours de la méthode.* Paris, Flammarion, 252 p. (Reproduction de l'édition de 1637.)

DESLAURIERS, JEAN-PIERRE (1991). *Recherche qualitative : Guide pratique.* Montréal, McGraw-Hill, 1991, 142 p.

DIONNE, BERNARD (1990). *Pour réussir.* Montréal, Édition Études vivantes, 202 p.

DIXON, BEVERLY R., BOUMA, GARY D., ATKINSON, BRIAN J. (1987). *A handbook of social science research.* Oxford, Oxford University Press, 225 p.

DROLET, GAÉTAN, LÉTOURNEAU, JOCELYN (1989). « Comment se documenter et maximiser son travail en bibliothèque ». Dans *Le coffre à outils du chercheur débutant* (p. 16-46). Jocelyn Létourneau (dir.). Toronto, Oxford University Press.

FESTINGER, LÉON, KATZ, DANIEL (1974). *Les méthodes de recherche dans les sciences sociales* (tomes I et II). Paris, Presses universitaires de France, 753 p.

FORTIN, ANDRÉE (1987). «L'observation participante : au cœur de l'altérité». Dans *Les méthodes de la recherche qualitative* (p. 23-33). Jean-Pierre Deslauriers (dir.). Sillery, Presses de l'Université du Québec.

FOUREZ, GÉRARD (1988). *La construction des sciences*. Bruxelles, De Boeck Université, 235 p.

GAGNON, NICOLE, HAMELIN, JEAN (1979). *L'homme historien : Introduction à la méthodologie de l'histoire*. Saint-Hyacinthe, Edisem Inc., 127 p.

GAUTHIER, BENOÎT (1992, 2e éd.). «La recherche-action». Dans *Recherche sociale* (p. 517-533). Benoît Gauthier (dir.). Sillery, Presses de l'Université du Québec.

GAUTHIER, BENOÎT, TURGEON, JEAN (1992, 2e éd.). «Les données secondaires». Dans *Recherche sociale* (p. 453-481). Benoît Gauthier (dir.). Sillery, Presses de l'Université du Québec.

GINGRAS, FRANÇOIS-PIERRE (1998, 3e éd.). «Sociologie de la connaissance». Dans *Recherche sociale* (p. 17-46). Benoît Gauthier (dir.). Sillery, Presses de l'Université du Québec.

GOULD, JULIUS, KOLB, WILLIAM L. (dir.) (1964). *A dictionary of the social sciences*. New York, The Free Press of Glencoe/UNESCO, 761 p.

GOW, JAMES IAIN (1993). «Les problématiques changeantes en administration publique (1965-1992)». *Revue québécoise de science politique*, no 23 (hiver), p. 59.

GRAWITZ, MADELEINE (1988, 4e éd.). *Lexique des sciences sociales*. Paris, Dalloz, 587 p.

GRAWITZ, MADELEINE (1986, 7e éd.). *Méthodes des sciences sociales*. Paris, Dalloz, 1 104 p.

HUBERMAN, A. MICHAEL, MILES, MATTHEW B. (1991). *Analyse des données qualitatives : Recueil de nouvelles méthodes*. Bruxelles, De Boeck Université, 480 p.

KUHN, THOMAS S. (1972). *La structure des révolutions scientifiques*. Paris, Flammarion, 246 p.

LACHAPELLE, SOPHIE (1999). «Dossier de recherche : les nouveaux outils de mesure». *Info Presse Communications*, vol. 15, no 3 (novembre), p. 53-56.

LACOSTE, YVES (1966). *Ibn Khaldoun : Naissance de l'histoire, passé du tiers-monde*. Paris, Maspéro, 267 p.

LANDRY, RÉJEAN (1992, 2e éd.). «La simulation sur ordinateur». Dans *Recherche sociale* (p. 483-514). Benoît Gauthier (dir.). Sillery, Presses de l'Université du Québec.

LANGLOIS, SIMON (1985). «Situation de la recherche 1962-1984 (II)». *Recherches sociographiques*, vol. 26, no 3, p. 495-499.

LAPERRIÈRE, ANNE (1987). «L'observation directe». Dans *Recherche sociale* (p. 225-246). Benoît Gauthier (dir.). Sillery, Presses de l'Université du Québec.

LASVERGNAS, ISABELLE (1987). «La théorie et la compréhension du social». Dans *Recherche sociale* (p. 113-128). Benoît Gauthier (dir.). Sillery, Presses de l'Université du Québec.

LAZARSFELD, PAUL (1965). «Des concepts aux indices empiriques». Dans *Le vocabulaire des sciences sociales* (tome I, p. 27-36). R. Boudon et P. Lazarsfeld (dir.). Paris, Mouton.

L'ÉCUYER, RENÉ (1987). «L'analyse de contenu : notion et étapes». Dans *Les méthodes de la recherche qualitative* (p. 49-65). Jean-Pierre Deslauriers (dir.). Sillery, Presses de l'Université du Québec.

LÉTOURNEAU, JOCELYN (dir.) (1989). *Le coffre à outils du chercheur débutant*. Toronto, Oxford University Press, 227 p.

LORENZ, KONRAD, POPPER, KARL (1990). *L'avenir est ouvert*. Paris, Flammarion, 175 p.

LOUBET DEL BAYLE, JEAN-LOUIS (1986). *Introduction aux méthodes des sciences sociales*. Toulouse, Privat, 234 p.

MAILHIOT, BERNARD (1966). «Autorité et tâches dans les petits groupes». Dans *Le pouvoir dans la société canadienne française* (p. 183-209). Fernand Dumont et Jean-Paul Montmigny (dir.). Québec, Presses de l'Université Laval.

MASSÉ, PIERRETTE (1992). *Méthodes de collecte et d'analyse de données en communication*. Sillery, Presses de l'Université du Québec, 253 p.

MOLES, ABRAHAM A. (1995). *Les sciences de l'imprécis*. Paris, Seuil, 360 p.

MUCCHIELLI, ROGER (1969). *L'entretien de face à face dans la relation d'aide*. Paris, Les Éditions sociales françaises, 124 p.

MUCCHIELLI, ROGER (1970). *Le questionnaire dans l'enquête psycho-sociale*. Paris, Les Éditions sociales françaises, 121 p.

MUCCHIELLI, ROGER (1987, 6e éd.). *L'interview de groupe*. Paris, Les Éditions sociales françaises, 162 p.

MUCCHIELLI, ROGER (1988, 6e éd.). *L'analyse de contenu des documents et des communications*. Paris, Les Éditions sociales françaises, 189 p.

MUCCHIELLI, ROGER (1989, 5e éd.). *Le travail en équipe*. Paris, Les Éditions sociales françaises, 155 p.

OUELLET, ANDRÉ (1982). *Processus de recherche : Une approche systémique*. Sillery, Presses de l'Université du Québec, 268 p.

OUELLET, ANDRÉ (1994). *Processus de recherche : Une introduction à la méthodologie de la recherche*. Sillery, Presses de l'Université du Québec, 276 p.

OUELLET, FRANCINE (1987). « L'utilisation du groupe nominal dans l'analyse des besoins ». Dans *Les méthodes de la recherche qualitative* (p. 67-80). Jean-Pierre Deslauriers (dir.). Sillery, Presses de l'Université du Québec.

PAPALIA, DIANE E. (1989). *Le développement de la personne*. Paris, Vigot, 556 p.

PARENT, GUY (2003). *Méthodes quantitatives en sciences humaines*. Montréal, Éditions CEC, 424 p.

PASCAL, BLAISE (1963). *Oeuvres complètes*. Paris, Seuil, 676 p.

PERRY, JOHN A., PERRY, ERNA K. (1988, 2e éd.). *The social web*. New York, Harper & Row, 483 p.

PINTO, ROGER, GRAWITZ, MADELEINE (1967, 2e éd.). *Méthodes des sciences sociales*. Paris, Dalloz, 934 p.

PIOTTE, JEAN-MARC (1985). « Situation de la recherche 1962-1984 (II) ». Dans *Recherches sociographiques*, vol. 26, no 3, p. 512-513.

POPPER, KARL R. (1959). *The logic of scientific discovery*. Toronto, University of Toronto Press, 480 p. (Traduction parue en 1973 sous le titre *La Logique de la découverte scientifique*, Paris, Payot.)

POURTOIS, JEAN-PIERRE, DESMET, HUGUETTE (1988). *Épistémologie et instrumentation en sciences humaines*. Bruxelles, Pierre Mardaga éditeur, 235 p.

QUIVY, RAYMOND, CAMPENHOUDT, LUC VAN (1988). *Manuel de recherche en sciences sociales*. Paris, Dunod, 271 p.

SABOURIN, MICHEL (1988, 3e éd.). « Méthodes d'acquisition des connaissances ». Dans *Fondements et étapes de la recherche scientifique en psychologie* (p. 37-58). Michèle Robert (dir.). Saint-Hyacinthe, Edisem.

SABOURIN, MICHEL, BÉLANGER, DAVID (1988, 3e éd.). « Règles de déontologie en recherche ». Dans *Fondements et étapes de la recherche scientifique en psychologie* (p. 367-392). Michèle Robert (dir.). Saint-Hyacinthe, Edisem.

SÉGUIN, FERNAND (1987). *La bombe et l'orchidée*. Montréal, Libre Expression, 203 p.

SELLTIZ, CLAIRE ET COLL. (1959). *Research methods in social relations*. New York, HRW, 622 p.

SELLTIZ, CLAIRE, WRIGHTSMAN, LAURENCE S., COOK, STUART W. (1977). *Les méthodes de recherche en sciences sociales*. Montréal, HRW, 606 p.

SELYE, HANS (1993). *Du rêve à la découverte*. Montréal, Éditions La Presse, 445 p.

THUILLIER, GUY, TULARD, JEAN (1986). *La méthode en histoire*. Paris, Presses universitaires de France, « Que sais-je ? », 127 p.

THUMIN, FREDERICK J. (1984, 3e éd.). « Identification of cola beverages ». Dans *An introduction to experimental design in psychology* (p. 113-121). Robert L. Solso et Homer H. Johnson (dir.). New York, Harper & Row.

TREMBLAY, MARC-ADÉLARD (1968). *Initiation à la recherche dans les sciences humaines*. Montréal, McGraw-Hill, 425 p.

TRUDEL, ROBERT, ANTONIUS, RACHAD (1991). *Méthodes quantitatives appliquées aux sciences humaines*. Montréal, Centre éducatif et culturel, 545 p.

VINCENT, DIANE (1989). « Comment mener une enquête auprès d'informateurs ». Dans *Le coffre à outils du chercheur débutant* (p. 144-156). Jocelyn Létourneau (dir.). Toronto, Oxford University Press.

VINET, ALAIN (1975). « La vie quotidienne dans un asile québécois ». *Recherches sociographiques*, vol. 16, no 1, p. 85-112.

VOYER, JEAN-PAUL (1982). *L'échantillonnage dans une enquête : Digest au sujet des théories de l'échantillonnage*. Québec, Université Laval, Département de mesure et évaluation, 47 p.

Glossaire

Analyse conceptuelle : processus de concrétisation des concepts de l'hypothèse ou de l'objectif de recherche.

Analyse de contenu : technique indirecte permettant d'examiner des documents au contenu non chiffré, provenant d'individus ou de groupes, pour en faire un prélèvement quantitatif ou qualitatif.

Analyse de statistiques : technique indirecte permettant d'examiner des documents au contenu chiffré se rapportant à des individus ou à des groupes, pour faire un prélèvement quantitatif.

Analyse des données : opération intellectuelle consistant à examiner les données pour en dégager des constats par rapport au problème de recherche.

Base de population : liste complète des éléments d'une population.

Cadre d'observation : instrument de collecte de données construit en vue d'observer un groupe dans son milieu.

Catégories d'analyse de contenu : instrument de collecte de données construit en vue de dégager les éléments signifiants d'un document.

Catégorisation : rangement des données recueillies selon une logique de classement prédéfinie.

Codage : attribution d'un code aux données recueillies.

Code de déontologie : ensemble de règles et de devoirs que se donne officiellement une profession.

Concept : représentation mentale, générale et abstraite d'un ou de plusieurs phénomènes et de leurs relations.

Condensation horizontale : processus de mise en comparaison des données qualitatives par dimension du schéma conceptuel.

Condensation thématique : processus de regroupement de données qualitatives axé sur la découverte de thèmes signifiants pour le problème de recherche.

Condensation verticale : processus de regroupement de données qualitatives axé sur un ou quelques éléments de l'échantillon.

Connaissance scientifique : type de savoir en développement continuel, provenant de l'étude et de la vérification de phénomènes.

Constance d'un instrument de collecte : qualité d'une recherche assurée par le fait que l'instrument de collecte a été utilisé de la même façon tout au long de la collecte.

Constance intercodeur : qualité présentée par deux codeurs ou plus qui prélèvent les unités de la même manière.

Constance intracodeur : qualité d'un codeur qui prélève les unités toujours de la même manière.

Corroboration : confirmation de la véracité d'un fait obtenue par l'étude de plusieurs documents faisant état de ce fait.

Dimensions : composantes d'un concept.

Directivité, non-directivité, semi-directivité : liberté minimale, maximale ou relative laissée aux participants à une recherche.

Donnée brute : information recueillie dans la réalité étudiée et non transformée.

Échantillon : sous-ensemble d'éléments d'une population donnée.

Échantillonnage : ensemble des opérations permettant de sélectionner un sous-ensemble d'une population en vue de constituer un échantillon.

Échantillonnage accidentel : constitution d'un échantillon de la population de recherche à la convenance du chercheur ou de la chercheuse.

Échantillonnage aléatoire simple : constitution d'un échantillon par un tirage au hasard parmi les éléments de la population de recherche.

Échantillonnage en grappes : constitution d'un échantillon d'une population de recherche par un tirage au hasard d'unités regroupant chacune un certain nombre d'éléments de la population.

Échantillonnage non probabiliste : type d'échantillonnage où la probabilité qu'un élément d'une population soit choisi pour faire partie de l'échantillon n'est pas connue et qui ne permet pas d'estimer le degré de représentativité de l'échantillon ainsi constitué.

Échantillonnage par quotas : constitution d'un échantillon de la population de recherche par la sélection d'éléments catégorisés suivant leur proportion dans cette population.

Échantillonnage probabiliste : type d'échantillonnage où la probabilité d'être sélectionné est connue pour chaque élément d'une population et qui permet d'estimer le degré de représentativité d'un échantillon.

Échantillonnage stratifié : constitution d'un échantillon dans une population de recherche par un tirage au hasard à l'intérieur de sous-groupes, ou strates, constitués d'éléments ayant des caractéristiques communes.

Échantillonnage typique : constitution d'un échantillon de la population de recherche par la sélection d'éléments exemplaires de celle-ci.

Échelle : technique pour assigner un score à des individus en vue d'un classement.

Effectif : nombre total d'éléments dans une population.

Entrevue de recherche : technique directe visant à interroger quelques individus, de façon semi-directive, pour faire un prélèvement qualitatif.

Erreur d'échantillonnage : imprécision inévitable quand l'investigation porte sur un échantillon, estimable si celui-ci est probabiliste.

Erreur d'observation : manquement du chercheur ou de la chercheuse au moment de la définition ou de la sélection des éléments de la population.

Esprit scientifique : attitude caractérisée par certaines dispositions mentales essentielles à la démarche scientifique.

Étapes d'une recherche : périodes successives d'une activité scientifique.

État de la question : synthèse des informations connues sur un sujet de recherche.

Éthique scientifique : ensemble de principes et de devoirs moraux liés à la conduite d'une activité de recherche.

Expérience : fait de provoquer un phénomène dans le but de l'étudier.

Expérimentation : application de la méthode expérimentale en faisant une expérience directe sur quelques individus, de façon directive, en vue d'un prélèvement quantitatif.

Faisabilité : caractère de ce qui est réalisable compte tenu des ressources humaines et matérielles disponibles, ainsi que des conditions techniques et temporelles définies.

Fidélité d'un instrument de collecte : qualité d'un instrument qui permet d'obtenir des résultats semblables lorsqu'il est utilisé dans différentes recherches ou applications.

Formulaire de questions : instrument de collecte de données construit en vue de soumettre des individus à un ensemble de questions standardisées.

Généralisation : raisonnement par lequel les résultats obtenus auprès d'un échantillon ou d'un groupe peuvent être étendus à toute la population ou à un groupe semblable.

Graphique : représentation imagée de l'ordre de grandeur d'un ensemble de données ou des relations entre ces données.

Hypothèse : réponse supposée à une question de recherche, une prédiction à vérifier empiriquement.

Indicateur : élément d'une dimension donnée observable dans la réalité.

Indice : mesure quantitative combinant un ensemble d'indicateurs de même nature.

Informateur : personne faisant partie de la population visée par la recherche.

Informateur clé : personne connaissant le milieu observé et exerçant une certaine influence sur lui.

Interprétation des résultats : raisonnement visant à donner un sens, une signification à l'analyse des données.

Manuel de codage : manuel dans lequel sont consignées toutes les informations et décisions quant à la catégorisation et au codage des données brutes.

Mesures descriptives : grandeurs numériques servant à caractériser et à décrire un ensemble de données.

Méthode d'enquête : façon de se renseigner sur une population à l'aide de divers moyens d'investigation.

Méthode expérimentale : façon d'étudier un objet de recherche en le soumettant à une expérience pour en faire une étude de causalité.

Méthode historique : façon d'aborder et d'interpréter un évènement passé en suivant une procédure de recherche et d'examen de documents s'y rapportant.

Méthode scientifique : ensemble de règles régissant le processus de recherche scientifique.

Méthodologie : ensemble des méthodes et des techniques qui orientent l'élaboration d'une recherche et qui guident la démarche scientifique.

Mise en forme des données : moyens pris pour représenter les données recueillies.

Numérotation : assignation d'un numéro à chaque élément de la population ou de l'échantillon, à chaque angle sous lequel il est examiné et à chaque position qu'il prend sous cet angle.

Objectif de recherche : intention manifestée de se renseigner empiriquement pour répondre à la question de recherche.

Observation en situation : technique ou méthode directe visant à observer habituellement un groupe, de façon non directive, pour faire un prélèvement qualitatif.

Opérationnalisation : processus de concrétisation d'une question de recherche qui permet de la rendre observable.

Phénomènes : faits perçus directement ou indirectement par les sens et sur lesquels porte la connaissance scientifique.

Plan du rapport : choix du contenu du rapport et de sa répartition détaillée.

Population : ensemble d'éléments ayant une ou plusieurs caractéristiques en commun qui les distinguent d'autres éléments et sur lesquels porte l'investigation.

Précision d'un instrument de collecte : qualité d'un instrument qui est sensible aux manifestations diverses de l'objet d'études.

Problème de recherche : énoncé du sujet de la recherche sous la forme d'une question impliquant la possibilité d'une investigation en vue de trouver une réponse.

Proposition : énoncé qui exprime, par des mots ou des symboles, une relation entre deux ou plusieurs termes.

Question fermée : question obligeant l'informateur à effectuer un choix parmi un certain nombre de réponses plausibles fournies.

Question-filtre : question qui, dans un formulaire, indique à l'informateur de poursuivre différemment selon la réponse donnée.

Question ouverte : question n'imposant aucune contrainte à l'informateur quant à l'élaboration de sa réponse.

Questionnaire ou sondage : technique directe visant à questionner un grand nombre d'individus, habituellement de façon directive, pour faire un prélèvement quantitatif.

Recension de la documentation : examen approfondi et systématique des publications sur un sujet.

Recherche appliquée : recherche ayant pour but de résoudre un problème pratique.

Recherche classificatrice : recherche visant à regrouper des phénomènes selon un ou plusieurs critères.

Recherche compréhensive : recherche visant à saisir les significations données par les individus eux-mêmes à leur conduite.

Recherche descriptive : recherche visant à représenter en détail un phénomène.

Recherche explicative : recherche visant à mettre en relation des phénomènes.

Recherche fondamentale : recherche ayant pur but d'accroître les connaissances dans un domaine donné.

Recherche scientifique : activité scientifique consistant en un processus de collecte et d'analyse de données dans le but de répondre à un problème de recherche déterminé.

Représentativité d'un échantillon : qualité d'un échantillon composé de façon à contenir les mêmes caractéristiques que celles de la population dont il est extrait.

Révision du transfert des données : examen des données mises sur ordinateur pour repérer et modifier les informations inexactes, s'il y a lieu.

Saturation des sources : en recherche qualitative, le fait d'avoir atteint un nombre suffisant d'éléments pour constituer l'échantillon, grâce au caractère répétitif des informations recueillies.

Schéma d'entrevue : instrument de collecte de données construit en vue d'interroger en profondeur une personne ou un petit groupe.

Schème expérimental : instrument de collecte de données construit en vue de soumettre des sujets à une expérience.

Science : ensemble cohérent de connaissances susceptibles de vérification dans le réel.

Sciences de la nature : disciplines ayant l'univers physique et vivant comme objet d'étude.

Sciences humaines : disciplines ayant l'être humain comme objet d'étude.

Scientifique : personne spécialiste d'une discipline des sciences faisant de la recherche.

Séries chiffrées : instrument de collecte de données permettant de recueillir des données quantitatives à partir de coordonnées déterminées.

Seuil de signification : seuil au-dessous duquel une relation significative entre deux variables est admise.

Sondage : *voir* Questionnaire.

Synthèse : opération intellectuelle consistant à réunir les éléments essentiels en un tout structuré.

Tableau à deux entrées : tableau présentant un regroupement de données et indiquant la répartition de celles-ci selon deux variables, généralement en vue d'établir une relation entre ces variables.

Tableau à une entrée : tableau présentant un regroupement de données qui se rapportent à une seule variable.

Tableau en classes : tableau présentant les données regroupées en catégories réduites par rapport à toutes les catégories de la variable.

Taille d'un échantillon : nombre d'éléments sélectionnés pour faire partie de l'échantillon.

Technique de recherche : ensemble de procédés et d'instruments d'investigation utilisés méthodiquement.

Technique du double aveugle : moyen pris pour que les sujets d'une expérience et l'expérimentateur ne sachent pas quel groupe est le groupe expérimental et lequel est le groupe de contrôle.

Technique du simple aveugle : moyen pris pour que les sujets d'une expérience ne sachent pas à quel groupe ils appartiennent.

Test statistique : procédure visant à déterminer si des observations faites sur un échantillon sont valables pour toute la population et s'il existe une relation entre deux variables.

Théorie : ensemble d'explications et de connaissances sur un domaine de recherche destiné à en rendre compte et à en prédire les manifestations.

Tirage de nombres au hasard : tirage informatisé à partir d'une liste de chiffres aléatoires déjà publiée.

Tirage informatisé : procédé probabiliste d'échantillonnage par lequel les nombres sont générés au hasard par programmation.

Tirage manuel : procédé probabiliste d'échantillonnage par lequel tous les éléments de la population sont choisis à la main.

Tirage systématique : procédé probabiliste d'échantillonnage par lequel les éléments de la population sont choisis à intervalle régulier dans des regroupements.

Transfert des données : enregistrement de données sur un support qui en permet le traitement.

Transparence : exigence pour le ou la scientifique de dévoiler à ses pairs tous les aspects de sa recherche.

Tri à l'aveuglette : procédé non probabiliste d'échantillonnage basé sur la commodité d'accès.

Tri boule de neige : procédé non probabiliste d'échantillonnage aidé d'un premier noyau d'individus de la population, lesquels conduisent à d'autres éléments qui font de même, et ainsi de suite.

Tri de volontaires : procédé non probabiliste d'échantillonnage invitant des sujets à participer à une expérience.

Tri expertisé : procédé non probabiliste d'échantillonnage dirigé par une ou des personnes donnant accès aux éléments de la population.

Tri orienté : procédé non probabiliste d'échantillonnage guidé par une certaine ressemblance avec la population visée.

Unités de numération : façon de calculer les unités de signification prélevées.

Unités de qualification : notation appréciative des unités de signification prélevées.

Unités de signification : segment d'un document placé dans une catégorie donnée.

Validité d'une recherche : correspondance entre la définition du problème, la méthodologie et les données recueillies.

Variable : caractéristique d'un concept ou d'un indicateur pouvant prendre diverses valeurs.

Variable dépendante : variable qui subit l'effet de la variable indépendante.

Variable indépendante : variable qui devrait avoir un effet sur la variable dépendante.

Variable intermédiaire : variable qui intervient entre les variables indépendante et dépendante et qui modifie les effets de la variable indépendante.

Variable simplifiée : variable au nombre de catégories réduit.

Vérification empirique : caractéristique de la recherche scientifique, qui consiste à confronter des suppositions avec la réalité par l'observation de cette dernière.

Index